Une vie à protéger

L'amour en otage

JEAN BARRETT

Une vie à protéger

BLACK *ROSE*

éditions HARLEQUIN

Collection : BLACK ROSE

Titre original : SUDDEN RECALL

Traduction française de CAROLE PAUWELS

Photos de couverture

Garçon : © MOHAMAD ITANI/ARCANGEL IMAGES
Paysage : © THOMAS SZADZIUK/TREVILLION IMAGES
Réalisation graphique couverture : E. COURTECUISSE (Harlequin SA)

83-85, boulevard Vincent-Auriol, 75646 PARIS CEDEX 13.

Service Lectrices — Tél. : 01 45 82 47 47
www.harlequin.fr

ISBN 978-2-2802-8058-7 — ISSN 1950-2753

1

Quoi que ce fût, c'était absolument vital. Quelque chose qu'il avait égaré et qu'il devait retrouver avant qu'il ne soit trop tard.

Ça, au moins, c'était clair. Le reste ne l'était pas du tout.

Il aurait voulu que cesse enfin cet atroce mal de tête. Si au moins il pouvait obtenir cela, que ce battement sourd à l'arrière de son crâne s'apaise un minimum, il se rappellerait ce qu'il cherchait.

Une nouvelle pensée le frappa alors de plein fouet. Ce n'était peut-être pas un objet qu'il avait perdu, mais une personne.

Etait ce possible que ce soit ça ?

Oui, il en était certain à présent. Quelqu'un l'attendait, et cette personne avait besoin de lui. A moins que ce ne soit le contraire ? Etait ce lui qui avait besoin de quelque chose, ou de quelqu'un ?

Dans l'extrême confusion où se débattait son esprit, demeurait la sensation prépondérante qu'il devait aller là-bas.

Où que se trouvât ce « là-bas ».

Il était tellement désorienté qu'il ne savait pas ce qu'était cet endroit, ni comment s'y rendre.

Ni l'heure ni le climat n'étaient ses alliés. C'était la nuit. Il y avait de l'eau sur sa droite. Une rivière, peut-être. De l'autre côté, au loin, des lumières. Entre les deux, cette bande d'asphalte bordée par un talus sur laquelle il errait depuis un temps indéfinissable.

Il se trouvait sur un parking. Voilà, c'était ça. Il était seul et à pied sur un parking aux abords d'une ville.

Un vent humide et froid soufflait de la rivière, rabattant des rafales de pluie aussi pénétrantes que des milliers d'épingles.

Il n'était pas habillé pour ce temps. Il redressa le col de sa veste légère et essaya de presser le pas. Il n'avait pas seulement mal à la tête. Tout son corps était douloureux. Chaque foulée était une souffrance. Avait-il été victime d'un accident ?

Un large boulevard s'ouvrit devant lui. La circulation y était quasi inexistante. De l'autre côté, on apercevait le néon de ce qui semblait être un drugstore — un de ces endroits qui ne fermait jamais.

Il y trouverait sûrement de l'aspirine. S'il pouvait seulement avaler deux cachets, faire en sorte que le martèlement incessant dans sa tête se calme un peu, son cerveau finirait par retrouver les réponses qu'il cherchait.

La luminosité du magasin l'aveugla, et il lui fallut un moment pour accommoder sa vision. Il n'y avait personne à part lui et une jeune femme à la caisse, qui discutait au téléphone.

Il trouva l'aspirine au fond du magasin, et de l'eau minérale dans un rayon voisin. Puis, il se présenta devant l'employée.

— J'ai un client, dit-elle dans son téléphone. Je te laisse.

Une expression alarmée se dessina sur son visage lorsqu'elle tourna les yeux vers lui. Il en fut intrigué pendant une seconde, puis se souvint qu'il était trempé par la pluie. Peut-être s'imaginait-elle qu'il était tombé dans la rivière.

Il déposa ses achats sur le comptoir et chercha son portefeuille dans la poche arrière de son pantalon.

Il n'y avait pas de portefeuille dans cette poche, ni autre part sur lui. Le lui avait-on volé ? L'aurait-il perdu ?

La jeune femme l'observait avec suspicion, il marmonna :

— Désolé. J'ai oublié quelque chose.

Il laissa ses maigres achats sur le comptoir, et chercha refuge au bout d'une allée. Là, il fouilla de nouveau toutes ses poches, en essayant de ne pas céder à la panique.

Mais il n'avait absolument rien sur lui. Pas de monnaie, pas de carte de crédit, pas de pièce d'identité.

Désespéré, il crispa les doigts sur les pans de sa veste. Il sentit alors quelque chose dans la doublure.

Plongeant de nouveau la main dans la poche gauche, il découvrit une petite déchirure dans un angle. Ses doigts plongèrent dans l'ouverture, l'agrandirent, tâtonnèrent, et se refermèrent pour finir sur deux rectangles de papier épais.

Peu lui importait comment ils s'étaient retrouvés là, qu'ils aient glissé accidentellement dans la doublure, ou qu'ils y aient été cachés.

Peut-être allait-il savoir qui il était et ce qui lui arrivait, à défaut de savoir pourquoi. Il exhuma ses trouvailles.

L'une était une photographie d'un jeune garçon au visage sérieux. Il ne reconnut pas l'enfant, et il n'y avait pas de légende au dos du cliché.

L'autre était une carte de visite professionnelle, avec un aigle doré pour logo.

Agence de détectives Hawke, déchiffra-t-il. Suivaient un nom et une adresse : Eden Hawke, 99 Mead Street, Charleston. Il y avait aussi un numéro de téléphone.

Cela ne lui évoquait rien. Mais c'était la seule chose qu'il avait. Il devait se rendre à cette adresse.

Ce devait être ça, l'endroit qu'il cherchait. C'était

là-bas qu'une personne l'attendait. Peut-être cet enfant sur la photo.

Il avait vu un téléphone public au fond du magasin. Mais il n'avait pas d'argent pour passer un appel et pas franchement envie de parler. Sa seule obsession désormais était de se rendre à cette adresse. Encore fallait-il la localiser. Il y avait toujours un annuaire à côté des téléphones publics.

Et à l'intérieur, il y aurait un plan de ville. Ce serait un jeu d'enfant de trouver le 99 Mead Street.

A condition qu'il soit bien à Charleston, et non à des centaines de kilomètres de là.

Pourquoi ne savait-il pas où il se trouvait ?

Il s'arrêta un instant.

Ce n'était pas grave, décida-t-il. Tout allait bientôt s'arranger.

Il passa devant un présentoir de lunettes de soleil et surprit son reflet dans le petit miroir rectangulaire. Il s'arrêta, choqué par son image.

Voilà pourquoi il avait mal et pourquoi l'employée avait eu un mouvement de recul en le voyant.

Le visage inconnu qui lui faisait face ressemblait à un champ de bataille. Un des yeux était cerclé de rouge violacé, et si gonflé que la paupière était à demi fermée. Sa lèvre inférieure était fendue, une coupure profonde barrait son nez, et il y avait du sang séché sur sa joue.

Quelque chose lui était arrivé. Quelque chose de très grave. Mais il n'avait pas le temps de s'interroger à ce sujet. Il verrait cela plus tard. Pour le moment, il devait se rendre à Mead Street.

Un annuaire était attaché au téléphone par une chaîne. La couverture sous l'épaisse pochette de protection en plastique noir le renseigna. Il était bien à Charleston, en Caroline du Sud. Le plan de ville lui indiqua Mead Street.

D'un geste mal assuré, il déchira la page, la plia et la mit dans la poche de sa veste avec la carte de visite et la photographie.

Il devait sortir du magasin avant que l'employée ne prenne peur et n'appelle les flics. Elle l'avait peut-être déjà fait. Il n'avait aucune envie de s'expliquer avec la police, ou même de demander de l'aide à l'employée. Cette situation pouvait s'avérer dangereuse. Mieux valait éviter de se faire remarquer.

La tête rentrée dans les épaules, il quitta le magasin et s'enfonça dans la nuit. Il y avait un panneau indicateur au coin de la rue. Il le lut, puis vérifia le plan sous le lampadaire. Mead Street se trouvait à un bon kilomètre de là. C'était à la fois proche et à des années-lumière par ce temps et dans son état. Mais il y arriverait.

Ce fut une rude bataille. Le vent s'était levé et la pluie le giflait au visage. A plusieurs reprises, il trébucha sur des branches que la tempête avait arrachées des arbres. Il tomba même une fois, et faillit rester là, recroquevillé sur lui-même comme un animal blessé.

Se relever fut un effort considérable et mettre un pied devant l'autre relevait de la torture. Mais il tint bon.

Il n'y avait personne dans les rues par ce temps. Un taxi passa et il regretta de ne pouvoir le héler faute d'argent. Plus loin, la vue d'une voiture de patrouille le poussa à se dissimuler dans l'entrée d'une cour. Il ne savait pas pourquoi il devait se méfier de la police, mais son instinct de préservation le lui conseilla.

Il attendit que la voiture ait disparu au coin de la rue pour reprendre sa marche. Où était-il à présent ? Quelle distance avait-il parcouru ? Il n'en était pas sûr, mais cela ressemblait à un quartier historique, avec ses rangées de vieilles maisons dont les façades témoignaient d'influences diverses.

Mead Street. Il vit le panneau à la lueur d'une vieille lanterne fixée sur un poteau. Il y était presque.

Boitant de plus en plus, et si faible qu'il redoutait de s'effondrer à chaque pas, il se traîna tout le long de la rue jusqu'au numéro 99.

Avec sa façade étroite flanquée d'une porte cochère, c'était une de ces constructions sur cour typiques de Charleston : une première maison en bord de rue et une autre habitation, parfois un immeuble, au bout d'une venelle. Il ignorait comment il le savait, mais c'était manifestement le cas

Il y avait une plaque en laiton sur la porte. Il se pencha pour la déchiffrer dans la chiche lumière du réverbère à l'ancienne.

Agence de Détectives Hawke.

Pourquoi avait-il l'impression qu'il pouvait faire confiance à un détective privé et pas à la police ? Mystère. Et qu'est-ce qui lui faisait croire qu'il trouverait quelqu'un ici à cette heure ?

Il ne prit pas la peine de frapper à la porte ou de chercher une sonnette. Cela aurait pu attirer l'attention sur lui dans la rue. Il tourna simplement la poignée. C'était une porte cochère, pas une vraie porte d'entrée : elle n'était pas fermée. Ainsi qu'il l'avait deviné, elle ouvrait sur une étroite ruelle pavée longeant le bâtiment et desservant un jardin sur l'arrière. Il y avait une porte et des fenêtres sur la façade latérale, probablement celles de l'agence. Tout y était sombre. Mais de la lumière brillait côté jardin. Il s'y dirigea en titubant.

Il n'alla pas jusqu'au bout. Son corps eut finalement raison de sa détermination.

Il crut tomber au ralenti, mais sans doute s'était-il

effondré avec fracas. Tandis qu'il gisait impuissant sur les briques humides, une porte s'ouvrit en claquant contre un mur et la cour s'illumina.

Il y eut des bruits de pas pressés, un petit cri de surprise, puis il sentit quelqu'un s'agenouiller à côté de lui, respira le sillage d'un parfum. La fragrance féminine avait quelque chose de chaud et de réconfortant.

Levant la tête juste avant de sombrer dans l'inconscience, il parvint à murmurer :

— Est-ce que je suis chez moi ?

Il était de nouveau conscient, mais tellement désorienté qu'il se rendait à peine compte de son environnement. Quel était cet endroit ? Une chambre apparemment, car il sentait un matelas ferme en dessous de lui et une douillette couverture tirée sur son corps épuisé.

Mais ce n'était pas certain non plus. La pièce était plongée dans une obscurité totale. La seule source de lumière était une fine bande verticale provenant de l'entrebâillement d'une porte quelque part au fond de la pièce.

D'accord, il était dans une chambre. Mais à qui était-elle ? Il avait envie de croire que c'était la sienne, qu'il était arrivé à bon port. Mais il ne pouvait en être sûr.

Il détestait cette confusion, cet état d'impuissance qui lui interdisait de… quoi ? Il ne le savait pas, mais cela le rongeait. Il avait quelque chose à faire, ou quelqu'un à voir, mais sa mémoire lui jouait de mauvais tours.

Soudain, il entendit des voix de l'autre côté de la porte, si basses qu'il ne distingua pas les mots, seulement l'intonation. L'une était intense, presque agressive. L'autre était calme, mais tout aussi déterminée.

C'était *sa* voix.

Il la reconnaissait maintenant, aussi apaisante que ses mains sur lui, aussi suave que son parfum. Alors, tout était bien. Si elle était là, près de lui, il était en sécurité. Il pouvait oublier tout le reste. Il serait toujours temps de s'en soucier plus tard.

— Tu ne peux pas faire ça, protesta Tia. Ce type devrait être à l'hôpital. Il n'a rien à faire dans ta chambre d'amis.

Eden regarda son amie et voisine ranger son matériel médical dans sa mallette.

— Tu as dit toi-même qu'il n'était pas en danger, et qu'avec une constitution de sportif comme la sienne, il allait se remettre très vite.

— Eh bien, j'aurais mieux fait de me taire. Je suis infirmière, pas médecin, et s'il devait y avoir des complications…

— Je veillerai à ce qu'il ait toute l'attention nécessaire.

— Quand ?

— Dès qu'il m'aura dit ce que je veux savoir.

— Laisse la police l'interroger. D'ailleurs, tu aurais dû l'appeler tout de suite.

— Pour qu'ils l'emmènent ?

Elle secoua obstinément la tête.

— Je ne veux pas prendre le risque de perdre cette occasion, ni entendre ce qu'il a à dire de la bouche de quelqu'un d'autre.

— C'est de la folie. Ce type pourrait être dangereux. Il l'est sûrement.

— Il ne me fera pas de mal.

— Pourquoi ? Parce qu'en ce moment il est trop faible pour représenter une menace ?

— Parce que mon instinct me dit que c'est un homme honnête. Tu ne l'as pas entendu dans sa voix ?

— Tout ce que j'ai entendu, ce sont de vagues murmures qui ne voulaient pas dire grand-chose. Mais ce que j'ai vu m'inquiète. Ses blessures ne sont pas le résultat d'un accident. Je pense qu'il a été battu. Sévèrement battu. Et il a des cicatrices anciennes sur le corps, dont une très impressionnante sur la jambe droite.

— J'ai remarqué.

— Et tu ne te dis pas qu'il doit avoir un passé plutôt douteux ? Je t'en prie, Eden, tu penses avec tes émotions, là, pas avec ta tête !

— Tu ne ferais pas la même chose à ma place si tu avais trouvé ça sur lui ?

Elle tendit la main vers la table à côté d'elle et brandit la photographie de l'enfant.

— C'est Nathan, Tia. Il avait une photo de Nathan sur lui.

L'expression de son amie s'adoucit.

— Ma chérie, soit raisonnable. Ce n'est pas parce qu'il a les cheveux blond-roux et les yeux bleu lavande que c'est Nathan. Ton fils avait presque deux ans quand il a été enlevé, et ça fait quasiment trois ans maintenant. Les enfants changent énormément à ces âges-là. Ce petit garçon sur la photo pourrait être n'importe qui.

— C'est Nathan, insista-t-elle avec opiniâtreté. Je sais que c'est lui.

Parce que tu as envie de le croire.

C'était ce qu'elle lisait sur le visage de Tia. Elle savait ce que pensait son amie, ce que tous ses proches avaient pensé et s'étaient empêchés de dire depuis la disparition de Nathan : que cela faisait trop longtemps, qu'elle ne le retrouverait jamais… Que Nathan était probablement mort.

Ils pouvaient bien penser ce qu'ils voulaient. Nathan était toujours en vie. Elle n'avait jamais cessé de le croire pendant ces atroces semaines après sa disparition, pendant les mois et les années qui avaient suivi. Elle ne s'était jamais autorisée à penser autrement.

— Il a un lien avec Nathan. Quelle que soit son identité, quelle que soit la raison qui l'a conduit jusqu'à ma porte, il a un lien avec Nathan. Et même si tu crois que je suis folle, je ne le laisserai pas partir avant qu'il m'ait dit ce que je veux savoir.

— Tant qu'il sera là, tu seras vulnérable. J'espère que tu t'en rends compte.

— Je suis une mère, Tia. Je ferai tout pour retrouver mon fils. Tout.

Son amie soupira doucement.

— Oui, je te comprends, Eden. J'espère seulement que tu sais ce que tu fais.

Sa mallette médicale à la main, elle se dirigea vers la porte donnant sur la cour.

— Le sédatif devrait faire effet maintenant. Je pense qu'il va dormir toute la nuit. Mais s'il se réveille et si tu as besoin de moi…

— Je n'hésiterai pas à t'appeler.

Elle accompagna son amie jusqu'à l'escalier extérieur qui permettait d'accéder à l'appartement au-dessus du sien. Tia se retourna vers elle.

— Je passerai demain voir comment il va.

Puis, elle s'interrompit un instant.

— Oh ! zut, je viens de me souvenir que Quinn vient me chercher tôt demain matin. Nous devons passer la journée avec ses parents sur l'île de Seabrook, et si j'annule…

— Tia, tu ne vas rien annuler du tout. Vas-y, et arrête de me regarder comme ça. De toute façon, je ne suis pas toute seule. Les Davis sont juste de l'autre côté de la cour.

*
* *

Eden fut soulagée quand elle put enfin fermer la porte derrière son amie. Elle n'aurait pas dû l'être. Elle était seule avec un homme dont elle ignorait tout, un inconnu sorti de nulle part au milieu de la nuit. Tout en lui aurait dû l'inquiéter, mais sa seule crainte était qu'il ne puisse pas lui dire ce qu'elle avait tant besoin de savoir.

Elle resta un moment immobile, dans le silence de son appartement aménagé au-dessus de l'agence, à écouter le bruit du vent et de la pluie. Puis elle traversa le couloir et se dirigea vers la chambre d'amis.

La lumière qui entrait par la porte laissée entrouverte lui permit de distinguer l'homme étendu là, insensible à sa présence.

Elle se tint à côté du lit, les yeux baissés vers la silhouette dissimulée sous la couverture. Elle s'en rappelait tous les détails. En dépit de tout ce qu'il avait enduré, c'était un corps puissant, spécialement conditionné pour…

Pour quoi, exactement ? Elle n'avait aucun moyen de le savoir.

Il remua brièvement, murmura quelque chose dans son sommeil, et redevint de nouveau calme.

Elle ne comprit pas ce qu'il avait dit. D'ailleurs, rien de ce qu'il avait murmuré depuis qu'il s'était effondré dans la cour n'avait été intelligible, à l'exception de ses premières paroles : « Est-ce que je suis chez moi ? »

Pourquoi s'imaginait-il cela ? Et pourquoi avait-elle été si émue en entendant ces mots ? Elle s'y accrochait comme à une bouée. Se rappeler combien ils étaient poignants était sa seule façon de se convaincre qu'elle ne commettait pas une terrible erreur en gardant cet homme chez elle.

2

Eden adorait sa ville d'adoption. Charleston avait tant de choses à offrir, particulièrement son climat. Même au beau milieu de l'hiver, les températures restaient clémentes. Ayant grandi à Chicago, c'était quelque chose qu'elle savait apprécier à sa juste valeur.

Le temps glacial de la veille était une exception. Ce matin, le thermomètre avait remonté au point qu'elle avait ouvert la porte du jardin pour laisser entrer le soleil, dont les chauds rayons avaient déjà partiellement séché la végétation détrempée.

De toutes parts, on entendait carillonner les cloches des églises de Charleston invitant les paroissiens aux offices du dimanche.

Cela faisait aussi partie des aspects de cette ville qu'elle aimait. Mais pas ce matin. Rien, pas même leur son joyeux, ne pouvait apaiser l'anxiété qui la rongeait tandis qu'elle attendait que la cafetière électrique ait fini de passer son café.

Le téléphone fixé au mur de la cuisine sonna. C'était certainement Tia qui venait aux nouvelles. Elle décrocha.

— Est-il réveillé ? lui demanda son amie.

Elle prit soin de ne pas communiquer son inquiétude à sa voix.

— Il dort encore. Mais après ce qu'il a dû vivre, c'est normal, non ?

— Peut-être. Tu as vérifié ses signes vitaux comme je te l'ai montré ?

— Oui. Ils sont réguliers.

— Tu veux que je descende ?

Eden entendit un grognement derrière la voix de Tia. Son petit ami semblait contrarié par cette proposition qui allait les retarder.

— Ce n'est pas nécessaire, Tia. Je lui laisse encore une heure, et s'il n'est pas conscient d'ici là, je le réveillerai moi-même.

— Et si tu ne peux pas le ranimer…

— J'appellerai une ambulance. Ecoute, ne t'inquiète pas. Je peux me débrouiller. Vas-y, et profite de ta journée.

La certitude d'Eden s'évanouit aussitôt qu'elle raccrocha. De nouveau elle s'inquiétait, se posant les mêmes questions qui ne cessaient de la tarauder depuis qu'elle avait posé les yeux sur l'inconnu.

En le gardant chez elle, elle le privait de soins dont il avait peut-être besoin. Qu'est-ce qui lui permettait d'affirmer qu'il n'avait pas de commotion cérébrale ?

Penser à Nathan l'empêcha de décrocher de nouveau le téléphone. Ravalant sa culpabilité, elle vérifia la cafetière. Le café était prêt et elle se servit une tasse. Les premières gorgées la réconfortèrent.

Son café en main, elle se dirigea ensuite vers la chambre d'amis. Poussant la porte, elle entra doucement dans la pièce. Sa discrétion ne servit à rien cette fois. Il était réveillé.

Apparemment conscient de sa présence, il tourna la tête sur l'oreiller et riva sur elle un regard qui se révéla plus alerte qu'elle ne s'y attendait, et beaucoup plus dérangeant aussi. Il y avait quelque chose d'étonnamment intime dans la façon dont il la regardait.

— Bonjour, dit-il d'une voix basse et rauque.

Eden tenait sa tasse devant elle comme s'il s'agissait d'une arme. Elle déglutit nerveusement et fit l'effort de s'adresser à lui avec un détachement qu'elle était loin d'éprouver.

— Bonjour. Comment ça va ?

— Comme si j'étais passé sous un semi-remorque.

— Et la tête ?

Il porta la main à son visage, explorant ses blessures, et parut surpris en découvrant les sutures adhésives sur l'arête de son nez.

— C'est toi qui m'as soigné ?

Elle secoua la tête.

— Non, c'est Tia. Ma voisine du dessus. Elle est infirmière.

— Il faudra que la remercie.

— Ce sera pour une autre fois. Elle est partie pour la journée.

— Je ne me souviens pas d'elle. Est-ce que c'est une de nos amies ?

Tout comme elle avait été surprise par son tutoiement, Eden s'étonna de sa question. A première vue, il semblait normal. En tout cas, il était en meilleure forme qu'elle n'aurait pu l'espérer. Mais, s'il n'avait pas retrouvé toute sa lucidité, il était possible après tout qu'il souffre d'une commotion cérébrale.

Mieux valait ne pas le perturber davantage et passer au tutoiement.

— Eh bien, oui, c'est une amie à moi, reprit-elle d'une voix mal assurée. Tu es sûr que tu n'as pas mal à la tête, ou des vertiges ?

— Pas ce matin, non.

Elle brûlait d'envie de le questionner sur Nathan, sur la raison pour laquelle il avait une photo de son fils avec lui. Mais ce ne serait guère compatissant de sa part. Elle devait avant toute chose se préoccuper de son état de santé.

— Ça veut dire que tu avais mal à la tête, hier soir ?

— Je suppose.

— Tu avais une grosse bosse sur l'arrière du crâne. Grâce à la poche de glace que Tia a appliquée, ça a un peu désenflé.

— C'est bien.

Rien de tout cela ne semblait le troubler et elle commençait à s'inquiéter vraiment pour lui. Comment pouvait-il être aussi détaché ? Compte tenu des circonstances, cela n'apparaissait pas comme un comportement rationnel.

— Tu te souviens de la nuit dernière ? Comment es-tu venu jusqu'ici ?

— Bien sûr. Ça a été une sacrée épreuve de faire tout ce chemin à pied.

— Que t'est-il arrivé ? Comment as-tu été blessé ?

— Je ne peux pas le dire.

— Pourquoi ?

— Parce que je ne le sais pas.

Le vague sentiment de malaise qu'elle éprouvait se transforma en inquiétude.

— Comment cela, tu ne le sais pas ?

— Je me rappelle tout ce qui s'est passé depuis que je me suis retrouvé au bord d'une rivière, mais pas avant.

— Rien du tout ?

Il réfléchit quelques instants et secoua la tête.

— J'en ai bien peur.

— Et avant la nuit dernière ? Tu dois bien te rappeler quelque chose ?

— Désolé. C'est le trou noir.

Elle le dévisagea, choquée par la réalité de son état. Il n'avait pas de mémoire. Pas de passé.

— Es-tu en train de me dire, articula-t-elle lentement, que tu ne sais pas qui tu es ?

Il lui adressa un sourire, qui était à la fois rassurant et étonnamment sensuel.

— Ne t'inquiète pas pour ça. Maintenant que je suis revenu, tout va bien se passer. Tu n'as qu'à me dire tout ce que je dois savoir sur nous. Ça me reviendra en t'écoutant.

Il prit un air plus enjoué pour désigner le café qu'elle tenait à la main.

— Ça sent bon. Tu crois que je pourrais en avoir une tasse ?

Il ne pouvait pas le savoir, mais il venait de lui offrir ce dont elle rêvait le plus à cet instant : une chance d'échapper à sa présence assez longtemps pour se remettre de son ébahissement.

— Bien sûr, dit-elle, avant de se précipiter hors de la chambre.

Une fois dans la cuisine, elle s'aperçut que sa main qui tenait la tasse tremblait. Elle posa son café sur le plan de travail et prit une profonde inspiration. Puis, elle fit l'effort de remettre de l'ordre dans ses pensées.

Il était amnésique.

Il y avait vraiment de quoi se sentir frustrée ! Comment espérer qu'il puisse lui apprendre quoi que ce soit sur Nathan s'il ne se rappelait pas qui il était ?

Et qu'allait-elle faire de lui ?

Cette réponse-là était plus évidente. S'il avait besoin d'une aide professionnelle, et cela semblait être le cas, elle n'avait qu'à le remettre aux personnes compétentes. Seulement, elle ne pouvait s'y résoudre. Pas tout de suite. Pas avant d'avoir tout essayé pour déverrouiller sa mémoire.

Moralement, c'était un peu douteux et elle le savait.

Mais elle ne pouvait pas s'en empêcher. Elle avait besoin de réponses concernant Nathan.

L'inconnu devait attendre son café. Elle en versa dans une tasse et hésita. L'aimait-il noir ou avec du lait ? Avec ou sans sucre ? Pouvait-il se souvenir de ça ? Elle déposa la tasse sur un petit plateau, avec une cuillère, le sucrier et la boîte de lait en poudre.

La vision qu'il lui offrit quand elle regagna la chambre lui fit oublier toutes ses questions. En son absence, il s'était hissé contre la tête de lit, révélant ses épaules et son torse nus, visiblement sans en avoir conscience.

Elle avait vu son corps la nuit précédente quand Tia et elle avaient examiné ses blessures. Mais il s'agissait d'un acte impersonnel. Alors que là…

Elle posa le plateau sur la table de chevet, en essayant de ne pas loucher sur ses pectoraux puissants, dont l'allure n'était en rien diminuée par les nombreuses cicatrices qui les barraient.

Ignorant le sucre et le lait, il saisit la tasse et la porta à ses lèvres. Elle le regarda boire son café à longues gorgées avides, hypnotisée par le va-et-vient de la pomme d'Adam dans son cou vigoureux, cordé de veines saillantes.

— Ah, ça va mieux, annonça-t-il en abaissant sa tasse.

Soudain, il se pencha vers elle et renifla l'air. Puis, il lui demanda d'un ton étonnamment abrupt :

— Qu'est-ce que c'est ?

— Pardon ?

— Le parfum que tu portes. Je ne m'en souviens pas non plus.

— C'est du muguet.

— C'est très agréable, dit-il en reposant la tasse sur le plateau.

Avant qu'elle n'ait pu s'écarter du lit, il lui attrapa la

main et la porta à son visage. Puis il la tourna et respira profondément son poignet

— Oui, très agréable, murmura-t-il.

Elle fut si surprise qu'elle ne put réagir. Elle n'eut pas non plus la présence d'esprit de l'arrêter lorsqu'il posa ses lèvres sur la peau délicate où battait son pouls.

Une onde de chaleur courut tout le long de son bras, jusqu'à sa poitrine, et son cœur se mit à battre plus vite. Alors seulement elle revint à la raison et retira sa main.

Il rit doucement.

— Qu'y a-t-il ? Je n'ai plus le droit de câliner ma femme ?

— Pardon ? Qu'as-tu dit ?

— Rien. Seulement que j'apprécie le parfum de ma femme.

Il rit de nouveau.

— Entre autres.

Elle était stupéfaite et en resta sans voix. Elle avait bien compris qu'il croyait la connaître, mais cela allait donc au-delà. Il était persuadé qu'il était son mari.

Dis-lui. Mais pourquoi ne lui dis-tu pas ?

Elle ne savait pas ce qui la retenait de corriger immédiatement la fausse impression de l'inconnu. Ou, n'était-ce pas plutôt qu'elle ne voulait pas le savoir, alors qu'une petite voix dénuée de scrupules lui susurrait déjà de profiter de la situation ?

Impensable ! Comment pouvait-elle seulement envisager de… Et pourtant, c'était terriblement tentant.

— Tu crois que je pourrais avoir un petit déjeuner avec ce café ? Je le préparerais bien moi-même si je me rappelais où sont les choses.

Elle parvint à retrouver sa voix, même si elle était un peu tremblante.

— Tu te sens assez bien pour manger ?

— Je crois, oui.

Il bascula ses longues jambes sur le rebord du lit et se leva, faisant la preuve de son rapide rétablissement. Elle le contempla. A son grand soulagement, il garda la couverture autour de ses hanches.

— Tu vois ? Je suis parfaitement stable. Maintenant, si tu pouvais me dire où sont mes vêtements…

Elle désigna d'un signe de tête la salle de bains attenante.

— Je les ai lavés et repassés.

Et s'il demandait à porter d'autres vêtements que ceux de la veille ? Quelle excuse trouverait-elle ? Heureusement, il accepta sa réponse sans broncher.

Elle le suivit des yeux. Il semblait capable d'aller jusqu'à la salle de bains sans assistance. Lorsque la porte se referma derrière lui, elle prit le plateau et quitta la chambre.

Tout en préparant des œufs brouillés et des toasts, elle réfléchit aux mots qu'il avait prononcés avant de s'effondrer dans la ruelle. « Est-ce que je suis chez moi ? » Cette curieuse demande prenait maintenant tout son sens. Il pensait avoir retrouvé le chemin de sa maison et être en sécurité avec sa femme.

Mari et femme. Comment son esprit tourmenté était-il parvenu à une telle conclusion ?

Et elle, elle était prête à exploiter ce quiproquo. C'était mal de lui laisser croire qu'elle était sa femme, et sans doute cruel. Mais la tentation était vraiment trop grande. De toute façon, cela ne durerait que le temps d'obtenir les informations dont elle avait besoin.

— Je crois que je suis de nouveau prêt à l'action.

Elle sursauta au son de la voix rauque dans son dos. Il était sur le seuil et sa déclaration n'aurait pu être plus appropriée. Certes, il avait simplement voulu dire qu'il se sentait mieux mais, à moins d'avoir des problèmes de vue, aucune femme n'aurait pu s'empêcher de rêver à autre chose.

Comment rester insensible à la façon dont son jean délavé collait à ses hanches étroites et à ses cuisses musclées ? Elle ne l'avait pas remarqué la veille, mais son jean et sa chemise étaient de style western, comme les vêtements que portait son frère Roark au Texas. Il avait la peau hâlée, et ses cheveux châtains étaient striés de mèches aux nuances de miel, comme ceux d'un homme qui aurait été exposé au soleil du désert. Etait-ce sans importance, ou fallait-il y voir un indice sur ses origines ?

— Assieds-toi, lui répondit-elle. Le petit déjeuner est presque prêt.

Elle le regarda s'avancer vers la table, dressée dans la salle à manger voisine. Il boitait.

— Ta jambe droite, dit-elle.

— Quoi, ma jambe ?

— Si tu as mal, tu ne devrais pas prendre appui dessus. Tu aurais peut-être dû rester au lit.

Il s'arrêta à mi-chemin et observa sa jambe avec étonnement.

— Je n'ai aucune douleur à la jambe. De quoi parles-tu ?

— Rien, se reprit-elle.

La veille, Tia avait fait référence à une ancienne cicatrice. Cette légère claudication n'était donc pas le résultat d'une blessure récente et faisait tellement partie de lui qu'il n'y prêtait plus attention.

Elle le laissa prendre place à table et lui apporta les œufs et les toasts. Il regardait autour de lui avec intérêt.

Il voyait pour la première fois tous les éléments de cette pièce qu'elle adorait pour son charme désuet et imparfait : les délicats panneaux de bois mouluré sur les murs, éraflés et fendus par endroits ; le manteau en marbre de la cheminée, fissuré et cassé mais toujours élégant ; le parquet aux lattes disjointes marquées de taches indélébiles sous les couches de cire.

Naturellement, il ignorait examiner tout cela pour la première fois, et il y avait quelque chose de douloureux à le voir lutter pour faire remonter à la surface un savoir qu'il n'avait jamais eu. Si douloureux qu'elle fut tentée de lui dire tout de go la vérité. Mais l'évocation de Nathan lui fit tenir sa langue.

— Le tableau, dit-il, en fixant la scène encadrée au-dessus de la cheminée. Est-ce que je connais cet endroit ? Où se trouve-t-il ?

— C'est une aquarelle de la péniche que — elle s'apprêtait à dire « je », mais se corrigea à temps — que nous gardons amarrée sur la rivière Ashley.

— Pour les escapades du week-end, tu veux dire ?

— Oui, quelque chose comme ça.

Il hocha pensivement la tête.

— Ça me plaît. Ça a l'air d'un endroit tranquille.

— Tu devrais manger avant que ce soit froid, dit-elle en s'asseyant en face de lui.

Il commença à soulever le verre de jus d'orange devant son assiette puis hésita, le front plissé, comme s'il n'était pas certain d'aimer le jus d'orange.

Elle angoissa subitement.

Si c'était le cas, ne serait-il pas étonné que sa femme lui en ait servi ?

Cette mascarade s'avérait bien plus compliquée qu'elle ne l'avait pensé. L'erreur la plus minime pouvait éveiller ses soupçons, détruire la confiance qu'il avait en elle. C'était une bonne raison pour poser sans perdre un instant les questions qui l'intéressaient.

Ayant apparemment décidé que le jus d'orange était acceptable, il le but.

— Tu commences à te rappeler un peu ce qui s'est passé la nuit dernière ? demanda-t-elle, alors qu'il entamait ses œufs brouillés.

— J'ai bien peur que non.

Il la dévisagea, l'air étonné.

— Tu ne déjeunes pas ?

— C'est déjà fait. Donc, pas le moindre petit indice pour hier ?

— J'y ai réfléchi, et je pense que j'ai dû être roué de coups et volé. Ceux qui ont fait ça ont pris mon portefeuille et tout le reste.

Quelque chose sembla lui traverser soudain l'esprit, et il lui lança un coup d'œil alarmé.

— Tu as prévenu la police ?

— Pas encore, mais nous devrions le faire, tu ne crois pas ?

— Non ! protesta-t-il vivement, avant de se reprendre. Attendons un peu de voir si je me souviens de quelque chose qui pourrait leur être utile.

Etait-ce son imagination, ou l'idée d'avoir affaire à la police le rendait-il nerveux ?

— Que te manque-t-il d'autre, à part ton portefeuille ?

— Mes clés. Je devais avoir les clés de la maison. Et certainement celles de la voiture. Est-ce que j'étais en voiture ?

— La voiture est à sa place dans la cour, s'aventura-t-elle à répondre. Tu étais à pied.

— Qu'est-ce que je faisais dehors ?

— Tu avais une affaire à régler. C'est sûrement en rapport avec ça.

Elle avait apporté son sac à table et en sortit la photo, qu'elle lui tendit. Retenant son souffle, elle guetta sa réaction tandis qu'il l'étudiait.

— Ils ne l'ont pas prise, dit-il, avec une note de gravité dans la voix.

— Tu t'en souviens ?

— Oui, la photo était dans la doublure de ma veste, avec ta carte de visite. Qui est ce petit garçon ?

Au prix d'un douloureux effort, elle parvint à masquer sa déception.

— Tu ne le sais pas ?

Il secoua la tête.

— Je le devrais ?

— Je suppose que oui, puisque tu avais sa photo avec toi. Peut-être que si tu te concentres, son visage finira par te dire quelque chose.

Baissant les yeux, il réexamina le cliché. Puis son attention fut attirée par autre chose, qui s'était apparemment enregistré dans sa vision périphérique. Soudain sur le qui-vive, il tourna la tête vers la fenêtre qui donnait sur la cour et le jardin.

— Qui est-ce ?

Elle était trop concentrée sur la photo pour avoir eu conscience de ce qui se passait à l'extérieur. Tournant à son tour la tête, elle découvrit la silhouette replète d'un homme qui ramassait les branches mortes que la tempête de la veille avait fait tomber.

— Notre voisin, Skip Davis, reprit-elle. C'est un officier de marine en retraite. Nous partageons le jardin avec sa femme et lui. Leur maison est juste en face.

— Oh…

Il parut se détendre mais, quelques instants après, il lui demanda d'un air contrarié :

— Pourrais-tu baisser les stores ? La lumière me fait mal aux yeux.

— Bien sûr.

Elle se leva et alla à la fenêtre, perplexe. La lumière

n'était qu'un prétexte. La présence de Skip Davis incommodait l'inconnu pour une raison ou pour une autre.

Quand elle revint prendre place à table, il avait perdu sa concentration.

— Son visage ne me dit rien, dit-il en repoussant la photo. J'essaierai une autre fois, d'accord ?

Pour frustrant que ce fût, il ne lui laissait pas le choix. Si elle insistait trop, il risquait de se bloquer. Il lui fallait être patiente si elle voulait conserver une chance de découvrir ce qui était verrouillé dans son esprit.

— Tu as terminé ? demanda-t-elle.

— Oui, et les œufs étaient parfaits, juste comme je les aime.

Il lui adressa un sourire charmeur.

— En fait, je n'en sais rien. La seule chose que je sais, c'est que j'ai bon goût en matière de femmes.

Refusant d'entrer dans son jeu, elle se leva et fit le tour de la table.

— Je vais débarrasser.

Mais quand elle tendit la main pour prendre son assiette, il la prit par la taille et la fit basculer sur ses genoux.

— Ce n'est pas raisonnable, protesta-t-elle, en luttant contre l'envie de lui céder.

— Tu ne vas pas refuser à ton mari une chance de te prouver combien il apprécie tes talents de cuisinière, plaisanta-t-il.

— J'y suis obligée puisque mon mari a été blessé et qu'il n'est pas en état de chahuter comme ça.

— Mon cœur, dit-il, en adoptant un ton rauque et sensuel, je t'assure que j'ai suffisamment récupéré pour pouvoir chahuter et faire bien autre chose.

Elle sentit le contact rugueux de sa barbe tandis qu'il frottait sa joue contre la sienne, et son souffle chaud sur sa peau.

C'était une situation hautement explosive. Elle n'était pas insensible à ce mystérieux inconnu. D'une seconde à l'autre, il allait plaquer ses lèvres sur les siennes et elle le laisserait faire. Peut-être même accueillerait-elle sa langue dans sa bouche.

Cette périlleuse affaire empira quand elle se tortilla sur ses genoux pour se lever, attisant dans le même temps son désir. Sentant contre elle la puissance de son érection tandis qu'il déplaçait son bras pour mieux l'enserrer, elle paniqua.

— Ça suffit ! s'exclama-t-elle brutalement. Laisse-moi me lever.

Il s'immobilisa, et quelques secondes passèrent avant qu'il ne laisse retomber son bras. Elle bondit sur ses pieds et se tourna pour lui faire face. Ce qu'elle vit accentua son malaise.

Il avait complètement changé d'humeur, révélant de lui une tout autre facette. Ce n'était plus l'homme aimable qui s'était réveillé dans sa chambre avec un sourire. Il était devenu dur, froid. Il suffisait de voir la ligne pincée de ses lèvres, la suspicion qui noircissait son regard.

S'obligeant à ne pas y penser, elle rassembla la vaisselle sur le plateau et se retira dans la cuisine. Mais quand elle s'arrêta devant l'évier, il l'avait suivie. Elle pouvait sentir sa présence dans son dos.

Elle pivota sur ses talons et le découvrit sur le seuil, grand et intimidant. Il l'observait toujours d'un air suspicieux. Il y avait dans sa façon de faire quelque chose de professionnel. Qui était-il vraiment ?

— Tu devrais aller te coucher, suggéra-t-elle. Tu as besoin de repos.

— Plus tard.

Elle se tourna et commença à laver la vaisselle. Tia avait raison. Elle avait commis une grave erreur de jugement dans son aveuglement à obtenir des informations sur Nathan. Cet homme qu'elle avait tant insisté pour accueillir chez elle était loin d'être inoffensif. Sinon, pourquoi aurait-il craint d'avoir affaire aux forces de l'ordre ?

Elle sentait toujours ses yeux sur elle et n'osait pas l'affronter. La seule chose à faire, et qu'elle aurait dû faire depuis le début si elle n'avait pas été aussi stupide, était de prévenir la police de sa présence et de le faire sortir de chez elle. Mais comment ?

Elle lui avait menti. Il le comprenait maintenant. Elle n'avait pas aimé être sur ses genoux, avait refusé qu'il la touche.

Si on ajoutait à cela une intuition, qui avait plus à voir avec de vieux instincts qu'avec un soudain regain de mémoire, quelque chose ne tournait pas rond.

Cette femme n'est pas ce qu'elle prétendait être.

Elle ne portait pas d'alliance, et lui non plus. Ce premier indice aurait dû lui mettre la puce à l'oreille. Pourquoi n'y avait-il pas fait attention avant ? Pourquoi lui avait-il fait confiance ? Dans l'état de confusion où il se trouvait, avait-il éprouvé un tel besoin de sécurité et de réconfort pour se bercer ainsi d'illusions ?

Ou bien, se demanda-t-il, tout en continuant à l'observer, s'était-il laissé troubler par ses yeux bleus, son épaisse chevelure brune, ses lèvres pleines et sa silhouette fine et élégante ? Peut-être aussi par une nature qui lui avait semblé dès le départ chaleureuse et attentionnée ?

Là n'était pas la question de toute façon. Il avait commis une grave erreur en venant ici et en faisant confiance à une femme qui s'était amusée à se faire passer pour son épouse. Pourquoi ? Que voulait-elle ?

Il s'interrogeait toujours quand elle traversa la cuisine en direction de la salle à manger. Il resta sur le seuil, lui bloquant le passage.

— Laisse-moi passer, dit-elle.

Elle se tenait si près qu'il pouvait respirer ce parfum qu'il trouvait si troublant. Il baissa les yeux sur son visage et nota le grain de beauté sur l'arête de son nez. Elle avait l'air très déterminée.

— Pourquoi ? demanda-t-il. Où vas-tu ?

— A mon bureau.

— C'est dimanche. Les bureaux ne sont pas ouverts le dimanche.

— Je dois vérifier mon répondeur.

Cela lui parut crédible et il s'écarta.

Elle se glissa devant lui, attrapa son sac sur la table et se dirigea vers une porte à l'autre bout de la salle à manger.

— Si tu ne veux pas te coucher, lança-t-elle par-dessus son épaule, assieds-toi au moins. Je n'en ai que pour une minute.

Elle entra dans son bureau et claqua la porte derrière elle. Il resta un instant sans réagir, puis un signal d'alarme s'alluma dans sa tête.

Pourquoi avait-elle pris son sac avec elle ? Pourquoi avait-elle fermé la porte ? Danger !

Il traversa la pièce aussi vite que le lui permettait sa jambe mutilée et fit irruption dans le bureau.

Il la trouva derrière sa table de travail, le combiné du téléphone dans une main, et l'autre tendue vers le clavier pour composer un numéro. Elle lui lança un regard apeuré. Elle savait qu'il avait compris.

Il se précipita pour lui arracher le téléphone et raccrocha.

— Vous appeliez les flics, n'est-ce pas ?

— Je rappelais un client.

Elle mentait. Il le voyait dans ses yeux.

— Nous ne sommes pas mariés. Vous ne savez même pas comment je m'appelle. Pas une fois vous ne m'avez appelé par mon prénom. Vous n'en savez pas plus à mon sujet que moi-même.

Elle ne répondit pas. Elle semblait extrêmement nerveuse. Le regard furtif qu'elle glissa vers le bureau l'alerta. Le tiroir du haut était entrouvert. Elle y plongea la main.

Quelque chose se réveilla en lui, un vieil instinct et une compétence particulière. Il avait déjà dû être confronté à ce genre de situation. Il se jeta contre elle, lui fit perdre l'équilibre et s'empara du semi-automatique dans le tiroir. Le contact de la crosse et le poids du pistolet lui parurent familiers.

Il ne put s'empêcher de l'admirer. Malgré sa peur évidente, elle avait le courage de lui faire face.

— Vous faites une erreur, dit-elle d'un ton conciliant.

— Oui, je vous ai fait confiance. C'était ça, mon erreur. Ce que je ne comprends pas, c'est pourquoi vous n'avez pas appelé les flics la nuit dernière, quand j'ai débarqué ici.

Elle ne répondit pas.

— Que voulez-vous ? insista-t-il.

— Ecoutez, donnez-moi cette arme, et nous parlerons.

Tant qu'il n'avait pas la preuve du contraire, il était dans l'obligation de la considérer comme une ennemie. Une ennemie à qui il fallait tirer les vers du nez.

— Oh ! nous allons parler, rétorqua-t-il.

Il avait besoin de réponses, mais il ne pouvait pas

l'interroger ici. C'était trop dangereux avec les voisins tout à côté. Il lui fallait un endroit isolé, quelque part où personne ne viendrait les déranger. Mais où ?

Il se souvint tout à coup de l'aquarelle au-dessus de la cheminée. Et pourquoi pas sur cette péniche ?

3

— Vous ne pouvez pas, protesta Eden.

Il agita le pistolet sous son nez.

— Avec ça, je peux faire tout ce que je veux. Vous venez avec moi sur la péniche !

— En dehors du fait que m'obliger à vous suivre constitue un enlèvement, qu'avez-vous à gagner en m'emmenant ?

— Ne vous inquiétez pas, il ne vous arrivera rien.

Il se pencha sur elle, et sa voix se fit plus menaçante.

— A condition que vous ne fassiez pas de bêtises.

— Ecoutez, je peux vous aider…

Une voix masculine les interrompit, venant de la salle à manger.

— Eden, vous êtes là ?

— C'est Skip Davis, murmura-t-elle. Mon voisin.

— Répondez-lui. Dites-lui que vous arrivez.

— Un instant, Skip, cria-t-elle.

Elle baissa la voix.

— Et maintenant ?

— Débarrassez-vous de lui. Dites que vous êtes occupée et que vous le verrez plus tard.

— Et s'il vous a aperçu et veut savoir qui vous êtes ?

— Dites que votre mari adoré est revenu après une longue absence, ironisa-t-il. Vous devriez le convaincre. Ça a bien marché avec moi.

Dans les yeux bleus d'Eden, une colère difficilement contenue avait remplacé la peur.

— Allez-y, dit-il, avant qu'elle n'ait le temps de répliquer. Et soyez prudente. Il ne faudrait pas que quelqu'un soit blessé.

Elle hocha la tête, soudainement obéissante : c'était lui qui tenait l'arme, il la surveillerait depuis le bureau.

Dans l'entrebâillement il pouvait apercevoir la massive silhouette de l'officier de marine en retraite et l'entendre demander à Eden de les rejoindre, sa femme et lui, pour déjeuner.

Il y eut une pause après l'invitation et il serra les doigts autour de la crosse. Tenterait-elle quelque chose pour alerter son visiteur ?

Elle était heureusement trop intelligente pour faire ce genre d'erreur. Probablement le pensait-elle assez désespéré pour utiliser son arme au premier signe de menace à son encontre.

Et c'était une bonne chose. Si elle avait peur de lui, elle le suivrait sans protester.

— Je suis désolée, Skip, répondit-elle. J'aurais bien aimé, mais je dois travailler. Il n'y a pas de dimanche qui tienne quand des clients désespérés font appel à moi.

Il fut soulagé quand le voisin rebroussa chemin sans insister, mais ne se détendit pas pour autant. La soudaine apparition du marin renforçait sa décision d'éloigner Eden au plus vite.

Une fois certain qu'elle revenait directement dans la pièce, il s'intéressa au sac qu'elle avait abandonné sur le bureau.

— Que faites-vous ? demanda-t-elle d'un ton offusqué, tandis qu'il commençait à fouiller son contenu.

— Je cherche une pastille de menthe. On ne sait

jamais, on pourrait avoir envie de s'embrasser. Ça se fait entre mari et femme.

— Vous êtes mesquin.

— Ah bon ?

Il la toisa froidement.

— Et me faire croire que nous étions mariés, c'était correct, peut-être ?

— J'ai eu tort, je le sais, et je vous demande de m'excuser. Mais j'avais une bonne raison. Et si vous me laissez m'expliquer…

— Plus tard. Pour le moment, j'ai des choses plus importantes à faire.

Il n'avait pas trouvé d'arme dans son sac, rien qu'elle puisse utiliser contre lui. En revanche, il y avait un téléphone portable et il le mit dans sa poche.

Puis, il s'assura qu'il y avait suffisamment d'argent dans son portefeuille et que son sac contenait ses clés. Alors seulement, il le lui rendit.

— Et maintenant ? demanda-t-elle, en serrant son sac contre sa poitrine.

Il ne répondit pas. Son esprit était occupé à dresser une liste, à vérifier les préparatifs de son expédition jusqu'à la péniche.

Une fois de plus, il eut conscience de connaissances techniques, de certains automatismes, probablement issus d'un entraînement spécial, qui le poussaient à être précis, à identifier tous les risques avant de passer à l'action.

— Votre amie à l'étage… Tia. Est-ce qu'elle a un répondeur ?

— Oui.

— Appelez-la, et laissez-lui un message. Dites-lui que vous serez absente quelques jours pour une enquête, que tout va bien et qu'elle ne doit pas s'inquiéter pour vous. Ne lui donnez aucun détail. Dites que vous lui expliquerez tout à votre retour. Et soyez convaincante.

Il lui tendit le combiné et resta à côté d'elle tandis qu'elle composait le numéro, se tenant prêt à intervenir si elle tentait de faire passer un message à son amie. Mais une fois encore elle eut l'intelligence de faire ce qu'il lui avait demandé.

— Vous gardez des effets personnels sur la péniche ? demanda-t-il après qu'elle eut raccroché. Des vêtements, ce genre de choses ?

— Oui.

— Très bien. Nous ne perdrons donc pas de temps à attendre que vous fassiez vos bagages.

Il avait hâte de s'en aller, sans comprendre pourquoi. Que fuyait-il ? La police ? Avait-il commis un méfait si grave que son esprit, incapable d'assumer, s'était verrouillé ? Cette éventualité l'effrayait.

Ou bien essayait-il d'échapper à un ennemi plus dangereux encore ? Quelqu'un qui avait décidé d'avoir sa peau et dont Eden Hawke pourrait être la complice… Avoir sa carte de visite sur lui n'en faisait pas nécessairement une amie. Il le comprenait à présent.

— Allons y, lança-t-il, en agitant le pistolet dans la direction de la salle à manger.

Elle le précéda, en tenant précieusement son sac contre elle.

— Où est la veste que je portais hier soir ? demanda-t-il.

— Là.

Elle indiqua une patère près de la porte.

— Prenez-la.

Elle décrocha la veste, prit un manteau léger pour elle et drapa les vêtements sur son bras avant de poser la main sur la poignée de la porte.

— Attendez !

Il passa devant elle pour vérifier la cour. Elle était vide à l'exception d'une berline vert foncé.

— Vos clés de voiture, demanda-t-il.

Elle sortit les clés de son sac et les lui tendit. Il déverrouilla les portières à distance, attendit qu'elle ait pris place au volant et fit rapidement le tour de la voiture pour prendre place à l'intérieur.

— Très bien, dit-il en attachant sa ceinture. Allons-y. Et… une dernière chose.

— Quoi encore ?

— Pas de mauvaise surprise. Faites en sorte que nous allions bien à la péniche. Et si nous devons nous arrêter, rappelez-vous que je suis votre mari. Votre mari *adoré*.

De l'eau et des clochers. C'était ce qui venait en premier à l'esprit d'Eden quand elle pensait au Charleston historique.

Autour de la péninsule qui abritait les toutes premières constructions de la ville coulaient les rivières Ashley et Cooper. De son centre partait tout un réseau de rues étroites où flottait une odeur de camélia, et où résonnaient les cris des vendeurs ambulants venus des petites îles voisines vendre leurs produits aux touristes.

Elle n'était jamais insensible à cette riche et merveilleuse culture, mais elle était de trop mauvaise humeur pour prêter attention aux images, aux sons ou aux odeurs tandis qu'elle traversait la vieille ville.

Sa colère n'était pas tant dirigée contre son passager silencieux que contre elle-même. Comment avait-elle pu se montrer si confiante, si naïve ?

En tant que détective privé, elle était supposée évaluer aisément les gens, démêler le vrai du faux, distinguer le bien du mal. Elle ne l'avait pas fait. Même quand Tia l'avait mise en garde.

Et maintenant, elle était coincée avec un homme qui la considérait comme son ennemie.

Profitant d'un arrêt à un feu rouge, elle observa subrepticement son profil. Ses traits étaient crispés, son expression intraitable. Dangereuse, même.

Il tourna la tête et la regarda.

Quelque chose se noua au creux de son estomac. Elle aurait aimé croire que ce n'était qu'une expression de peur, mais c'était probablement autre chose.

— Le feu est vert, dit-il.

Ce n'était pas trop tard, voulut-elle se persuader tandis qu'elle traversait le carrefour. Elle pouvait reprendre la main, agir en détective privé et le convaincre qu'elle n'était pas son ennemie.

— Je peux vous expliquer, maintenant ? demanda-t-elle d'une voix aussi douce et persuasive que possible.

— Je n'ai pas envie d'entendre vos mensonges.

— Mais…

— J'ai dit non. Pourquoi vous croirais-je ? Taisez-vous et laissez moi réfléchir.

C'était peine perdue. Il ne l'écouterait pas tant qu'ils ne seraient pas à la péniche. Mais elle n'avait aucune envie de se laisser entraîner là-bas. La péniche était amarrée dans une zone isolée. Elle serait seule avec lui. Tout pouvait arriver.

Il fallait qu'elle trouve de l'aide, mais elle devait procéder avec prudence. Il n'était pas question de tenter quelque chose de stupide, comme d'alerter une voiture de patrouille.

Sa situation n'était pas totalement désespérée. Tôt ou tard, elle allait devoir s'arrêter pour prendre de l'essence, et elle pourrait demander de l'aide.

Pas tout de suite, cependant. Elle jeta un coup d'œil à la jauge : elle devrait attendre encore un peu. D'ici là, elle s'efforcerait d'oublier que le désespoir de l'homme assis à côté d'elle pouvait le pousser à commettre une folie, et se rappellerait plutôt qu'il représentait toujours un lien avec Nathan.

La tension montait progressivement entre eux tandis que, les doigts crispés sur le volant et le regard fixé devant elle, elle franchissait le dernier pont, laissant la péninsule derrière eux pour s'engager dans les embouteillages de la partie plus moderne et plus trépidante de la ville.

Faisant mine de prendre un raccourci, elle bifurqua dans une large avenue bordée d'érables. Après quelques détours, elle traversa une banlieue cossue peuplée de vastes demeures implantées sur des terrains de plus en plus vastes à mesure qu'on approchait de la campagne. De temps en temps surgissaient de hautes grilles qui semblaient défendre une forteresse fantôme, de mystérieuses allées dissimulées par la végétation.

Après un virage, la rivière apparut. De plus en plus étroite et sinueuse pour épouser ses méandres, la route traversait maintenant des prairies gorgées d'humidité.

Les kilomètres défilaient et elle gardait un œil sur sa jauge.

— Je vais avoir besoin d'essence, soupira-t-elle.

Il se pencha pour vérifier lui-même la jauge et rompit son long silence.

— Nous sommes encore loin de la péniche ?

— Assez loin pour tomber en panne sèche avant d'arriver. De toute façon, si vous avez prévu d'y rester un moment, il va nous falloir quelques aliments de base : du pain, du lait… Il y a une supérette un peu plus loin sur la route, qui vend aussi de l'essence.

— Très bien.

Il y eut un moment de tension lorsqu'elle s'arrêta devant une pompe. Il insista pour prendre les clés avant qu'ils ne sortent de la voiture, et la morigéna quand elle voulut ouvrir la portière arrière de son côté.

— Que faites-vous ?

— Je veux prendre mon manteau. Il fait froid.

— On se croirait pourtant en été.

— Nous sommes en février. Et je me moque de la température qu'il fait. J'ai quand même froid.

— Bon. Faites comme vous voulez. Mais dépêchez-vous.

Elle relâcha doucement son souffle et prit son manteau sur la banquette. Il la suivit du regard.

Il avait sa veste avec lui, drapée en travers de son bras pour dissimuler sous ses plis le pistolet glissé dans la ceinture de son jean.

Après qu'elle eut enfilé son manteau, il se tint à côté de la pompe et la regarda remplir le réservoir.

— Payez d'abord l'essence, et nous ferons les courses ensuite, lui dit-il avant d'entrer dans la boutique. Au cas où nous devrions partir rapidement.

Il ne laissait rien au hasard, pensa-t-elle. Sauf qu'il avait oublié une chose. Il n'avait pas vérifié les poches de son manteau

Dans la boutique, il n'y avait pas d'autres clients qu'eux. Il resta à côté d'elle quand elle passa à la caisse pour payer l'essence. Puis, ils s'éloignèrent du comptoir.

— Il faut que j'aille aux toilettes, murmura-t-elle.

— Ça ne peut pas attendre que nous soyons à la péniche ?

— Non, je suis désolée, mais ça ne peut pas attendre.

Il jura entre ses dents.

— D'accord. Où est-ce ?

Elle ouvrit la marche vers le fond de la boutique, où

l'unique pièce mixte était située dans une alcôve. La porte était entrouverte et la lumière à l'intérieur déjà enclenchée.

— Attendez, dit-il en passant devant elle.

Sans doute pour vérifier qu'il n'y avait pas une fenêtre par laquelle elle aurait pu s'enfuir…

— Vous pouvez vous dépêcher ? demanda-t-elle d'un ton suppliant, pour le convaincre qu'il s'agissait d'une urgence.

Il tourna la tête et l'enveloppa d'un regard dubitatif.

— Je devrais peut-être vous accompagner ?

— Certainement pas !

— Attention à ce que vous faites, alors. Quand je vérifierai, je ne veux pas trouver un message de détresse gribouillé au rouge à lèvres sur le miroir. Et ne fermez pas la porte à clé.

— C'est d'accord.

Avant qu'il ait eu le temps de lui faire d'autres recommandations, elle se glissa devant lui, entra dans la pièce et ferma la porte.

Quelle barbe ! Elle avait eu l'intention de s'enfermer à clé, mais elle allait devoir prendre le risque d'agir sans cette précaution.

Elle n'avait pas eu l'occasion de fouiller ses poches, ni avant de partir, ni dehors à la pompe. Pourvu que sa mémoire ne lui ait pas fait défaut.

Plongeant les mains dans les profondes poches de son manteau, elle referma avec soulagement les doigts de sa main droite autour d'un téléphone extra-plat. Sa mère, qui gérait depuis le siège de Chicago la comptabilité des différentes agences de détectives Hawke, avait trouvé excessif l'achat d'un second portable. Mais Eden avait la fâcheuse habitude d'égarer son téléphone ou d'oublier de le recharger.

Et comme un détective n'était rien sans un téléphone, un appareil de secours était essentiel.

Elle l'alluma en croisant les doigts pour qu'il fonctionne. Ah, parfait, elle avait un signal fort et une batterie pleine.

Avec un regard inquiet à la porte, elle ouvrit le robinet du lavabo. Le bruit de l'eau étoufferait sa voix.

Elle n'avait pas fini de composer le numéro des secours que la porte s'ouvrit à la volée. Franchissant en deux grandes enjambées la distance qui les séparait, il lui arracha le téléphone d'un geste rageur.

— Vous aviez froid, hein ? tonna-t-il.

Il fit un pas de plus vers elle, et elle recula instinctivement, jusqu'à ce qu'elle n'ait plus nulle part où aller. Elle était coincée contre le lavabo. Il la dominait de toute sa hauteur.

— Vous avez d'autres surprises dans ce manteau, Eden ?

Il se pressa contre elle, les bras de chaque côté de son corps, et plongea les mains dans ses poches. Elle sentait la chaleur de ses doigts fouillant les profondeurs du tissu. Même si cette fouille n'avait rien de sympathique, elle ne put s'empêcher d'en être troublée.

— On dirait que non, dit-il.

Elle déglutit avec difficulté et protesta :

— Vous avez fini ?

Mais il ne semblait pas pressé d'ôter ses mains et caressait ses hanches à travers le tissu. Les yeux rivés aux siens, il prit une lente inspiration.

— Décidément, je ne me lasse pas de cette odeur de muguet.

— Otez vos mains, ordonna-t-elle. Et estimez-vous heureux que je n'aie pas essayé d'attraper le pistolet à votre ceinture.

Elle avait envisagé cette éventualité mais, vu la rapidité des réflexes de l'inconnu, cela aurait pu très mal tourner.

Sensible à cette menace, il recula, sans toutefois la quitter des yeux.

— Si vous aviez l'arme, vous en serviriez-vous contre moi ?

Elle ne répondit pas.

— Vous pensez peut-être que je suis un monstre, mais je n'en suis pas un.

— Et vous êtes quoi ? Une victime innocente ?

— C'est possible.

— Si c'est ce que vous croyez, pourquoi ne pas faire confiance à la police pour découvrir qui vous êtes ?

Il secoua la tête.

— Pas tant que je ne saurai pas ce qui se passe, et pourquoi.

Il la saisit sans ménagement par le bras.

— Venez, maintenant. Nous avons assez perdu de temps comme ça.

La péniche correspondait exactement à ce qu'elle cherchait quand elle l'avait achetée un an plus tôt : un refuge tranquille, suffisamment éloigné de la ville pour lui garantir un dépaysement total quand elle avait besoin de quelques jours de repos entre deux affaires difficiles.

Mais à présent, alors qu'elle observait la longue et lourde embarcation grise amarrée au bout de sa courte passerelle, elle regrettait la solitude de l'endroit.

Il n'y avait pas de voisins à portée de voix, rien qu'une épaisse végétation le long de la rive, et le cours tranquille de la rivière avec ses zones marécageuses plantées de roseaux où venaient pêcher les hérons.

Elle avait une conscience atrocement aiguë de la

présence de l'homme qui la suivait pas à pas le long de l'étroit sentier de halage, les bras chargés de provisions. Elle était seule avec lui, sans savoir ce qu'il avait en tête, et cette situation la déstabilisait à plusieurs égards.

Lui, en revanche, semblait très satisfait des lieux. Elle le vit sur son visage lorsqu'ils atteignirent la porte, et tandis qu'elle se tournait parce qu'il lui parlait.

— Vous avez l'électricité ? dit-il, après avoir remarqué la ligne tendue entre le poteau sur la rive et le côté de la péniche.

— Oui. Tout le confort d'une vraie maison.

Une fois à l'intérieur, et la porte refermée derrière eux, elle l'observa tandis qu'il examinait l'agencement. C'était très simple : un étroit séjour au milieu, une petite cuisine et une salle de bains à un bout, une chambre à l'extrémité opposée. Le mobilier d'occasion et les couleurs vives apportaient à l'ensemble une note chaleureuse… quand elle y venait seule.

— Tout à fait charmant et confortable, dit-il d'un ton ironique. C'est exactement le genre de nid douillet où un couple doit aimer passer des week-ends en amoureux, non ?

La péniche ne lui avait jamais semblée exiguë. C'était le cas maintenant, comme s'il n'y avait pas assez de place pour tous les deux. Elle refusa cependant de lui laisser voir combien elle était perturbée.

Elle ne répondit pas non plus à sa moquerie sur un mariage qui n'avait jamais existé. Elle avait en tête des préoccupations bien plus importantes.

— Pouvons-nous avoir cette discussion, maintenant ? demanda-t-elle.

— Plus tard, dit-il brutalement, en déposant les sacs de courses sur l'étroit comptoir qui séparait la cuisine de la pièce à vivre.

— Mais vous aviez dit…

— J'ai dit plus tard.

Il se tourna vers le téléviseur portable posé sur une étagère. Le magnétoscope qui l'accompagnait indiquait 12 h 01. Précipitamment, il s'installa sur le canapé, la télécommande en main.

— Vous allez regarder la télévision ?

— Il est midi. Il devrait y avoir un journal d'informations.

Elle comprit son soudain intérêt. Il voulait savoir si un accident ou une agression avait eu lieu la veille, et obtenir ainsi des informations sur son identité.

Le laissant à ses occupations, elle alla ranger leurs achats et prépara des sandwichs. Elle aussi espérait apprendre quelque chose qui permettrait d'établir un lien avec lui, mais aucune des chaînes qu'il passa en revue n'offrit le moindre élément en ce sens.

Elle lui apporta son repas et ils déjeunèrent en silence, tandis qu'à l'écran passait un vieux western. Pendant tout ce temps, elle resta consciente du danger que l'inconnu représentait pour elle. Certes, il avait essayé de la convaincre qu'il n'était pas le diable. Et la nuit précédente, son instinct lui avait soufflé qu'il était un homme bien. Mais comment pourrait-elle continuer à croire cela alors qu'il était mû par un désespoir que ni l'un ni l'autre ne comprenaient ?

Elle aussi était désespérée, comme seule une mère pouvait l'être. Et elle voulait des réponses. Ouvrant son sac, elle y prit la photo de Nathan et se leva pour aller se poster devant le téléviseur.

— Regardez cet enfant, dit-elle en posant la photographie sur la table basse.

Il baissa les yeux et les releva vers elle.

— Encore ? Je croyais vous avoir dit…

— Je veux savoir comme cette photo est arrivée entre vos mains.

— Je ne sais pas.

— Essayez.

— Que croyez-vous que je fasse depuis que j'ai ouvert les yeux ce matin ? Et de toute façon, en quoi ça vous intéresse ?

— J'ai une excellente raison. La meilleure raison du monde.

Elle réfléchit un instant. Il était difficile de communiquer sans savoir le nom de la personne à qui on s'adressait. Aussi, elle s'autorisa une digression.

— Ecoutez, si nous devons passer du temps ensemble...

— Ah, maintenant vous voulez passer du temps avec moi ?

— Je ne savais pas que j'avais le choix ! Mais là n'est pas la question. Comment dois-je vous appeler ?

— Je n'en sais rien...

D'un geste du menton, il désigna le téléviseur derrière elle.

— Pourquoi pas comme lui ?

Surprise, elle se tourna. Ce vieux western en noir et blanc lui évoquait quelque chose, mais elle avait oublié son titre.

— Shane, dit-il. Vous pouvez m'appeler Shane.

L'histoire lui revenait à présent. Shane était un mystérieux héros solitaire sorti de nulle part. Il n'avait pas de passé, pas d'autre identité en dehors de ce simple prénom. La coïncidence était étonnante, mais cela n'aurait pu mieux lui convenir.

— Eh bien, d'accord pour Shane, dit-elle.

Il hocha la tête, satisfait.

— Et maintenant, passons à un autre prénom, poursuivit-il. Cet enfant sur la photo, vous savez qui il est n'est-ce pas ? Ou tout au moins, vous pensez le savoir. Comment s'appelle-t-il ? Qui est-il ?

Elle respira profondément, puis relâcha précipitamment son souffle sous l'effet de l'émotion.

— Il s'appelle Nathan. Où est-il, Shane ? Qu'avez-vous fait de mon fils ?

4

Partagé entre la surprise et la colère de se voir ainsi accusé, Shane étouffa un murmure de contrariété. N'avait-il pas déjà assez de problèmes comme ça ?

— Répondez-moi, Shane.

Même s'il avait choisi lui-même son prénom, s'entendre appeler ainsi lui semblait étrange. Mais, faute de mieux, il finirait par s'y habituer.

— C'est à moi, un amnésique, que vous posez la question ? finit-il par rétorquer.

— Puisque vous aviez sa photo et ma carte de visite sur vous, il y a forcément un lien, et j'ai l'intention de le découvrir.

— C'est pour ça que vous n'avez pas appelé la police hier soir, quand j'ai surgi de nulle part. Et c'est aussi pour ça que vous m'avez laissé penser que j'étais votre mari ? Pour vous servir de moi ?

— D'accord, j'ai voulu tirer avantage de la situation, et ce n'était pas bien de ma part.

— Je ne vous le fais pas dire.

— Mais je recommencerais si cela me permettait de retrouver mon fils, dit-elle avec emportement. Je ferais même pire que cela.

Il se passa la main dans les cheveux tandis qu'elle continuait à le dévisager, en affichant un regard suppliant. Il ne savait vraiment pas quoi dire.

— De quoi parlons-nous ? D'un enlèvement ?

— On m'a pris Nathan. Je ne sais pas qui a fait ça ni pourquoi. Je sais seulement qu'il a disparu.

— Et moi, je sais que vous êtes détective privé. Mais ne serait-ce pas plutôt à la police de s'occuper de ça ?

— Ils s'en sont occupés. Sans résultat.

— Depuis combien de temps a-t-il disparu ?

— Il avait presque deux ans quand c'est arrivé.

— Attendez, l'enfant sur cette photo…

Il se pencha pour mieux observer le cliché. Des cheveux blond-roux, des yeux bleu lavande… C'était un mignon petit garçon, mais il n'avait pas deux ans.

— Je dirais qu'il a au moins cinq ans.

— Oui, Nathan s'est évanoui dans la nature il y a presque trois ans. Et ne me dites pas qu'il n'est plus en vie, car la photo prouve qu'il l'est.

— Trois ans, c'est très long quand on a cet âge. Les enfants changent tellement vite que…

— Je suis certaine que c'est bien Nathan. Et si vous aviez sa photo et ma carte de visite, si vous êtes venu vers moi comme ça, ce n'est pas sans raison.

— Admettons, mais que voulez-vous que je fasse ?

— Aidez-moi à découvrir cette raison.

— Ecoutez, je suis désolé que votre enfant ait disparu, mais comment pourrais-je vous aider alors que je ne sais plus rien ?

— Si nous parvenions à débloquer votre mémoire, nous pourrions nous entraider.

Elle continuait à le regarder avec cette expression à la fois anxieuse et pleine d'espoir au fond de ses yeux bleus, et il en fut plus touché qu'il ne voulait l'admettre. Elle avait l'air de croire qu'il allait soudain se transformer en héros et résoudre tous ses problèmes.

Mais il n'était pas un héros. Il n'était qu'un pauvre type qui ne savait plus où il en était, ni même qui il était.

— Et si on découvrait que j'ai quelque chose à voir avec l'enlèvement de votre enfant ? Que je suis le méchant dans ce scénario ?

— Je prends le risque.

Il se leva, soudain impatient de changer d'environnement.

— Si on allait prendre l'air ? proposa-t-il. Nous pourrions continuer à discuter de tout cela en marchant.

Il avait cru qu'elle accepterait immédiatement sa proposition, mais elle semblait réticente, et il la vit jeter un regard anxieux au pistolet glissé dans sa ceinture.

Ainsi, elle ne lui faisait toujours pas confiance, et s'inquiétait de ce qui pourrait se passer si elle s'aventurait avec lui dans cette nature sauvage alors qu'il était armé. Il ne pouvait pas vraiment l'en blâmer. Il s'était montré plutôt dur avec elle.

— Le pistolet n'est pas chargé, dit-il, en sortant l'arme de sa ceinture pour la poser sur le bar. J'ai retiré le chargeur quand vous êtes entrée aux toilettes.

— Oui… dit-elle dans un soupir. J'aurais dû deviner que vous ne me laisseriez pas m'en approcher aussi près s'il y avait une chance que je puisse l'utiliser.

Il haussa les épaules.

— Je ne voulais pas que quelqu'un soit blessé. Et tant que vous pensiez qu'il était chargé…

— Vous étiez assuré de mon obéissance.

Il vit à son expression qu'elle était vexée de s'être laissé aussi facilement manipuler.

Le chemin, spongieux par endroits à cause de la pluie de la veille, était bordé par une végétation si exubérante que Shane avait l'impression de se trouver dans la jungle. Avait-il été un jour dans la forêt tropicale ? Il soupira intérieurement. Comment savoir ?

Eden, manifestement impatiente d'obtenir sa coopération, le tira de sa rêverie :

— Que voulez-vous savoir ?

— Commençons par le père de Nathan, proposa-t-il après un instant de trouble. Où est-il ?

— Il est mort.

— Je suis désolé.

— Non, ça va. Je ne le connaissais pas. Je ne l'avais jamais rencontré.

Il s'arrêta pour lui lancer un regard perplexe.

— Je sais, reprit-elle. Ça n'a aucun sens. Je ferais peut-être mieux de tout vous expliquer depuis le début.

Il hocha la tête, se préparant à l'écouter tandis qu'ils s'engageaient au cœur d'un épais bosquet de pins.

— Je n'ai pas toujours vécu à Charleston. J'ai grandi à Chicago. Mes parents y sont toujours d'ailleurs. Ils gèrent le siège de l'agence Hawke.

— Vous avez des succursales ?

— Six en comptant la mienne et celle de Chicago. Les autres sont dirigées par mes frères et ma sœur.

— Vous êtes tous détectives ?

— Nous avons ça dans le sang. Ce qui explique peut-être ce que j'ai fait, même si ce n'était pas très malin.

— C'est-à-dire ?

— Je suis tombée amoureuse d'un autre détective qui était en déplacement à Chicago pour une enquête. Je croyais avoir trouvé le grand amour. Je l'ai suivi à Charleston. Nous projetions d'ouvrir une agence ensemble, de fonder une famille…

— Et le rêve s'est transformé en cauchemar, devina-t-il.

— Je n'entrerai pas dans les détails. Disons que j'ai découvert que la fidélité n'était pas son fort. Il est parti et je suis restée. Je ne l'aimais plus, mais j'étais tombée amoureuse de Charleston.

Elle interrompit son histoire.

— Ce n'est pas très passionnant, n'est-ce pas ? Mais je me suis dit que si vous vouliez comprendre ce qui s'est passé…

— Si je m'ennuie, je vous le dirai. Continuez.

— Je me suis construit ma propre vie à Charleston. J'ai ouvert l'agence, j'ai acheté la péniche, je me suis fait des amis…

— Mais vous n'aviez pas de famille à élever.

— Et c'était ce que je désirais par-dessus tout. Je voulais devenir mère, mais sans m'embarrasser d'un mari.

— Votre mésaventure avec votre petit ami vous avait fait perdre vos illusions, commenta-t-il, tout en se demandant d'où lui venait ce sens de l'écoute et de la déduction.

Elle haussa les épaules.

— Je suppose. Toujours est-il que j'étais certaine d'avoir beaucoup à offrir à un enfant, même si je comprenais la difficulté d'être un parent seul. J'ai beaucoup réfléchi à la question. Je l'ai examinée sous tous les angles, et j'ai pensé à l'adoption. Mais je voulais un enfant à moi, et je me suis décidée pour un donneur.

— Et vous avez eu Nathan.

— Il était l'amour de ma vie, jusqu'à…

Sa voix se brisa. Il s'arrêta à côté d'elle pour lui laisser la possibilité de se ressaisir. Serait-elle capable de continuer ?

— Vous n'êtes pas obligée de me raconter tout ça.

— Si. Il le faut.

Elle reprit son histoire en même temps que sa marche.

— Il y avait une aire de jeu dans le parc juste en face de la crèche où allait Nathan. Les petits adoraient qu'on les y conduise tous les après-midi.

— Ça c'est donc passé là ?

— Le personnel de la crèche était toujours très attentif, mais ce jour-là ils ont été distraits par une fillette qui saignait du nez. Lorsque tout est rentré dans l'ordre, ils se sont aperçus que Nathan avait disparu.

Elle n'eut pas besoin de lui expliquer les heures abominables qui avaient suivi : la recherche éperdue, les questions anxieuses à tous les éventuels témoins, la cruelle incapacité à obtenir des résultats. Et le tourment incessant d'une mère pendant des jours, puis des semaines…

— Ce fut horrible, dit-elle, comme si elle devinait le cours de ses pensées. On a tous frémi en entendant des histoires d'enlèvement. Mais on pense que ça n'arrive qu'aux autres. Et ce que personne ne dit jamais, c'est la terrible colère qu'on ressent. Colère contre les médias qui se délectent à parler de prédateurs sexuels et vous expliquent que très peu de victimes survivent. Colère contre la police quand elle vous dit qu'il n'y a rien de plus à faire. Et surtout, colère contre vous-même parce que vous n'avez pas su protéger votre enfant. Surtout dans mon cas. Avec le métier que je fais, et tous les efforts que j'ai déployés, je n'ai pas pu retrouver mon fils.

— Et votre famille ? Les autres détectives ?

— Ils ont remué ciel et terre. Ils ont même découvert des pistes intéressantes que la police avait négligées. Il y en avait une en particulier, une femme signalée à Seattle avec un petit garçon qui correspondait à la description de Nathan, mais nous avons perdu sa trace.

— Et du côté du père biologique de Nathan ?

Elle secoua la tête.

— Les dossiers des donneurs sont confidentiels.

— Mais dans ces circonstances…

— Justement. Une requête auprès du tribunal m'a permis de savoir qu'il était mort dans un accident de voiture. C'était un jeune artiste, le seul survivant de sa famille.

— Vous connaissez son nom ?

De nouveau, elle secoua la tête.

— On a refusé de me le donner. Mais ça n'a pas vraiment d'importance puisqu'il n'a laissé personne derrière lui.

Ils avaient fait un nouvel arrêt sous la frondaison d'un chêne-liège. Il la scruta. Son visage était de marbre tandis qu'elle observait le vol à fleur d'eau d'une aigrette au plumage neigeux. Mais il ressentait les émotions qui bouillonnaient sous ce masque impassible.

Un brin déstabilisé, il reporta tout son poids sur sa jambe gauche. Elle lui lança un coup d'œil inquiet.

— Si vous êtes fatigué, nous pouvons rentrer, suggéra-t-elle.

— Inutile de me rappeler sans arrêt que je boite, répliqua-t-il avec agacement. Ça ne me fait pas mal. Et non, je ne sais pas comment je me suis retrouvé avec ces cicatrices.

— Vous n'avez toujours pas le moindre souvenir ?

— Rien du tout.

— Vous ne pensez pas qu'il serait temps de consulter un thérapeute ?

— Et retourner à Charleston ? Non ! Pas question.

Elle le considéra longuement en silence, et il eut l'impression d'être un spécimen d'étude sous un microscope.

— Il y aurait bien une solution, dit-elle pensivement.

— Je sens que ça ne va pas me plaire.

— Je connais une femme au village. Elle s'appelle Atlanta Johnson.

— Et ?

— Elle pratique l'hypnose.

— Oubliez ça tout de suite. Il n'est pas question que j'aille voir un charlatan.

— Je vous assure que c'est une vraie professionnelle, et qu'elle est très efficace. Je l'ai vue faire, et ses séances ont aidé des gens. Elle a même réussi à faire arrêter de fumer quelqu'un que je connais.

— Ah oui ? Et elle a déjà rendu la mémoire à un amnésique ?

— Je ne sais pas, mais ça vaut la peine d'essayer.

Comment pouvait-il refuser une telle proposition, alors que la frustration de ne pas savoir le rongeait à petit feu ? Il ne s'agissait pas seulement d'une envie de retrouver la mémoire, mais d'un véritable besoin que la conscience du temps qui s'enfuyait à une vitesse vertigineuse rendait plus pressant encore.

— Pouvons-nous lui faire confiance ?

— Oui, je le crois.

— Dans ce cas, allons-y.

— Hum… il y a juste une petite chose…

— C'est-à-dire ?

— Je ne voudrais pas que ça vous décourage, mais Atlanta est un peu… comment dire… excentrique.

*
* *

C'était un des plus beaux euphémismes qu'elle eût jamais prononcés, reconnut Eden en son for intérieur.

Les cheveux teints en rouge, moulée dans un caleçon

en lycra bleu fluo porté sous une longue tunique bariolée, et couverte de bijoux, Atlanta ne passait vraiment pas inaperçue.

Lorsqu'elle arriva en fin d'après-midi, Eden lança un regard penaud à Shane. Il lui répondit par un sourire embarrassé.

Les premiers mots d'Atlanta, prononcés d'un ton enjoué, furent pour réclamer quelque chose à grignoter. Après avoir fouillé sans façon dans le réfrigérateur et fait une razzia sur la réserve de barres chocolatées, elle se mit au travail, non sans une certaine grandiloquence.

Il lui suffit de quelques minutes pour plonger Shane dans une transe profonde. Mais avant d'entrer dans le vif du sujet, elle tint à mettre Eden en garde.

— N'attendez pas trop de cette séance. Il s'est montré réceptif parce qu'il a envie de recouvrer la mémoire. Mais ça ne veut pas dire que ce qui est profondément enfoui va vouloir refaire surface.

Eden manifesta sa compréhension par un signe de tête, et Atlanta se mit sans tarder à l'œuvre.

— Shane, êtes-vous avec moi ?

— Oui.

— C'est bien. Je veux que vous vous détendiez et que vous retourniez deux semaines en arrière.

Ils étaient convenus avant de commencer que, sauf absolue nécessité, ils n'essaieraient pas de faire régresser sa mémoire vers son enfance.

— Vous y êtes, Shane ?

— Oui.

— Dites-moi où vous êtes.

Atlanta attendit. Mais il n'y eut pas de réponse.

— Que se passe-t-il ? reprit-elle.

Silence.

— Il se passe quelque chose, Shane ? Dites-moi ce que c'est.

— Beth, soupira-t-il.

— Beth comment ?

Pas de réponse.

— Est-ce que Beth est avec vous ?

— Elle est partie. Je l'ai encore perdue. Je l'ai déjà perdue avant, mais cette fois…

— Quoi, donc ?

— Je ne sais pas.

— Où est allée Beth ?

— Je ne sais pas.

Cela ne marchait pas, songea Eden. Il résistait. Son esprit se bloquait. Peut-être parce que ses souvenirs étaient trop horribles ou parce qu'ils étaient associés à un danger.

Atlanta devait être parvenue à la même conclusion, car elle tenta une autre approche.

— Si cette période n'est pas agréable pour vous, nous n'allons pas y rester. Remontons un peu plus tôt, avant Beth. Vous allez retourner neuf mois en arrière, Shane. Y êtes-vous ?

— Oui.

— Où êtes-vous ?

Eden s'attendait à un autre silence. Elle fut surprise quand il identifia son environnement.

— Dans la jungle.

— Quelle jungle ?

— Je ne peux pas le dire.

— Que se passe-t-il dans cette jungle ?

— Il pleut. Il n'arrête pas de pleuvoir. Et il fait chaud. L'air est irrespirable, et il y a des insectes partout. Mes hommes se plaignent, mais les ordres sont les ordres. Vivement que ça se termine.

— Quoi, Shane ? Qu'est-ce qui doit se terminer ?

— La mission. Il faut libérer les otages, mais…

Il s'interrompit.

Eden l'observait intensément : il était perturbé, un muscle jouait nerveusement dans sa mâchoire.

— Que se passe-t-il ? demanda Atlanta. Que faites-vous avec ces hommes ?

— Nous avançons dans la jungle vers le point de rendez-vous. Je n'aime pas ça. Ce n'est pas normal. Je le sens.

— Qu'est-ce qui ne va pas, Shane ? Dites-le-moi.

— Une embuscade. Nous sommes tombés dans une embuscade.

Il se redressa sur le canapé, tout le corps raidi et cria, la voix déformée par la rage et la précipitation.

— Ce salaud nous a trahis. *Couchez-vous ! Tout le monde à couvert !*

Il était en train de livrer bataille, comprit Eden, en ressentant la même agitation que lui. Il revivait tous les événements.

— Ça tire dans tous les sens, hurla-t-il. Un de mes hommes est touché. *Vinny ! Vinny, fais attention à toi !*

Eden avait du mal à supporter la douleur dans sa voix, la façon dont il se tordait d'un côté et de l'autre comme pour éviter les balles.

— Il faut que je les sorte de là, avant que nous soyons tous éliminés. Je suis touché, mais je dois penser à mes hommes. Il faut que je les sorte de là.

Il gémit.

— Les forces me manquent… Je n'y arriverai pas…

Horrifiée, Eden intervint.

— Il souffre. Arrachez-le à cette horrible situation. Faites-le revenir au présent.

Atlanta se pencha et posa doucement la main sur le bras de Shane.

— Tout va bien, dit-elle d'une voix basse et rassurante. Vous pouvez quitter cet endroit. Rien ne vous oblige à rester là-bas. Partez, maintenant.

Le visage et le corps de Shane se détendirent progressivement. Il redevint très calme, les paupières fermées comme s'il sommeillait.

— C'est terminé, décida Eden. La séance s'arrête là.

Atlanta la regarda avec insistance.

— Vous êtes sûre ? Nous n'avons toujours pas appris ce que vous vouliez savoir tous les deux : son vrai nom, ce qui lui est arrivé…

— Ça m'est égal. Je ne veux pas le faire souffrir davantage. Ramenez-le à la conscience.

Atlanta haussa les épaules.

— Comme vous voudrez.

Elle posa la main sur le front de Shane et susurra :

— Vous allez vous étendre lentement sur le canapé. Vous allez dormir quelques minutes. Et quand vous vous réveillerez, vous vous sentirez serein, apaisé.

Shane lui obéit et sombra dans un profond sommeil. Satisfaite, Atlanta rassembla ses affaires.

— Ça va aller. Il se rappellera peut-être ce qu'il a dit, ou peut-être pas. Ça dépend de son attachement à ce passé. Mais, appelez-moi si vous avez besoin de moi.

Eden lui sourit : elle le ferait. Puis, elle la paya et la raccompagna à la porte.

— Oui, ça ira pour lui, répéta Atlanta. Mais peut-être pas pour vous.

— Que voulez-vous dire ?

Le regard d'Atlanta dériva vers le canapé, puis se posa de nouveau sur Eden.

— Ecoutez-moi, ma belle. Je connais la vie, et je sais

que ce genre de types sexy et ténébreux fait craquer les femmes. Mais, un bon conseil : méfiez-vous de lui. Je perçois une aura de danger et de violence autour de lui. Il va vous faire souffrir, je le sens. Faites bien attention à vous.

5

Eden essayait de ne pas repenser aux dernières paroles d'Atlanta. Assise sur une chaise près du canapé, elle regardait dormir Shane. Mais elle ne pouvait empêcher de déplaisantes pensées d'encombrer son esprit.

Cet homme contre lequel Atlanta l'avait mise en garde était pour elle un total inconnu. Même si elle avait l'impression qu'ils s'étaient rapprochés au cours des dernières heures, il n'en restait pas moins qu'elle ignorait tout de lui.

Et cependant, ils devaient se faire confiance s'ils voulaient résoudre le mystère de son passé et trouver Nathan. Ce ne serait facile pour aucun des deux, puisqu'ils avaient l'un et l'autre été douloureusement trahis.

Et puis, il y avait son attirance grandissante pour cet homme. Cela ne pouvait que leur mettre des bâtons dans les roues et compliquer des sujets déjà problématiques.

Comme cette *Beth*, par exemple.

Qui était-elle, et que représentait-elle pour Shane ? Quelqu'un qui comptait probablement pour lui. Une femme qui était peut-être en train de l'attendre en ce moment.

Elle observa le visage paisible de Shane. N'aurait-il aucune sensation de malaise après sa transe, comme l'avait affirmé Atlanta ?

Il ouvrit alors les yeux et la fixa.

— Comment vous sentez-vous ? demanda-t-elle en se penchant vers lui.

— Etonnamment reposé.

Il souleva la tête et son regard inspecta la pièce.

— Où est Atlanta ?

— Partie.

— La séance est donc terminée ? Est-ce que j'étais vraiment sous hypnose ?

— Oui

— J'ai dit quelque chose d'intéressant ?

— Vous ne vous en souvenez pas ?

— Non.

Il s'assit, jambes écartées, mains sur les genoux, et se pencha vers elle.

— Je vois à votre expression que ça n'a pas été concluant. Je n'ai fourni aucune information utile ?

— Vous n'avez pas dit grand-chose, mais ce sera peut-être suffisant pour provoquer un déclic.

Elle lui parla de Beth, et il garda le silence un moment tandis qu'il fouillait son esprit. Puis il secoua la tête.

— Ce nom ne me dit rien. Quoi d'autre ? Il doit bien y avoir autre chose.

Elle hésita à évoquer la jungle et l'horrible expérience qu'il y avait vécue, mais elle finit par décider qu'il avait le droit de savoir.

Quand elle eut fini de lui relater cet épisode comme il l'avait décrit, il ne dit pas un mot. Embarrassée par son silence, elle avança alors une hypothèse.

— Cela pourrait peut-être expliquer vos cicatrices et le fait que vous boitiez.

Une grimace sceptique se dessina sur son visage.

— Il s'agissait sans doute d'une opération militaire, continua-t-elle à spéculer. Pensez-vous que vous auriez pu faire partie des Forces spéciales ? Ça vous paraît plausible ?

— Comment le saurais-je ?

— Aucune de ces suggestions ne vous évoque quoi que ce soit ?

— Non.

Saisi de tremblements, il prit sa tête entre ses mains et gémit.

— Mon Dieu, mais quel est le rapport avec vous et votre enfant ? Qui suis-je, Eden ? Qu'ai-je fait ?

Emue, elle vint s'assoir à côté de lui et posa une main sur son épaule, en un geste compatissant.

— Nous découvrirons qui vous êtes, Shane. Je vous promets que nous éluciderons ce mystère et que vous retrouverez votre vie.

Il releva la tête et ses yeux noisette pailletés d'or croisèrent les siens.

— Et vous la vôtre, chuchota-t-il à son oreille.

Il abandonna alors toute retenue. Avant qu'elle n'ait eu le temps de protester, ou même de décider si elle avait envie de protester, il glissa la main sur sa nuque, attira son visage à lui et s'empara fiévreusement de sa bouche.

Ce fut un baiser sauvage, brûlant, affamé. Elle n'essaya pas d'y mettre fin, au contraire. Accueillant l'odeur masculine qui envahissait ses narines, le goût troublant de sa langue dans sa bouche, elle consentit à cet assaut passionné, y répondit avec autant d'ardeur.

Mais, soudain, l'ombre de Beth vint se glisser entre eux comme un obstacle insurmontable, lui rappelant que Shane n'était peut-être pas libre.

Ils étaient allés trop loin, songea-t-elle. Elle posa les mains contre son torse et le repoussa. Il n'insista pas mais, rejetant la tête en arrière, lui lança un regard perplexe.

Elle attendit un moment pour leur laisser le temps à

tous deux de se ressaisir, avant de s'adresser à lui avec douceur.

— Ce n'est pas la solution, Shane.

Il hocha la tête, signe qu'il la comprenait. S'ils voulaient que leur quête aboutisse, ils ne devaient disperser ni leur énergie ni leur concentration. Et puis, il y avait Beth, mais aucun des deux n'en parla.

Leur étreinte n'avait pas été exempte d'une certaine brutalité, mais il sut ensuite faire preuve de délicatesse.

— J'espère que je ne vous ai pas fait mal, Eden. Ce n'était pas mon intention, en tout cas.

— Non, vous ne m'avez pas fait mal.

Pas physiquement. Mais sur le plan émotionnel, elle se sentait dévastée.

Elle se rappela alors l'avertissement d'Atlanta. Malheureusement, le mal était déjà fait.

Shane avait le plus grand mal à trouver le sommeil et il aurait bien voulu rejeter la faute sur le canapé. Mais celui-ci était très confortable, même s'il n'était pas tout à fait assez long pour qu'il puisse y étendre complètement ses jambes.

Non, la cause de son agitation était la femme qui se trouvait derrière la porte close de la chambre, et avec qui il avait une envie désespérée de passer la nuit.

Compte tenu de la situation, cette inclination était de la folie pure.

De quel droit pouvait-il la désirer ainsi alors qu'il avait passé l'après-midi et la soirée à se demander s'il était pour quelque chose dans l'enlèvement de son enfant ?

Cette pensée était révoltante.

Mais, si c'était faux, qui pouvait avoir enlevé Nathan, et où était passé l'enfant pendant toutes ces années ? Se pouvait-il qu'il ait été en contact avec le fils d'Eden ou qu'il ait eu connaissance de l'endroit où il était caché ?

Demain, avait promis Eden avant de se retirer pour la nuit. Demain, ils décideraient ce qu'il fallait entreprendre pour restaurer sa mémoire et obtenir toutes ces réponses.

Mais, dans l'état de frustration où il se trouvait, demain lui semblait bien loin.

Réveillée par une voix insistante, Eden ouvrit les yeux et découvrit Shane penché au-dessus de son lit.

Sa présence dans sa chambre ne l'alarma pas, mais son expression, si. Il avait l'air tendu et sombre, et prêt à l'action.

— Que se passe-t-il ? demanda-t-elle en se redressant contre la tête de lit.

— Il y a une voiture de police sur le chemin.

Elle vit son regard glisser vers le bureau. Sur le dessus était posé un des deux téléphones portables qu'il s'était appropriés la veille. Il lui en avait donné un pour appeler Atlanta Johnson. Elle devina immédiatement ce qu'il avait en tête.

— Je n'ai pas appelé la police, dit-elle d'un ton empathique. Et je ne sais pas pourquoi ils sont là.

— Nous n'avons pas le temps d'en discuter. Les flics doivent déjà être à la porte.

— Je vais m'en débarrasser.

Elle balança ses jambes par-dessus le matelas et attrapa son peignoir sur une chaise.

— Restez-ici et ne vous faites pas voir.

Cette recommandation ne plut pas à Shane, elle le sentit tout de suite. Il n'était pas homme à laisser une femme affronter le danger, tandis qu'il jouerait les peureux terré dans une chambre. Mais le discernement eut sans doute raison de son orgueil masculin, et il accepta son plan avec un hochement de tête contraint.

Tandis qu'elle quittait la chambre, en bataillant avec la ceinture de son peignoir, on frappa à la porte.

Qui avait fait venir la police à la péniche ? Atlanta Johnson, inquiète de la présence de Shane, les avait-elle prévenus ? Non, le code d'éthique de l'hypnotiseuse ne l'autorisait probablement pas à trahir ainsi un de ses patients.

Il y eut un nouveau tambourinement avant qu'Eden n'atteigne la porte et ne la déverrouille. Un jeune shérif-adjoint patientait sur la passerelle. C'était un agent local qu'elle avait déjà vu auparavant dans le village. Il aurait été difficile de ne pas le remarquer, car il était particulièrement séduisant.

— Madame Hawke ?

— Oui.

— Excusez-moi de vous réveiller de si bon matin, mais j'aimerais vous parler un instant.

Il y avait une lueur de sollicitation dans son regard. Manifestement, il attentait qu'elle l'invite à entrer. Un vent glacé tourbillonnait au-dessus de la rivière, et il voulait probablement échapper au courant d'air. A moins qu'il ne cherche une excuse pour vérifier l'intérieur de la péniche. Quoi qu'il en soit, elle ne pouvait pas lui refuser l'entrée sans risquer d'éveiller sa suspicion.

— Entrez, dit-elle en s'écartant pour lui laisser le passage.

— Bel endroit, dit-il après avoir balayé du regard le séjour.

— Merci. En quoi puis-je vous aider ?

— Vous avez bien une amie à Charleston du nom de…

Il consulta le petit carnet qu'il tenait à la main.

— Tia Wong ?

Elle sentit son pouls s'accélérer.

— Oui. Pourquoi ?

— Elle nous a appelés pour nous demander de venir vérifier si vous alliez bien. Elle vous a cherchée partout, avant de penser que vous pourriez être venue ici, sur la péniche.

— Mais, je ne comprends pas…

— Elle était inquiète, madame Hawke. Elle a essayé à plusieurs reprises de vous joindre sur l'un et l'autre de vos portables, mais ils étaient tous deux sur messagerie.

Il n'y avait rien d'étonnant à cela. Shane les avait éteints tous les deux pour économiser les batteries. Préoccupée comme elle l'était par la situation, elle n'avait pas pensé que Tia chercherait à la joindre.

— Votre amie a-t-elle une raison quelconque de s'inquiéter pour vous, madame Hawke ?

Tia avait-elle prévenu le bureau du shérif de la présence de Shane ? Etait-ce la raison de la visite de l'adjoint ? Probablement pas. Sinon, il lui aurait déjà posé d'autres questions.

Le jeune agent observait à présent la veste de Shane posée sur le dossier d'une chaise. C'était à l'évidence une veste d'homme, beaucoup trop grande pour elle. Lorsque le policier regarda de nouveau autour de lui, son regard s'arrêta longuement sur la porte de la chambre.

Il savait qu'elle n'était pas seule.

Elle réagit à l'instinct, offrant une explication qui lui était maintenant familière.

— Mon mari est revenu de façon inattendue d'un long voyage d'affaires. Nous avons décidé de faire une escapade sur la péniche pour fêter nos retrouvailles. Et nous avons éteint les téléphones pour ne pas être dérangés.

Le policier accepta cet éclaircissement avec un sourire compréhensif.

— J'aurais dû dire à Tia qu'il était rentré, ajouta-t-elle. Elle s'est montrée très protectrice à mon égard quand il était absent.

— Vous devriez l'appeler, suggéra le policier en refermant son carnet.

— Je le ferai, promit-elle en l'accompagnant à la porte. Et merci d'être passé prendre de mes nouvelles.

Shane sortit de la chambre quand il entendit démarrer la voiture de patrouille. Il n'avait pas l'air heureux.

— Vous avez entendu ?

— Mouais. On dirait que je ne suis pas plus à l'abri des flics ici que je ne l'étais à Charleston

— Dans ce cas, autant rentrer, vous ne croyez pas ? Nous pourrions retracer votre itinéraire cette nuit où vous êtes arrivé chez moi.

Il réfléchit un court instant.

— Vous avez raison. Ce n'est pas ici que nous trouverons des réponses. Si nous voulons apprendre quelque chose, il faut retourner à Charleston, là où tout a commencé. Mais, si je suis recherché par la police...

— Nous traiterons ce problème s'il se présente. J'ai pensé à une solution pour réduire les risques

— C'est-à-dire ?

Elle hésita, étonnée par sa propre suggestion.

— Le shérif-adjoint n'a eu aucun soupçon quand je lui ai dit que vous étiez mon mari.

— Si je comprends bien, vous suggérez de continuer à nous faire passer pour mari et femme ?

A la lueur d'ironie qui pétillait dans ses yeux, elle comprit qu'il s'amusait de cette situation.

— Oubliez ce que je viens de dire. C'est une mauvaise idée.

— Je ne trouve pas. Ce flic aurait pu demander à voir mes papiers.

— Que vous n'auriez pas pu présenter…

— Exact. Au lieu de quoi, il est reparti satisfait.

— Parce que je vous ai fait passer pour mon mari.

— Et cela pourrait de nouveau nous sortir d'affaire dans une situation embarrassante. Oui, ça me plaît. Je dirais même que l'idée me semble excellente. Et puisque nous avons déjà une certaine pratique en ce sens…

Un embarrassant silence s'installa dans la pièce.

Elle commençait déjà à regretter de ne pas avoir tenu sa langue. Cet arrangement pourrait finalement produire plus de problèmes que de solutions. Mais elle ne reviendrait pas sur sa proposition de se faire passer pour sa femme, surtout si cela lui permettait de retrouver son fils.

Avant qu'il n'ait le temps de moquer davantage la situation, elle se retira dans la salle de bains pour se doucher et s'habiller, laissant à Shane le soin de préparer le petit déjeuner. Elle en profita également pour appeler Tia et la rassurer. Par chance, son amie se préparait à aller travailler et n'avait pas le temps de demander trop de détails. La seule chose qu'elle avait envie d'entendre, c'était qu'Eden était saine et sauve.

Comme une mère surveillant les premiers pas de son enfant, elle voulait qu'il réussisse et se retenait de l'aider. Il devait y arriver seul. Voilà ce que ressentait Eden tandis qu'ils retraçaient à pied l'itinéraire emprunté l'avant-veille par Shane.

Leur progression était lente, en partie à cause de sa claudication, mais surtout parce qu'elle voulait lui laisser le temps d'assimiler les images et les sons le long de la route.

Il lui en coûtait de garder le silence. Elle brûlait de lui

demander si cette expérience lui était d'une quelconque utilité.

Mais c'était nécessaire. Elle ne voulait pas court-circuiter son processus sensoriel. De toute façon, il n'aurait pu entendre ses questions. Il semblait presque en transe, comme lorsque Atlanta l'avait hypnotisé. Il se déplaçait tel un robot, sa tête oscillant mécaniquement d'un côté à l'autre, le regard à l'affût.

— Voici la ruelle où je me suis caché pour éviter la voiture de patrouille, dit-il d'une voix atone.

Un peu plus loin, il indiqua :

— C'est ici que je suis tombé.

Et finalement :

— Et ça, c'est la supérette où j'ai voulu acheter de l'aspirine.

Ils avaient couvert la distance de douze blocs et se tenaient à l'entrée du parking où il s'était découvert en train d'errer cette nuit-là.

Soudain, il la distança et se dirigea à grandes enjambées vers la rivière.

Quand elle parvint à le rejoindre, son excitation était perceptible. Elle observa son visage, il était envahi de réminiscences.

— Que se passe-t-il ? demanda-t-elle.

Il ne répondit pas et continua à arpenter nerveusement le terrain. Sa boiterie était plus prononcée, et elle s'en inquiéta. La longue marche avait fatigué sa jambe.

— Allons-nous asseoir et nous reposer quelques instants, proposa-t-elle, en désignant un banc sur la rive.

Cette suggestion l'irrita. Il n'était pas le genre d'homme à admettre qu'il n'était plus tout à fait aussi robuste qu'il avait pu l'être avant sa blessure. Mais il ne discuta pas.

Ils s'assirent côte à côte sur le banc.

— J'ai des flashs, dit-il. Ce qui m'est arrivé cette nuit-là commence à me revenir par bribes.

— Prenez votre temps, l'encouragea-t-elle. Laissez venir les informations à leur rythme, et nous les assemblerons ensuite.

— C'est un peu flou, mais je me vois dans une voiture. Je suis seul et je conduis. Je ne sais pas où je vais. Il fait nuit et il pleut. Il doit être tard car il n'y a presque pas de circulation.

— Vous savez d'où vous venez ?

— Non.

— Et la voiture ? Vous croyez que c'est la vôtre ?

Il secoua la tête.

— J'ai l'impression que c'est une location. Je l'ai prise quelque part pour aller en ville.

— L'aéroport. Vous avez pu atterrir à Charleston et louer une voiture.

— Ça paraît logique. Ce que je vois après ne l'est pas du tout.

— Expliquez-moi.

— Un autre véhicule m'a forcé à quitter la route.

— Ça ne pouvait pas être un accident ? Vous avez dit qu'il faisait nuit et qu'il pleuvait.

— Non. C'était délibéré. J'en suis certain. J'ai perdu le contrôle de la voiture et j'ai percuté quelque chose. Après, j'ai dû m'évanouir.

— Et quand vous avez repris conscience ?

— Je ne sais pas. Mais je crois que je n'étais plus dans la voiture.

— Essayez de visualiser la scène.

Elle l'observa tandis qu'il se concentrait pour faire remonter les souvenirs à la surface.

— Une pièce ? se demanda-t-il à lui-même. Oui, c'est

ça. Je suis dans une pièce que
chaise. Ils m'ont frappé et attaché.

— Qui ?

— Trois hommes. Un duo de brutes pa
un petit maigrichon à l'air sournois. Ils ont d
mes poches quand j'étais inconscient. Toutes mes a
sont étalées sur la table. Tout sauf la photo et la carte
visite. Ils ne les ont pas trouvées.

— Pourquoi ?

— Je crois… Oui, il me semble que j'ai dû réussir à les glisser dans la doublure de ma veste, à un moment ou à un autre.

— Et ensuite ?

— Les deux brutes font sortir le maigrichon. Ils ne veulent pas qu'il assiste à l'interrogatoire. Ils veulent quelque chose. Ils n'arrêtent pas de me demander ce que j'ai fait de lui.

— Lui ? Ils parlent bien d'une personne, pas d'un objet ?

— Je crois que oui. Ils veulent savoir où il est. Comme je ne peux pas leur dire, ou ne veux pas leur dire, ils me frappent. Ils n'arrêtent pas de me frapper.

Elle eut soudain un haut-le-cœur au souvenir de l'état dans lequel elle l'avait découvert dans sa cour et se sentit gagnée par la colère.

— Je ne suis plus dans cette pièce, maintenant, continua-t-il. Ils m'ont traîné dehors et jeté à l'arrière d'une camionnette. C'est le maigrichon qui conduit. Un des gorilles est devant avec lui, et lui dit où aller. Ils n'ont pas obtenu ce qu'ils voulaient et ils m'emmènent ailleurs.

— Vous savez où ?

— Non. Je ne les ai pas entendus en parler.

— Continuez.

— L'autre brute est avec moi à l'arrière. Ils pensent

semblant. J'attends
ompe à vélo dans un
de toile d'emballage
oit pas, mais moi oui.
la saisis. Il s'effondre
camionnette quand elle
e. Les deux autres ne se

. C'est là que j'ai dû atterrir.

— Et ap… noir ?

— Complètement.

L'un ou l'autre des traumatismes qu'il avait subis pouvait être responsable de son amnésie, comprit-elle : l'accident de voiture, les coups reçus, la chute de la camionnette… ou la combinaison des trois.

— Si vous vous rappelez ça, vous pouvez sans doute faire remonter d'autres souvenirs. Pensez à la journée d'avant.

— Pas la moindre idée.

— Et votre nom ?

— Shane.

Elle retint un gémissement d'exaspération.

— Ces hommes devaient savoir qui vous étiez. Comment s'adressaient-ils à vous quand ils vous questionnaient ?

— Dans des termes que je préfère ne pas répéter.

Il soupira.

— Ecoutez, Eden, ça ne sert à rien. Si des noms ont été prononcés, les leurs ou le mien, je ne m'en souviens pas.

Elle prit une profonde inspiration et relâcha lentement son souffle pour tempérer l'excitation qui n'avait cessé de croître à mesure qu'il égrenait ses quelques souvenirs.

— Vous vous dirigiez vers le centre-ville, avec la

photo et ma carte. Veniez-vous me voir ? Ce « il » dont ils parlaient, est-ce que c'est Nathan ?

Elle se pencha vers lui, crispée, dans l'attente d'une réponse.

Il détourna les yeux et ne dit rien.

Ce n'était pas la peine. Elle savait à quoi il pensait. Elle avait les mêmes interrogations.

Détenait-il Nathan ? Dans quel but ? Pourquoi ces hommes voulaient-ils savoir où il était ? Qu'était-il arrivé à Nathan ? Où se trouvait-il en ce moment ?

Les questions se bousculaient dans sa tête. Elle avait besoin de savoir. Elle voulait retrouver son fils. Pour autant, elle n'avait pas le droit de céder au désespoir, et encore moins de verser dans l'hystérie. Ce n'était pas ça qui les aiderait. Elle devait oublier qu'elle était une mère et mettre à profit ses compétences de détective privé.

— Revenons à la camionnette, dit-elle, en s'exhortant à la patience. Vous vous rappelez autre chose ? Le numéro d'immatriculation ? Un nom sur le côté ?

— Négatif.

— L'endroit où ils vous ont retenu, visualisez-le de nouveau.

Cette fois, il ferma les yeux, et elle l'observa avec espoir.

— Dites-moi ce que vous voyez.

— C'est miteux. Mal entretenu. C'est une chambre de motel.

— Comment le savez-vous ?

— Il y a une enseigne dehors. Je l'ai vue quand ils m'ont sorti du camion. Attendez, je vois le nom du motel. Le Joyeux Marinier. Oui, c'est ça. Le Joyeux Marinier.

Il ouvrit les yeux et ils échangèrent un regard à la fois incrédule et ravi. C'était ce qu'ils cherchaient. Un nom. Un endroit où commencer leurs recherches.

— Je crois que nous devons aller faire un tour au Joyeux Marinier, annonça-t-il.

Il semblait impatient d'en découdre avec les hommes qui l'avaient brutalisé. Et ce n'était pas forcément une bonne idée.

— Il faudrait peut-être prévenir la police ? suggéra-t-elle.

— Pas question.

Elle n'insista pas. L'important, après tout, était qu'ils tenaient enfin une piste.

— Comme vous voudrez. Il ne nous reste plus qu'à trouver où se situe ce motel.

Quelques minutes plus tard, ils hélaient un taxi qui les déposait chez Eden. Une fois dans son bureau, elle installa Shane devant l'ordinateur pour qu'il fasse une recherche sur internet, et décrocha son téléphone.

Il y avait plusieurs agences de location de voiture à l'aéroport. Elle les essaya toutes, espérant apprendre l'identité de Shane en demandant si un de leurs véhicules avait été accidenté et, si c'était le cas, qui l'avait loué. Mais aucune ne voulut révéler ce qu'elles considéraient comme des informations confidentielles.

— Pas de chance, dit-elle, après avoir épuisé la liste. Et vous ?

— Je l'ai trouvé. Le Joyeux Marinier se trouve à Folly Beach.

Elle regarda par-dessus son épaule l'itinéraire qui s'affichait à l'écran.

Un quart d'heure plus tard, ils étaient de nouveau en voiture et s'efforçaient de sortir du centre-ville. Le silence régnait dans l'habitacle. Eden se concentrait sur la circulation et les panneaux de signalisation.

Ils venaient de sortir des embouteillages et atteignaient les faubourgs quand Shane lui ordonna brutalement :

— Arrêtez-vous.

Surprise par son exclamation, elle le dévisagea avec incompréhension.

— Que se passe-t-il ?

Si elle ne savait pas encore à quel point cet homme pouvait se montrer autoritaire et cassant, elle l'apprit dans la seconde.

— Quand je donne un ordre, vous obéissez. Un point, c'est tout.

6

Un conducteur actionna rageusement son Klaxon tandis qu'Eden se rabattait devant lui pour aller se garer le long du trottoir.

Elle ne lui en tint pas rigueur, consciente qu'elle avait risqué l'accrochage pour satisfaire les exigences de Shane. La rapidité qu'elle avait mise à obéir, sans se poser de questions, prouvait qu'il était habitué à donner des ordres. Ce qui la confortait dans son impression qu'il avait un passé militaire.

Se glissant dans une place de stationnement, elle tira le frein à main et se tourna vers lui.

— Vous avez intérêt à avoir une bonne raison.

— La boutique derrière, au coin de la rue, dit-il en agitant son pouce par-dessus son épaule.

Elle pivota sur son siège.

— C'est un prêteur sur gages.

— Exact.

— Et c'est ça, votre urgence ?

— Nous en avons besoin.

Elle ne comprenait plus rien.

— De quoi pourrions-nous bien avoir besoin chez un…

— D'alliances. Si nous voulons que notre mariage soit crédible, vous devez porter une alliance. Venez.

C'était pousser la mascarade un peu trop loin, songea-t-elle. Mais il ne lui laissa pas le temps de discuter. Il avait déjà défait sa ceinture de sécurité et sortait de la voiture.

Elle n'eut d'autre choix que de le suivre.

La boutique offrait un large choix d'alliances, et cela l'attrista de voir que tant de gens étaient dans une situation financière si difficile qu'ils devaient gager leurs anneaux de mariage. Toutefois, elle ne fit pas de commentaire tandis que Shane les examinait soigneusement, écartant les bagues qui portaient une inscription à l'intérieur.

Après les avoir essayés, ils arrêtèrent leur choix sur deux fins anneaux en or jaune.

Shane glissa les bagues dans sa poche après qu'elle les eut payées.

— L'idée n'était pas de les porter ? demanda-t-elle dès qu'ils furent sortis de la boutique.

— Si, bien sûr.

Il lui tendit une des alliances.

— C'est la vôtre, constata-t-elle.

— Je sais.

Il se tourna vers elle, alors qu'ils s'étaient arrêtés sur le trottoir.

— J'ai pensé que nous pourrions nous la passer réciproquement au doigt pour sceller l'accord de travail que nous avons passé.

— Un accord temporaire, bien sûr ?

— Naturellement.

— Euh, vous ne voulez pas que nous échangions une sorte de serment, j'espère ?

— Je ne pense pas que ce soit la peine d'aller aussi loin.

Il tendit la main. Elle hésita et finit par passer l'alliance à son doigt, non sans une certaine maladresse. S'il en avait déjà porté une, il n'y avait pas de trace distinctive sur son annulaire. Bien que ce ne soit évidemment pas une preuve de quoi que ce soit.

Elle eut un petit sursaut troublé quand, à son tour, il lui prit la main et la tint quelques instants avant de faire lentement glisser la bague sur son annulaire. Il prenait plus de temps qu'il n'était nécessaire, lui sembla-t-il. En tout cas, il y avait quelque chose de déconcertant dans la façon dont l'anneau s'adaptait à son doigt, comme si sa place avait toujours été là.

Elle fut plus surprise encore lorsque Shane se pencha pour effleurer rapidement ses lèvres d'un baiser.

— Prérogative du marié, dit-il d'un ton primesautier.

Mais elle n'avait aucune envie de sourire. Cette mascarade se révélait beaucoup plus compliquée sur le plan émotionnel qu'elle ne l'avait envisagé.

Et beaucoup plus troublante.

Moins d'une heure plus tard, ils traversaient un pont au-dessus de la rivière Folly et entraient dans le complexe de loisirs de Folly Island.

— On dirait une ville fantôme, remarqua Shane, tandis qu'ils roulaient le long du front de mer désert.

— Revenez en été et vous passerez un temps fou dans les embouteillages. Vous me direz quand il faudra tourner ?

— Ne vous en faites pas. Il y a encore quelques kilomètres à parcourir.

Non seulement le Joyeux Marinier n'était pas situé dans le quartier le plus recherché — ce qui n'était pas pour étonner Eden compte tenu de la description que Shane avait faite du motel — mais il n'était même pas en bord de mer, contrairement à ce que son nom pouvait laisser croire.

Ils continuèrent le long de l'océan, où la plupart des boutiques et des hôtels étaient fermés, et s'engagèrent dans un lacis de routes de campagne étroites qui les mena à un golf désert, situé à l'orée d'un bois.

Inquiète, elle jeta un coup d'œil à sa montre. Le trajet lui semblait interminable, et elle avait l'impression qu'ils s'étaient trompés de route.

D'après le dernier panneau indicateur qu'elle avait entraperçu, le motel ne devait plus être très loin, mais la zone boisée et dépourvue de toute autre habitation ne semblait guère propice à ce genre d'hébergement.

A moins d'aimer passionnément la nature et la solitude. *Ou d'avoir envie de séquestrer un homme sans vouloir être dérangé.*

Après un dernier tournant, elle s'engagea dans une allée en terre battue simplement signalée par un panonceau cloué sur un poteau de bois, et dont les lettres tracées à la peinture blanche s'effaçaient.

Elle coupa le moteur, et ils restèrent un moment à observer les lieux en silence.

Construit de plain-pied, le bâtiment de bois était en forme de L. Il était patiné par les intempéries et disparaissait en partie sous le lierre grimpant et la mousse qui rongeait sa toiture.

— Ce n'est pas très gai, constata-t-il. Ni très encourageant.

Elle lui jeta un coup d'œil. Il ne faisait pas référence au délabrement du motel, mais à son état d'abandon. Il n'y avait pas âme qui vive, et tous les volets étaient fermés.

Que pouvaient-ils espérer apprendre ici ?

Ces hommes qui l'avaient séquestré ne s'étaient certainement pas attardés dans les parages.

— Pourtant… reprit-il, en défaisant sa ceinture.

Il n'eut pas à terminer sa phrase. Elle savait ce qu'il voulait dire. Ils devaient essayer malgré tout.

Lorsqu'elle le rejoignit hors de la voiture, il vérifiait le pistolet semi-automatique pour s'assurer qu'il était prêt à fonctionner s'ils en avaient besoin.

Il lui aurait probablement rendu son arme si elle le lui avait demandé, mais il semblait plus rassuré en la gardant sur lui. En outre, la parfaite assurance de sa posture attestait son professionnalisme.

Plus elle le côtoyait, plus il devenait évident pour elle qu'il avait l'habitude du combat et des situations périlleuses. Ce qui ne voulait pas forcément dire qu'il était du bon côté de la barrière. Pour le moment, rien ne lui permettait d'affirmer qu'il n'était pas un mercenaire.

Satisfait, Shane glissa l'arme dans la ceinture de son jean.

— Restez derrière moi, dit-il, tandis qu'ils prenaient la direction du bureau, situé au milieu du bâtiment.

En tant que détective aguerrie, qui savait comment se comporter dans des situations de danger potentiel, elle aurait pu lui en vouloir de prendre la direction des opérations, mais ce n'était pas le cas. Et elle n'avait pas très envie de se demander pourquoi elle réagissait de cette façon.

— Fermé, dit Shane, après avoir essayé la porte.

A quoi s'attendait-il ? En dehors du fait qu'on était hors saison, le motel était probablement en cessation d'activité depuis un bon moment.

— Là-bas, dit-il, en désignant la troisième porte sur leur droite. C'est dans cette chambre que j'ai été retenu. J'en suis certain.

Même s'ils forçaient la porte, elle était persuadée qu'ils ne trouveraient rien de concluant à l'intérieur. Et puis, son regard avait été attiré par quelque chose de beaucoup plus intéressant.

Il y avait un énorme magnolia à l'angle du bâtiment. A travers l'épaisseur de son feuillage vernissé, on devinait la carrosserie blanche d'un véhicule.

— Nous ne sommes peut-être pas seuls, dit-elle à Shane, en attirant son regard dans cette direction.

Il regarda et hocha la tête.

— La camionnette était de couleur claire. Peut-être blanche. Allons voir.

Ils approchèrent avec prudence. Le véhicule inoccupé était bien une vieille camionnette, sans doute celle qui avait servi à transporter Shane. L'emplacement où aurait dû se trouver le nom d'une entreprise avait été grossièrement repeint à la bombe pour empêcher toute identification, et les plaques minéralogiques recouvertes de boue étaient illisibles.

Tandis que Shane faisait le tour de la camionnette et essayait d'ouvrir les portières, visiblement verrouillées, elle surveilla nerveusement le motel, tout en s'efforçant de réfléchir.

La camionnette avait peut-être été abandonnée sur place après avoir servi, mais rien ne permettait de l'affirmer. Et il était fort possible que les hommes soient encore là, à les épier depuis l'une des chambres…

— Je sais ce que vous en pensez, dit-elle, mais vous ne croyez pas qu'il est temps d'appeler…

Il leva une main pour la faire taire.

— Vous entendez ?

Elle tendit l'oreille et entendit, étouffé par la distance, un martèlement répété sur du métal.

— On dirait que quelqu'un est en train de faire des réparations, reprit-il. Allons voir ça.

— Je me demande si c'est très prudent.

— Vous avez raison. Vous devriez peut-être rester ici.

Elle pensait plutôt appeler la police, mais il ne se laisserait visiblement pas convaincre. Tant pis. Elle aussi pouvait se montrer déterminée.

— Et vous laisser sans renfort ? Certainement pas ! lança-t-elle.

Il ouvrit de nouveau la voie, se déplaçant le long de l'aile perpendiculaire percée de portes identiques.

Bien qu'il n'eût pas retiré le pistolet de sa ceinture, sa main était posée sur la crosse, prête pour une action rapide. Le bruit était plus fort quand ils tournèrent au coin du bâtiment. Il s'interrompit soudain.

Posé sur une plate-forme en béton, à l'angle des deux ailes du motel, se trouvait le volumineux compresseur du système de climatisation. Un homme en combinaison couverte de taches graisseuses était accroupi à côté, un marteau à la main.

Alerté par le bruit de leurs pas, il leva les yeux. Ils avaient le soleil dans le dos, et l'homme ne distinguait probablement pas autre chose que des silhouettes.

— Le motel est fermé, bougonna-t-il.

— C'est curieux, répliqua Shane d'un ton enjoué, tandis qu'il se rapprochait. Il y a deux jours, c'était ouvert.

L'homme plissa les yeux pour mieux les distinguer. Eden vit passer une lueur d'inquiétude sur son visage. Le marteau lui échappa des mains et rebondit sur le couvercle du compresseur posé par terre.

Il se releva en passant nerveusement la langue sur ses lèvres, il correspondait parfaitement à la description du maigrichon à l'air sournois faite par Shane, observa-t-elle. Son regard affolé cherchait une issue de secours mais, bloqué dans l'angle comme il l'était, il n'avait nulle part où s'enfuir. Il fit pourtant une tentative, en faisant un bond vers la gauche.

Shane bondit alors sur lui comme un loup sur sa proie et, une main refermée autour de sa gorge, le plaqua contre le mur du motel.

— J'ai une information pour toi…

Shane s'interrompit et baissa les yeux vers le nom brodé en rouge sur la poche de la combinaison.

— … Roy. Il y a deux nuits, quand tes amis m'ont amené ici, j'étais inconscient. Vous avez dû penser que je n'aurais pas la moindre idée de qui vous étiez, ni de l'endroit où je me trouvais. Même chose quand vous m'avez sorti d'ici. Seulement, vous vous êtes trompé. Tu vois, mon petit Roy, au deuxième voyage, je n'étais pas dans les vapes. Je faisais semblant. C'est intéressant, non ?

— Mec, tu fais une grosse erreur.

Non seulement il avait une tête de fouine, pensa Eden, avec un brin de méchanceté, mais il piaillait comme un petit animal pris au piège.

Ignorant l'objection, Shane approcha son visage à quelques centimètres de celui de l'homme.

— Ecoute-moi bien, Roy. Ma femme n'a pas du tout aimé l'état dans lequel je suis rentré à la maison.

— Ta femme ?

— Eh oui, ma femme.

Il agita sa main gauche sous le nez de l'homme, comme pour tester la crédibilité de son alliance. Ou peut-être, songea Eden, parce cette mascarade l'amusait. Il choisissait toujours les pires moments pour cela.

— Alors, Roy, qu'est-ce que tu proposes pour qu'elle se sente mieux ?

— J'en sais rien, mec, j'en sais rien.

Il essaya de se libérer, mais la main droite de Shane, toujours nouée autour de son cou, le plaquait contre le mur.

— Bien sûr que si, Roy. Tu peux commencer par me parler de tes deux copains.

— J'vois pas ce que tu veux dire. Juré, j'comprends rien.

Shane l'observa de la tête aux pieds, avec une moue dédaigneuse.

— Tu es quoi, au juste, Roy ? Le propriétaire du Joyeux Marinier ? Non, je te verrais plus en gardien ou en homme d'entretien. Sauf qu'il ne doit pas y avoir assez de travail pour toi dans une gargote pareille. A mon avis, tu dois proposer tes services aux autres motels du coin. Je me demande ce que diraient leurs propriétaires s'ils apprenaient que tu loues leurs chambres au noir et que tu trempes dans des histoires pas très nettes. Comme celle d'avant-hier soir.

— Bon sang, mec, t'as pas de cœur, se mit-il à geindre. Tu ne connais pas ces deux gars. Ils me tueront si je parle.

— J'ai une idée, énonça Shane d'un ton doucereux. Je pourrais peut-être te torturer un peu pour te faire parler, comme ils ont fait avec moi. Qu'en dis-tu, hein, mon petit Roy ?

Les doigts de Shane se resserrèrent lentement autour du cou de l'homme, dont les yeux s'écarquillèrent de terreur.

— Stop, gargouilla-t-il. Je vais parler.

— C'est mieux.

Shane relâcha la pression qu'il exerçait, mais n'ôta pas sa main.

— Tes deux amis, qui sont-ils ?

— Je ne sais pas. Non, c'est vrai, je le jure. Je ne les avais jamais vus avant cette nuit. Ils m'ont abordé dans le bar où j'ai l'habitude de traîner. Ils voulaient utiliser ma camionnette, mes services, et une chambre pendant quelques heures. Ils étaient prêts à payer un paquet à condition que je ne pose pas de questions.

— Et tu as accepté ?

— J'avais besoin d'argent. Mais je ne sais pas ce qu'ils te voulaient. D'ailleurs, ils m'ont fait sortir de la chambre pour t'interroger, tu te souviens ?

— Qu'ont-ils fait des affaires de mon mari ? demanda Eden. Son portefeuille, par exemple.

— Je ne sais pas, ma petite dame. Ils ont dû les garder. Je n'ai rien retrouvé dans la chambre.

— Mais tu dois savoir où ils m'ont emmené ensuite, insista Shane. C'est toi qui conduisais. Ils ont dû te donner des instructions. Nous sommes allés jusqu'à Charleston. Quelle était notre destination ? Donne-moi un nom, une adresse.

L'homme hésita et Shane fit de nouveau pression autour de son cou.

— Chez une femme, balbutia Roy. Krause, je crois que c'était son nom. Ouais, c'est ça. Un des gars a dit que tu devais voir Harriet Krause et que ça te ferait parler.

Eden eut un choc en entendant ce nom. Elle savait qui était Harriet Krause. Elle se souvenait même très bien d'elle. Mais ce n'était pas le meilleur moment pour en parler.

— L'adresse, Roy.

— Bahama Street. Au 301.

Shane adressa à Eden un regard interrogateur par-dessus son épaule. Elle hocha la tête : elle connaissait la rue et savait comment s'y rendre. Il garda les yeux rivés aux siens quelques secondes, puis reporta son attention sur le gardien du motel.

— Je vais te libérer maintenant, mon petit Roy. Mais il va falloir être bien sage. Ne parle à personne de notre visite, sinon…

*
* *

— Vous croyez que votre menace suffira à le faire se tenir tranquille ? lui demanda Eden, après qu'ils eurent regagné leur voiture.

— Qui sait ? Il est certain qu'il n'ira pas voir la police, mais s'il a encore des contacts avec ceux qui l'ont engagé…

Il avait une question à poser à Eden, quelque chose qui le tarabustait depuis que le gardien leur avait donné l'adresse et qu'il avait découvert son expression ébahie en tournant la tête.

— Cette femme, Harriet Krause, vous la connaissez ?

— Je suis transparente à ce point ? Il faut dire que c'était tellement inattendu…

— Donc, vous la connaissez ?

— C'est une employée de la clinique où Nathan a été conçu.

Elle quitta la route des yeux un instant, comme pour lui communiquer l'intensité des émotions qui la traversaient.

— Comprenez-vous ce que ça signifie ? reprit-elle enfin.

— Oui, bien sûr. C'est la preuve que j'ai un lien avec votre fils.

Au fond, il était terrifié par la portée réelle de son implication. Etait-il responsable de la disparition de Nathan ? Avait-il su pendant toutes ces années où se trouvait l'enfant ? Le détenait-il quelque part en ce moment ?

Eden exprima ses peurs à haute voix.

— C'est pour cela que ces hommes vous ont enlevé et interrogé, n'est-ce pas, Shane ? Dieu seul sait pourquoi, mais c'est Nathan qu'ils veulent. Et ils sont convaincus que vous savez où il se trouve.

Il y avait une note d'accusation dans sa voix, mais il ne pouvait lui en tenir rigueur. Il se posait lui-même tellement de questions sur le genre d'homme qu'il était vraiment : un criminel, un mercenaire mêlé à une sordide affaire ?

Il balaya ces pensées dérangeantes en se tournant vers des préoccupations plus immédiates.

— Nous sommes lundi, il y a peu de chances de trouver Harriet Krause chez elle.

— Vous avez raison. Il vaut mieux commencer par vérifier à la clinique. Je vais avoir besoin d'un annuaire pour le numéro. Regardez si vous voyez une station-service.

Ils en trouvèrent une peu après avoir franchi le pont vers le continent. Son sac à l'épaule, Eden entra dans la boutique tandis qu'il prit de l'essence. Elle fut de retour quelques minutes plus tard avec un sachet en plastique.

— Nous avons de la chance, lança-t-elle en souriant. Non seulement Harriet Krause travaille toujours là-bas, mais elle est rentrée chez elle plus tôt pour soigner son rhume. Oh ! et j'ai acheté ça en payant l'essence.

— Qu'est-ce que c'est ?

— Notre déjeuner.

L'heure du repas était passée depuis longtemps, et ils n'avaient rien mangé depuis le petit déjeuner sur la péniche. Aussi Shane accueillit-il avec satisfaction cette initiative. Ils se rassasièrent de biscuits fourrés au fromage et de fruits tandis que la voiture filait vers Charleston.

Au volant, Eden observait un silence chargé d'inquiétude. Ce ne fut qu'aux abords de Charleston qu'elle reprit la parole.

— A propos de ces hommes… S'ils sont toujours dans la région et déterminés à vous retrouver…

— Oui, c'est un problème.

— Si seulement nous savions pourquoi ils en ont après vous, et quel est le lien avec Nathan.

Il soupira.

— J'aimerais le savoir. Mais Harriet Krause pourra peut-être nous fournir des réponses.

L'après-midi était déjà bien avancé quand Eden et lui se garèrent devant le 301 Bahama Street. L'adresse était située dans le quartier historique, à trois blocs du port. La maison ancienne, convertie en appartements, était semblable à celle d'Eden. Les boîtes aux lettres en façade indiquaient que le logement d'Harriet Krause se trouvait au deuxième étage à gauche. On y accédait par un escalier extérieur.

Ouvrant la marche, il hésita au bas des marches. Soudain, il n'avait plus très envie de voir cette femme. A présent, il n'avait aucun doute. Il était certain d'avoir un lien avec Nathan, ou avec cet enfant sur la photo qu'Eden prenait pour son fils.

Harriet Krause lui apprendrait-elle la vérité ? Voudrait-elle savoir ce qu'il avait fait de l'enfant ? L'accuserait-elle de le retenir contre sa volonté ? Evoquerait-elle une rançon ? Voilà ce qu'il ne voulait pas entendre, ce qu'il ne voulait pas apprendre à son sujet.

— Qu'y a-t-il ? demanda Eden.

— Rien.

Prêt à passer à l'action si Harriet Krause n'était pas seule, se blindant psychologiquement contre les révélations qu'elle pourrait lui faire, il monta les marches d'un pas rapide et frappa à la porte.

Il y avait un œilleton au centre du battant. On les observa à travers quelques secondes. Puis, la porte finit par être déverrouillée et s'écarta de quelques centimètres sur une chaîne de sécurité.

— Oui ? demanda une voix féminine, d'un ton mal assuré.

Il laissa à Eden le soin de parler.

— Madame Krause, c'est Eden Hawke. Vous vous souvenez de moi ? J'étais une des patientes de la clinique, il y a six ans.

Il y eut un long silence avant qu'elle ne réponde.

— Oui, je me souviens. Que voulez-vous ?

— Pouvons-nous parler quelques minutes ? Je vous en prie, c'est très important.

Harriet Krause hésita de nouveau, puis demanda d'un ton suspicieux :

— Comment saviez-vous que j'étais chez moi ?

— J'ai appelé la clinique. Ils m'ont dit que vous étiez rentrée plus tôt à cause d'un rhume.

— Donc, vous devriez savoir que je ne suis pas en état d'avoir de la visite. Revenez plus tard.

Il fallait s'y attendre, songea Shane. Si elle avait quelque chose à voir avec les deux gorilles, elle ne parlerait pas.

Mais Eden avait plus d'un tour dans son sac.

— Ça ne peut pas attendre. C'est à propos de mon fils, madame Krause. Mais si vous ne voulez pas nous parler, je peux toujours aller à la clinique et leur révéler ce que je viens d'apprendre. Je pense que vos employeurs seraient très intéressés d'entendre cela.

Il admira sa hardiesse. Ils ne savaient pas quel rôle cette femme jouait dans l'histoire. La subtile menace d'Eden n'était rien moins qu'un coup de poker.

— Très bien, soupira Harriet Krause. Mais j'espère que vous ne portez pas de parfum ! J'y suis totalement allergique...

— Non, bafouillèrent-ils presque en chœur, un peu étonnés par la question.

Elle ferma alors la porte afin de décrocher la chaîne et l'ouvrit en grand pour les faire entrer dans son appartement. Vêtue d'une longue robe de chambre en lainage bordeaux, elle avait le nez rouge, probablement à force de se moucher, le visage enfiévré et les cheveux décoiffés. Son regard suspicieux s'attarda sur lui, puis elle les invita à la suivre dans le salon. Elle leur indiqua les fauteuils et se laissa tomber sur le canapé, où traînait une couverture. Puis, elle se pencha vers la table basse pour prendre un mouchoir en papier.

— De quoi s'agit-il ? demanda-t-elle, après s'être mouchée bruyamment.

Eden reprit la parole.

— Vous savez, puisque vous avez été interrogée dans le cadre de l'enquête, que mon fils a disparu. Cela fait trois ans maintenant, et je n'ai jamais pu savoir ce qui lui était arrivé. Mais, samedi soir…

Il observa la réaction d'Harriet Krause tandis qu'Eden lui relatait tout ce qui s'était passé depuis qu'elle l'avait découvert dans sa cour.

Le visage de la quinquagénaire ne laissait transparaître aucune émotion, mais ses doigts trituraient nerveusement la ceinture de son peignoir.

— Je ne vois pas le rapport avec moi, dit-elle, quand Eden eut terminé d'expliquer la raison de leur présence.

— Ces hommes conduisaient Shane à votre appartement, madame Krause. Ils avaient forcément une idée derrière la tête.

— Je ne les connais pas. Je ne sais pas pourquoi ils venaient chez moi.

— Je crois que nous perdons notre temps, s'agaça

Eden, en s'adressant à lui. Il vaudrait mieux prévenir la police, non ?

Harriet Krause lui lança un regard alarmé. Il lui répondit par un petit haussement d'épaules.

— Je dois cependant vous prévenir, reprit Eden, que le gardien du motel est prêt à citer votre nom si la police ouvre une enquête.

Harriet Krause n'était plus seulement mal à l'aise, à présent. Elle semblait terrifiée.

— Attendez ! dit-elle, comme Eden faisait mine de se lever.

— Oui ?

— C'est vrai que je ne connais pas ces hommes, je le jure. Mais si je vous dis ce que je sais, il faut me promettre…

Il était temps pour lui d'intervenir.

— Pas de promesse, coupa-t-il d'un ton sec. Nous allons d'abord écouter ce que vous avez à dire, et nous déciderons ensuite.

Harriet Krause n'hésita qu'une fraction de seconde.

— Très bien.

Elle se moucha de nouveau et jeta le mouchoir usagé dans une corbeille à ses pieds.

— Il y a quatre appartements dans l'immeuble, commença-t-elle à expliquer. Deux au rez-de-chaussée et deux à l'étage.

Où voulait-elle en venir ? se demanda-t-il. Mais il s'efforça de contrôler son impatience.

— Autrefois, il y en avait un cinquième, dans le petit bâtiment derrière qui était anciennement un garage. Il n'est plus occupé aujourd'hui. Il faut dire que ce n'était pas un logement très confortable, mais c'était tout ce que Lissie et son petit ami pouvaient s'offrir.

— Lissie ? demanda Eden, en affichant la même expression surprise que lui.

Harriet Krause hocha la tête.

— Lissie Reardon.

Reardon.

Le nom jaillit des ténèbres de son esprit avec la fulgurance d'un éclairage stroboscopique. Il était sidéré.

7

Shane essaya de se raccrocher à cette impression mais, avant qu'il ait pu en comprendre le sens, le souvenir s'évanouit, s'enfonçant de nouveau dans les insondables ténèbres de son subconscient.

Eden le dévisageait. Elle avait sans doute compris qu'il venait de connaître une nouvelle réminiscence.

Il secoua la tête dans sa direction : le flash de mémoire avait disparu.

Si Harriet Krause avait remarqué quoi que ce soit, elle ne fit pas de réflexion.

— Lissie et moi étions devenues des amies proches, continua-t-elle. C'est assez amusant, d'ailleurs, car nous étions tout l'opposé l'une de l'autre, mais je l'aimais bien. C'était un esprit libre, ce qui explique sans doute pourquoi elle est tombée amoureuse d'un artiste. Pas un artiste très doué à mon sens, mais Simon était persuadé d'avoir du talent.

— Un artiste, répéta Eden, l'air songeur. Le père biologique de Nathan était artiste.

Harriet Krause évita son regard. Il y avait un fil décousu à la manche de son peignoir, et elle mit une concentration extrême à tirer dessus.

— Etait-il… commença Eden.

— Oui, admit Harriet Krause.

Elle renifla et tendit la main vers la boîte de mouchoirs.

— Lissie ne cessait de me répéter combien ils étaient pauvres. Personne n'achetait les tableaux de Simon, et elle ne trouvait pas de travail. Une fois, je lui ai demandé si leurs familles ne pouvaient pas les aider, mais elle m'a dit que ses parents étaient décédés et que Simon n'avait plus de famille non plus. C'est alors que je lui ai parlé de la clinique et de la rémunération qu'ils offraient aux donneurs répondant aux critères. Lissie était quelque peu réticente au début, mais c'est elle finalement qui a convaincu Simon de poser sa candidature.

— Des cheveux blond-roux et des yeux bleu lavande, murmura Eden.

Shane la dévisagea. Elle pensait à son fils et ce devait être tout à la fois excitant et déstabilisant de connaître enfin l'identité du père de l'enfant.

— Pardon ? demanda Harriet Krause.

— Nathan avait les cheveux blond-roux et les yeux bleu lavande.

Harriet Krause hocha la tête.

— Simon était extrêmement séduisant. Lissie était effondrée lorsqu'il est mort.

— Dans un accident de voiture, murmura Eden.

— C'est exact. Comment le savez-vous ?

— A la disparition de Nathan, j'ai pris un avocat pour tenter d'obtenir des renseignements sur son père biologique, mais c'est tout ce que la cour a bien voulu nous communiquer.

— Vous ne savez donc pas que sa petite amie était dans la voiture avec lui. Lissie a été grièvement blessée. Mais il y a pire.

Harriet Krause s'interrompit pour se moucher de nouveau.

— Elle était enceinte de cinq mois et elle a perdu le bébé.

Shane se tourna brusquement vers Eden. Une expression horrifiée était apparue sur son visage. Ils pensaient tous deux à la même chose.

— Lissie a passé des mois en convalescence, continua Harriet Krause. Je pensais qu'elle commencerait à aller mieux quand ses blessures seraient totalement guéries, mais elle semblait incapable de surmonter son deuil. Et quand on lui a appris qu'elle ne pourrait plus jamais avoir d'enfant, elle a totalement perdu pied.

Relevant la tête, Harriet Krause se risqua à croiser le regard d'Eden.

— Je voulais seulement l'aider, vous comprenez. Elle allait si mal… Je pensais que cela la réconforterait de savoir que Simon continuait à vivre à travers un enfant…

— Vous lui avez parlé de Nathan ?

— Je lui ai seulement dit qu'il y avait un petit garçon. Rien de plus.

— Peut-être pas à ce moment-là, intervint Shane. Mais après ?

Harriet Krause garda le silence un moment, mais elle dut se rendre compte qu'elle était allée trop loin pour faire machine arrière.

— Ecoutez, elle a paru satisfaite. Elle est redevenue elle-même et, quelques mois plus tard, elle a fait la connaissance d'un musicien de rock. Elle a quitté la ville pour le suivre en tournée, et je n'ai plus eu de nouvelles.

— Mais ça ne s'est pas arrêté là, devina Eden.

Harriet Krause secoua la tête.

— Un an plus tard, elle s'est présentée chez moi. Elle n'avait plus un sou vaillant. Le rockeur l'avait laissée tomber à Savannah. Elle en a ri. « Figure-toi qu'il m'a rendu service, m'a-t-elle dit. Devine ce que j'ai appris sur les parents de Simon quand j'étais là-bas. Ils sont riches à millions. »

— Vous voulez dire que Simon avait une famille et qu'il a menti en remplissant son dossier de donneur ? demanda Shane.

— Je n'en savais rien moi-même avant ce jour-là. Lissie, en revanche, savait très bien qu'il n'était pas orphelin. Simon ne lui parlait jamais de sa famille, mais il lui avait dit que son père l'avait mis à la porte parce qu'il refusait d'abandonner la peinture. Il avait simplement omis de préciser que Sebastian Jamison était richissime. Quand elle se trouvait à Savannah, Lissie a appris que le vieil homme était mourant et qu'il aurait tout donné pour avoir son fils près de lui. J'ai compris ce qu'elle avait en tête et j'ai tout fait pour l'en dissuader.

Shane vit la couleur se retirer du visage d'Eden et ne put s'empêcher d'intervenir.

— Mais vous avez fini par céder, n'est-ce pas, madame Krause ? Vous lui avez donné le nom et l'adresse de la femme qui avait porté l'enfant de Simon. Et qu'avez-vous fait d'autre pour l'aider ? Vous lui avez peut-être dit à quelle crèche l'enfant était confié ?

— Je ne savais pas que Lissie projetait de l'enlever. Elle m'avait dit qu'elle allait proposer un marché à sa mère, afin d'obtenir une partie de l'héritage auquel Nathan avait droit.

— Et à combien s'élevait votre part ? lança-t-il.

— Il n'a jamais été question de ça.

Harriet Krause serra le col de sa robe de chambre autour de son cou et ses yeux rougis se firent implorants.

Shane n'eut pas le moindre élan de sympathie pour elle. Comment cette femme avait-elle pu garder le silence et laisser une mère souffrir pendant toutes ces années ?

— Non ? reprit-il. Et de quoi était-il question alors ? Pourquoi n'avez-vous rien dit quand Lissie Reardon a enlevé Nathan et s'est volatilisée dans la nature ?

— Parce que j'avais peur ! s'exclama-t-elle. J'aurais perdu mon emploi. Je serais peut-être allée en prison. Vous pouvez comprendre ?

— Non, je ne peux pas ! rétorqua-t-il avec dégoût.

Il jeta un coup d'œil à Eden. Elle avait fait l'énorme effort de garder son sang-froid.

— Avez-vous eu des contacts avec Lissie après son départ de Charleston ? demanda-t-elle.

— Non. Et je n'étais pas certaine que c'était bien elle qui avait enlevé Nathan. Je n'en ai eu la confirmation qu'il y a deux semaines environ.

— Que s'est-il passé ? la pressa Eden.

— Un homme est venu me voir et il m'a dit des choses qui m'ont permis d'assembler toutes les pièces du puzzle.

— C'est-à-dire ? s'impatienta Shane.

Lissie n'est pas allée tout de suite à Savannah. Ce laps de temps avait dû lui être nécessaire pour couvrir ses traces, songea Shane. Elle avait dû voyager aussi loin que possible. A Seattle par exemple, où elle avait été vue par un des détectives de la famille Hawke.

Lissie avait également besoin de ce temps pour gagner la confiance de Nathan et probablement même son amour. Après tout, un enfant de deux ans avait une mémoire très courte, et quelques mois suffisaient pour le conditionner à oublier son passé.

— Lorsque Lissie s'est finalement présentée chez les Jamison, reprit Harriet Krause, c'est en tant que mère de Nathan, qu'elle avait par ailleurs renommé Patrick, comme le grand-père de Simon.

Shane tendit le bras vers Eden pour lui prendre la main. Il devait être très difficile pour elle d'accepter l'idée qu'une autre femme ait pris sa place de mère auprès de Nathan.

Elle tourna la tête et lui lança un regard reconnaissant, avant d'affronter de nouveau Harriet Krause.

— Et naturellement, Sebastian Jamison a dû les accueillir à bras ouverts. Quelle raison aurait-il eu de douter alors que Nathan est le portrait de Simon ? Et si quelqu'un avait exigé un test, sa paternité aurait été prouvée. Je ne pense pas que quiconque ait mis en doute la maternité de Lissie.

— Elle a dû leur montrer des photos d'elle et de Simon. Je me souviens d'en avoir vu d'elle enceinte.

— Mais ils ont dû se demander pourquoi elle avait attendu trois ans pour prendre contact avec eux, remarqua Shane. Qu'a-t-elle dit aux Jamison ?

— Je ne sais pas. De toute façon, le vieil homme devait s'en moquer. L'important pour lui était d'avoir un petit-fils, dont il a immédiatement fait un de ses héritiers.

— Lissie devait être aux anges, soupira Shane avec mépris.

— On pourrait le croire, mais ce qu'elle a fait ensuite n'a aucun sens.

— C'est-à-dire ?

— A la mort du grand-père, il y a six semaines, Lissie s'est enfuie avec Patrick. Depuis, personne ne sait où elle est.

— Et comment êtes-vous au courant de tout ça ? demanda Shane. Qui est ce type qui vous a rendu visite, il y a deux semaines, et que voulait-il ?

— C'est un détective privée engagé par la famille Jamison pour retrouver l'enfant. Il savait que Lissie avait vécu à Charleston, et ça n'a pas dû être trop difficile de découvrir que j'étais sa voisine et son amie.

— Quel est son nom ? demanda Eden.

— Charles Moses.

Shane se tourna vers Eden. Elle avait une expression

crispée : ce nom lui était familier, tout comme celui de Reardon l'avait été pour lui. Ils auraient des questions à échanger sur ce sujet, mais ce n'était pas le moment. Il leur fallait d'abord en terminer avec Harriet Krause.

— Nous avons besoin de savoir autre chose, dit-il. Ce détective a-t-il fait allusion à moi, ou tout au moins à un homme qui pourrait être moi ?

— Non.

— Vous en êtes sûre ? Et les deux gorilles qui voulaient me conduire ici samedi soir ?

Harriet Krause secoua vigoureusement la tête.

— Je vous ai dit que je ne les connaissais pas.

Son regard se porta sur Eden.

— Je vous ai dit tout ce que je sais. Maintenant, vous devez me promettre…

— Nous verrons ce que vous pouvons faire, l'interrompit Shane. Pour le moment, nous avons un enfant à retrouver.

Eden répondit par un hochement de tête quand il l'interrogea du regard. Ils étaient sur la même longueur d'ondes.

Il n'y avait plus rien à attendre d'Harriet Krause, et il était temps pour eux de sortir respirer un air moins vicié, au propre comme au figuré.

— Nathan est vivant, s'exclama Eden, en se tournant vers Shane. Je le savais. Je n'ai jamais voulu croire le contraire, ni permis à quiconque d'essayer de m'en persuader.

Elle était trop agitée pour reprendre immédiatement sa voiture et proposa à Shane de marcher un peu.

— Que vous dit votre instinct de détective privé à

propos d'Harriet Krause ? lui demanda-t-il, tandis qu'ils prenaient la direction du port.

— Je pense qu'elle a peur et qu'elle doit être en train de regretter de nous avoir parlé. Même s'il est probable qu'elle ne nous a pas tout dit.

— Il est possible qu'elle ait été payée pour se taire.

— Vous pensez à Lissie Reardon ?

Il hocha la tête.

— Elle a quand même risqué sa carrière et gardé le silence pendant des années. D'un autre côté, il est possible que l'explication soit tout autre…

Il se laissa un instant distraire par une calèche qui passait à côté d'eux sur la route.

— Si seulement je pouvais me souvenir de quelque chose, reprit-il, avec un soupir de frustration.

Bahama Street se terminait à East Battery. Ils traversèrent l'avenue, empruntèrent la promenade le long des quais et bifurquèrent à droite vers White Point Gardens, où se dressaient d'élégantes villas anciennes qui faisaient la fierté de Charleston. Mais aujourd'hui, elle était indifférente au charme de leur architecture. Son attention était entièrement tournée vers l'homme qui marchait à côté d'elle.

— J'ai remarqué que le nom de Reardon vous semblait familier, remarqua-t-elle.

— C'est possible, mais je ne sais pas pourquoi.

Il s'arrêta sous un palmier dont les branches dansaient gracieusement sous le vent, tel un éventail agité par quelque élégante d'un autre siècle.

— Pourtant, il y a une chose que je sais, reprit-il. Je suis la clé du mystère qui entoure Nathan. Il y a des gens qui veulent le récupérer, et ils sont convaincus que je sais qui il est.

— C'est aussi ce que je pense.

Ils continuèrent à avancer en silence pendant quelques minutes, puis Shane s'arrêta pour observer au loin la petite île qui abritait le Fort Sumter.

— Si j'ai vraiment récupéré cet enfant, pour une raison ou pour une autre, qu'est-ce que j'ai bien pu en faire ? demanda-t-il, d'un ton qui exprimait une impatience et une colère certainement dirigée contre lui-même. Pourquoi mon fichu cerveau refuse-t-il de fonctionner ?

Elle ne connaissait pas la réponse. Son propre esprit exprimait en silence la même complainte. *Tu es là quelque part, Nathan. Je le sens. Mais où es-tu ?*

Shane sortit de son hébétude et s'adressa à elle d'un ton résolu :

— Je ne sais pas ce que j'ai fait, ni pourquoi, et à ce stade ce n'est pas important. Tout ce qui compte, c'est de retrouver votre fils. C'est pourquoi il faut nous en remettre à la police.

— Mais vous n'avez cessé de dire…

— Je sais ce que j'ai dit, et j'ai changé d'avis. Il faut prévenir la police.

— Non. Je ne veux pas.

Il la dévisagea avec surprise.

— Pourquoi donc ?

— Parce que j'y ai réfléchi et j'ai enfin compris. Si vous vous méfiez de la police, ce n'est pas pour vous protéger, mais pour protéger Nathan. Il est probable que, dans un coin de votre esprit, subsiste vaille que vaille la notion que vous êtes dans l'illégalité en vous occupant de Nathan, et que la police le rendrait aux personnes qui ont sa garde. De mauvaises personnes, Shane. Des gens qui pourraient lui faire du mal avant que j'aie pu rétablir mon lien avec lui.

— Et si j'étais un mercenaire, qui avait enlevé l'enfant

sur ordre ? Ou un simple malfrat qui s'apprêtait à réclamer une rançon ? Etes-vous prête à prendre le risque ?

— Oui, car je ne pense pas qu'il s'agisse de simples spéculations. Je suis persuadée que mon explication est la bonne. Un homme mauvais ne peut pas soudain devenir bon parce qu'il se retrouve amnésique.

— C'est comme ça que vous me voyez ? demanda-t-il d'une voix soudain enrouée, presque intime. Comme un type bien ?

Il s'était tourné pour lui faire face, et la puissance de sa virilité lui fit tourner la tête.

Il ne représentait pas une menace pour Nathan, mais il en était une pour elle. Il était temps de rompre le charme.

— Bien sûr, répondit-elle d'un ton léger. Vous êtes mon mari, non ?

— Oui, je n'ai pas oublié. Alors, d'accord, on laisse tomber la police.

— Ce ne serait de toute façon pas très utile puisque nous n'avons rien de concret à leur offrir. Et je vois mal Harriet Krause faire des aveux. Elle nierait tout ce qu'elle nous a dit.

— Probablement. Et donc, que proposez-vous ?

— Que nous trouvions Nathan nous-mêmes.

Elle s'arrêta un instant, puis reprit avec gravité.

— L'enjeu est important, Shane. J'ai cette terrible impression — appelons cela l'instinct maternel — que mon fils est en danger et que nous devons le trouver avant que…

Elle n'eut pas la force de continuer. Elle ne voulait pas imaginer le pire, même si sa peur de mère était bien réelle.

Il ne lui fut pas nécessaire d'expliquer cela à Shane. Son expression préoccupée lui indiqua qu'il avait compris. Et lorsqu'il parla, il réussit d'un simple mot à lui prouver que leurs esprits fonctionnaient à l'unisson.

— Savannah ?

— Oui, Savannah, dit-elle, soulagée qu'il accepte.

Il hocha la tête.

— Ça me semble logique de commencer par là. Nous avons épuisé nos pistes ici, et puisque la famille Jamison vit là-bas…

— J'ai pensé à autre chose.

— Quoi ?

— Vous veniez peut-être vous-même de Savannah.

— C'est possible. En tout cas, j'ai hâte d'avoir une explication car je commence à en avoir plus qu'assez de cette situation.

— Dans ce cas, retournons à la voiture et voyons ce que nous pouvons faire pour y remédier.

Elle avait hâte de prendre la route. Il était trop tard pour atteindre leur destination avant la nuit, mais ils pouvaient au moins s'avancer, dormir en chemin et arriver à Savannah le lendemain matin.

La soudaine intrusion de Shane dans ses pensées la fit sursauter.

— Charles Moses, lança-t-il. Le détective qui a rendu visite à Harriet Krause, vous le connaissez, n'est-ce pas ? Quand j'ai vu votre expression, je me suis souvenu du détective que vous deviez épouser avant qu'il ne vous déçoive et parte s'installer ailleurs. Où a-t-il atterri ? A Savannah ? Ce Moses est bien votre ex-fiancé, je ne me trompe pas ?

— Vous avez raison, soupira-t-elle. Charlie s'est en effet installé à Savannah. Et si vous voulez savoir si j'ai hâte de le revoir, la réponse est non.

— Mais il sera probablement nécessaire de le rencontrer.

Ils avaient tourné à l'angle d'East Battery et redescendaient vers Bahama Street.

— Il y a autre chose, reprit-il. Harriet Krause a

prétendu que Moses ne lui avait jamais parlé de moi, mais je crois qu'elle a menti.

Brusquement, il s'arrêta au beau milieu du trottoir.

Ils ne se trouvaient plus très loin de la voiture, mais ce n'était pas la Toyota qui avait retenu son attention. Elle suivit son regard. Il fixait une Mercedes gris métallisé qui venait de se garer de l'autre côté de la rue. Ou plus exactement, il regardait les deux hommes taillés comme des armoires à glace qui sortaient de la berline.

Elle perçut le danger avant même qu'il n'étouffe un juron entre ses dents et ne lui saisisse le bras pour la mettre en sécurité derrière lui.

8

Eden comprenait maintenant pourquoi Shane avait décrit ses ravisseurs comme un duo de gorilles.

Même à une distance d'environ deux cents mètres, elle pouvait apprécier leurs carrures de culturistes et leurs faciès de brutes. Des gorilles en costume d'hommes d'affaires qui conduisaient une voiture de luxe.

Shane les avait immédiatement reconnus et sa réaction la terrifia. Tout son corps était tendu pour l'action, ses poings serrés le long de son corps prêts à faire pleuvoir une pluie de coups.

C'était courageux mais risqué.

— Non, Shane, dit-elle d'un ton suppliant, tout en tirant sur sa manche. Nous devons nous mettre à l'abri.

— Trop tard. Ils nous ont déjà repérés.

Le plus massif des deux hommes avait jeté un coup d'œil de leur côté de la rue et les avait aperçus. Il avertissait son coéquipier.

Shane glissa la main dans son dos pour s'emparer de l'arme cachée sous sa veste.

— Vous ne pouvez pas faire ça, s'écria-t-elle. Pas dans la rue. En plus, ils sont probablement armés. Nous n'aurions pas une chance.

Elle croisa les doigts pour qu'il l'écoute et fut soulagée quand il laissa retomber sa main.

— Vous avez raison. Donner le signal d'une fusillade ne serait pas intelligent.

— S'il vous plaît, allons-nous-en d'ici.

Et vite, songea-t-elle. Les deux hommes se ruaient déjà dans leur direction.

Elle n'avait aucun mal à imaginer combien Shane détestait l'idée de tourner les talons et de fuir, mais il devait avoir compris que leur sécurité et l'issue de leur enquête en dépendaient.

— Plus tard, dit-il, avec une froide colère, tandis qu'il pivotait et lui prenait la main.

Il se faisait donc la promesse d'un futur affrontement avec ses ennemis.

Comment ? se demanda-t-elle, tandis qu'ils couraient vers le front de mer. Comment ces deux-là savaient-ils où ils étaient ?

Car ils ne pouvaient pas être arrivés là par hasard.

Qui les avait prévenus ? Harriet Krause, qui aurait menti en affirmant ne pas les connaître ?

Roy, le gardien du motel qui savaient que Shane et elle seraient là puisqu'il leur avait fourni l'adresse d'Harriet Krause ?

Mais quelle importance de savoir qui les avait avertis ? Ils étaient là et représentaient une menace que Shane et elle devaient semer. A ce propos, elle s'inquiétait sérieusement pour la jambe de Shane.

Pour le moment, il s'en sortait bien, se déplaçant à une vitesse surprenante qui la laissait essoufflée tandis qu'il l'entraînait derrière lui. Mais pourrait-il garder longtemps cette cadence ?

— De quel côté ? demanda-t-il, en marquant une pause au coin d'East Battery.

Elle regarda en arrière. Leurs poursuivants étaient

encore loin mais gagnaient du terrain. Shane et elle ne pouvaient espérer les distancer.

Ils devaient se mettre à l'abri. Mais où ?

Shane lui fournit la réponse quand une sirène retentit, signalant le départ imminent d'un bateau, depuis un embarcadère situé de l'autre côté de la rue. Il s'agissait probablement d'un des bateaux d'excursion qui faisaient visiter le port.

— Essayons de monter à bord, dit-il.

La circulation était dense, mais il y eut une trouée entre les voitures qui leur permit de traverser.

Au moment d'emprunter l'escalier qui descendait vers l'embarcadère, elle jeta un coup d'œil anxieux par-dessus son épaule. Leurs poursuivants étaient arrivés au coin de la rue, mais un flot incessant de voitures les empêchait de traverser.

Ce délai était une aubaine. Serait-il suffisant pour leur permettre d'embarquer ?

— Attendez ! cria Shane aux employés qui commençaient à remonter la passerelle. Ne partez pas sans nous.

Elle sentit son bras puissant se resserrer autour de sa taille et eut l'impression que ses pieds ne touchaient plus terre tandis qu'il l'entraînait le long de la passerelle et la poussait sur le pont.

Ils avaient réussi !

Et ils eurent immédiatement à rendre des comptes.

— Qu'est-ce que c'est que ça ? Vous ne faites pas partie de l'excursion.

Le jeune homme zélé qui leur barrait le passage avait un carnet de tickets dans une main, un paquet de brochures dans l'autre, et un visage crispé qui indiquait une disposition intolérante.

— Bien sûr que si, répondit Shane sans s'émouvoir. Nous sommes avec vous depuis le début.

Son mensonge lui valut un ricanement.

— Voyez-vous ça ? C'est drôle, parce que je ne me souviens pas de vous.

Tout était perdu, commençait-elle à croire, quand une vieille dame se leva et prit leur défense.

— Moi, je me souviens très bien d'eux, Ozzie, ils étaient sur l'autre bateau.

— C'est exact, Ozzie, renchérit Shane. Nous faisons partie du deuxième groupe.

— Dans ce cas, que faites-vous sur ce bateau ? Vous auriez dû prendre le premier, qui est parti devant nous.

— Nous avons perdu du temps dans une des boutiques de souvenirs. Ma femme adore collectionner ces babioles. Mais il lui faut toujours des heures pour se décider.

— Merci, ça va encore être ma faute ! protesta-t-elle.

— Bon sang, mon garçon, ne soyez pas aussi à cheval sur le règlement, intervint un vieux monsieur avec une casquette de base-ball et des lunettes à verres épais. Qu'est-ce que ça peut vous faire qu'ils soient sur un bateau ou sur l'autre ? Ce n'est pas la place qui manque.

Il n'y avait que des séniors, s'avisa Eden, en regardant autour d'elle. Dans quoi s'étaient-ils engagés ?

Mais l'important n'était-il pas que le bateau prenne le départ ? Et pour le moment, ce n'était pas le cas, même si les moteurs vrombissaient.

Elle regarda frénétiquement vers l'escalier desservant la promenade. Aucun signe de leurs poursuivants pour le moment.

— Oh ! bon, très bien, dit Ozzie avec un soupir. Rejoignez tous vos places, que nous puissions partir.

Il donna le signal au pilote et, au grand soulagement d'Eden, l'embarcation commença à s'éloigner du ponton. Leur départ tombait à point nommé. Au même moment, les deux gorilles dévalaient l'escalier vers l'embarcadère.

Elle ne put s'empêcher de frissonner, et Shane le remarqua.

— Tout va bien, murmura-t-il. Ils ne peuvent plus nous rattraper. Au fait, je ne pense pas que l'un de nos amis soit votre Charles Moses ?

Elle secoua la tête.

— Sauf si Charlie s'est mis à la musculation, ce qui n'est pas son genre.

— C'est bien ce que je pensais. Attention, Ozzie nous regarde. Il vaut mieux s'asseoir et se faire oublier.

Sous l'auvent de toile qui protégeait le pont ouvert, l'homme et la femme âgés qui étaient venus à leur aide leur firent de la place sur l'un des bancs.

— J'ai une autre question, murmura Shane, tandis qu'ils se serraient l'un contre l'autre. Où allons-nous ?

— Je ne sais pas, répondit-elle entre ses dents. Peut-être à Fort Sumter. Ou alors, nous faisons seulement un tour du port. Dites, vous avez remarqué, nous sommes les plus jeunes à bord. Ce n'est pas étonnant que le guide se soit montré suspicieux. Je crois que nous avons rejoint une excursion pour séniors.

— D'où venez-vous ? les interrompit l'homme à la casquette de base-ball.

— Chicago, dit-elle.

— Cleveland, répondit simultanément Shane.

Devant l'air perplexe du vieil homme, elle s'empressa d'expliquer :

— Chacun parlait de sa ville d'origine.

— Chicago, dites-vous ?

Il hocha la tête.

— J'y avais des cousins, autrefois.

Il se mit à évoquer ses souvenirs de Chicago, tandis que les mouettes tourbillonnaient au-dessus de leurs têtes en poussant des cris aigus.

Le bateau tanguait sur les eaux agitées et un vent froid venu du large s'engouffrait sur le pont. Eden prêtait une oreille distraite au monologue de son voisin, tout en essayant de deviner leur destination.

Peut-être Shane aurait-il plus de chance de son côté. Il semblait engagé dans une conversation amicale avec la vieille dame.

Un moment après, il se pencha vers elle et lui murmura à l'oreille.

— Tout va bien. C'est une excursion à thème et l'âge n'est pas un critère.

Elle tourna la tête et aperçut une lueur moqueuse dans son regard. Devait-elle s'en inquiéter ?

— De quoi s'agit-il ?

— De mariage. Le programme s'appelle « Renouvelez vos vœux de mariage ».

— Vous plaisantez ?

— Pas du tout. C'est un truc du genre seconde lune de miel. Ça se termine dans un hôtel un peu chic, où tous les couples renouvellent leurs vœux au cours d'une cérémonie de groupe. C'est une chance que nous ayons acheté des alliances, non ?

— Je me demande si nous sommes encore loin de Patriots Point, s'exclama le vieil homme.

Eden et Shane échangèrent un regard. A présent qu'elle connaissait leur destination, elle le mit au courant.

— C'est un musée maritime. Le porte-avions Yorktown en est la principale attraction.

Elle se tourna sur le banc et tendit le cou en avant, essayant de mesurer la distance qu'ils avaient encore à parcourir avant d'atteindre Patriots Point.

— Ce qui est bien, murmura-t-elle, c'est que nous n'aurons pas à prendre le risque de retourner à l'embarcadère. Nous pourrons appeler un taxi sur place, faire le tour de la baie en passant par le pont Arthur Ravenel et nous faire conduire à la voiture. Ça m'étonnerait que nos amis soient encore dans les parages.

— Ils ne risquent pas d'y être. Ils sont derrière nous !

Alarmée, elle pivota sur son siège.

Il y avait une vedette derrière eux. Elle était encore à bonne distance, mais filait dans leur direction. Et il n'y avait pas à se tromper sur les deux silhouettes dans la cabine de pilotage.

Leurs poursuivants n'avaient pas renoncé. Mais pourquoi étaient-ils aussi déterminés à récupérer Shane ?

— Qu'allons-nous faire s'ils nous rattrapent ? demanda-t-elle.

— Je les affronterai. Mais je crois que nous allons y arriver.

Ils approchaient de leur destination. L'immense et sombre silhouette du porte-avions de la Seconde Guerre mondiale se dessinait devant eux.

Il ne leur restait plus maintenant qu'un quart de mile à parcourir…

Soudain, un obstacle vint les retarder.

Un bateau de pêche leur coupait la route et leur embarcation dut ralentir jusqu'à faire du sur-place. Eden jeta un regard nerveux derrière eux. La vedette se rapprochait à une vitesse alarmante.

« Avance », murmura-t-elle à l'adresse de leur propre bateau. « Mais avance, bon sang. »

Le bateau de pêche s'éloigna enfin, et leur embarcation reprit de la vitesse. Quelques instants plus tard, ils accostaient le long d'un ponton flottant.

Les amarres n'étaient pas encore jetées que Shane lui prit la main et l'entraîna vers la sortie.

La vedette les avait rejoints, mais elle était forcée d'attendre à distance du petit débarcadère, le temps que le bateau d'excursion se soit vidé de tous ses passagers. Shane et elle avaient encore le temps de leur échapper.

Sauf qu'il y avait un léger problème.

— Nous ne sommes pas du bon côté, remarqua-t-elle. Je pensais qu'on débarquerait près du centre d'accueil. C'est en général par là que les visiteurs arrivent.

— Alors, je crois que nous n'avons pas d'autre choix que de monter sur le porte-avions et de nous mêler aux touristes.

Même s'ils avaient fait vite pour quitter le bord, il y avait quand même des personnes devant eux. Tout ce petit monde piétinait pour gagner la passerelle menant au pont supérieur du porte-avions.

Il n'y avait pas moyen de les contourner, il fallait attendre son tour patiemment. Mais la situation n'incitait pas à la patience.

— Nous avons encore le temps, dit calmement Shane, en l'aidant à gravir les échelons.

Ils émergèrent sur la piste d'atterrissage, où un guide leur tendit une brochure et les informa qu'ils pouvaient se joindre à un groupe pour une visite guidée ou explorer seuls les zones indiquées sur la brochure.

Shane entraîna Eden sur le côté.

— De quel côté se trouve la sortie vers les terres ? Vous le savez ?

Elle n'avait visité le porte-avions qu'une seule fois auparavant et n'en avait pas gardé un souvenir précis.

— A l'arrière, je crois.

— Et nous sommes près de la proue. La distance est trop importante, nous sommes trop à découvert sur la piste.

Il regarda autour de lui, repéra une passerelle qui descendait vers les ponts inférieurs et l'y entraîna.

Ils s'enfoncèrent dans les entrailles du bateau,

empruntant de longs corridors, longeant des zones dont la signification lui échappait.

Ce n'était visiblement pas le cas pour Shane. Il désignait chaque endroit en des termes parfois trop techniques pour qu'elle les comprenne.

Comment savait-il tout cela ? se demanda-t-elle, avant de se rappeler ce que sa séance d'hypnose avait révélé. La probabilité qu'il ait reçu une formation militaire se confirmait.

Le bateau était comme un immense labyrinthe et elle finissait par ne plus savoir où elle était. Mais, confiant en son sens de l'orientation, Shane se déplaçait avec assurance. Elle s'en remit totalement à lui pour les mener vers la poupe du bateau et cette sortie tant convoitée vers la terre ferme.

9

— Au fait, pourquoi Cleveland ?

Shane lança un regard surpris à Eden, tandis qu'ils couraient le long du ponton de pierre menant au centre d'accueil.

— Nous avons été un petit peu trop occupés pour que je vous pose la question, mais quand le vieil homme sur le bateau a demandé d'où nous venions, j'ai dit Chicago et vous avez dit Cleveland, reprit-elle.

— Ah, ça…

Il commençait à comprendre.

— Et vous vous êtes dit que j'avais eu un flash. Désolé, Eden, mais ça n'a pas de signification particulière. Regardez, il y a un taxi là-bas. Essayons de le prendre.

Quatre jeunes marins, visiblement impatients de visiter les bâtiments sur lesquels leurs prédécesseurs avaient servi, réglaient le chauffeur quand ils arrivèrent à la hauteur du taxi. L'homme fut ravi de ne pas rentrer à vide.

Tandis que le véhicule prenait la direction du pont Arthur Ravenel, Shane réfléchit aux images que sa séance avec Atlanta Johnson avait suscitées.

Si seulement leur signification n'avait pas été aussi profondément enfouie dans sa mémoire.

Quoi qu'elles signifient — une opération militaire qui avait mal tourné ou autre chose — il avait en tout cas la désagréable et persistante sensation qu'il avait échoué quelque part. Et que des personnes étaient probablement mortes à cause de lui.

Cette éventualité le hantait. Serait-il capable de se pardonner quand sa mémoire reviendrait ? Ou le tourment l'accompagnerait-il tout le reste de sa vie ?

Il y avait autre chose. Une autre ombre qui rôdait autour de sa conscience.

Ce n'était pas vraiment une image un peu floue comme les autres, mais plutôt une impression. Il sentait qu'elle était enfouie dans sa mémoire.

Elle ?

D'accord, il s'agissait d'une femme, et elle avait autrefois compté pour lui.

De quelle façon, il ne le savait pas. Mais il avait au moins une certitude. Quand il pensait à elle, c'était au passé, ce qui devait signifier qu'elle ne faisait plus partie de sa vie. Donc, qui que soit ou ait été cette femme, elle n'était plus une réalité.

Mais la femme assise à côté de lui sur la banquette arrière du taxi était bien réelle. Son regard glissa vers Eden et s'y attarda, en un mélange de désir et de tendresse.

Savait-elle à quel point elle représentait pour une lui une tentation ? Pas à cause de sa beauté, ses traits manquaient de classicisme pour ça. Mais quel besoin d'un joli petit minois quand on avait cette bouche incroyablement pulpeuse, cette peau d'ivoire encadrée par de beaux cheveux bruns et ces yeux d'un bleu extraordinaire ?

Il ne s'attarderait pas sur sa silhouette. Il était déjà suffisamment troublé.

Non, décida-t-il, elle n'avait pas conscience de son sex-appeal. Dans ce domaine, contrairement à d'autres, elle manquait de confiance en elle.

Il aurait voulu lui démontrer combien Charles Moses avait été stupide de la quitter. Et lui dire aussi qu'il appréciait sa personnalité et ses qualités, en dehors de toute considération physique.

Mais il n'avait pas le droit de lui parler ainsi, alors que sa propre vie restait un mystère pour lui.

Cependant, il y avait quelque chose qu'il pouvait partager avec elle. Qu'il se devait de lui confier s'il voulait conserver une chance de vivre une histoire avec elle quand tout serait terminé.

— Vous savez, commença-t-il d'un ton mal assuré, à propos de ces ombres que je sens autour de moi… il y a celle d'une femme.

— Cette Beth que vous avez évoquée sous hypnose ?

— C'est possible. En tout cas, je veux que vous sachiez que je ne lui appartiens pas. Elle ne m'attend pas. Personne ne m'attend.

— Comment pouvez-vous en être aussi sûr ?

— Mon instinct me dit que c'est la vérité. Et, amnésie ou pas, j'ai le sentiment d'être quelqu'un qui suit toujours son instinct.

Elle hocha la tête. Il ne l'avait manifestement pas convaincue, songea-t-il avec dépit.

Charleston baignait dans le halo rubis d'un vibrant coucher de soleil quand le taxi atteignit Bahama Street, où ils avaient laissé la voiture.

Eden ne pouvait s'empêcher d'être inquiète. Allaient-ils tomber de nouveau nez à nez avec les deux gorilles ? C'était peu probable, mais le duo pouvait avoir réussi à quitter le porte-avions, être remonté à bord de la vedette et être revenu à temps pour les intercepter.

Elle oublia cette préoccupation quand le taxi les déposa à destination — ou tout au moins le plus près possible, ce qui les laissait quand même à cinq cents mètres de la Toyota.

— Je crois que vais devoir vous déposer ici, dit le chauffeur. Je n'arriverai certainement pas à traverser *ça*.

La rue en face de l'immeuble d'Harriet Krause était bloquée par plusieurs véhicules équipés de gyrophares. Un groupe de curieux s'y étaient rassemblés.

Pourvu que ça n'ait aucun rapport avec eux, espéra-t-elle. Mais elle avait un mauvais pressentiment.

— Nous devrions aller voir ce qu'il se passe, dit Shane, quand elle l'eut rejoint après avoir payé le taxi.

— Vous croyez que nous devons prendre ce risque ?

— Nous n'avons le choix, Eden. Nous ne pouvons pas récupérer la voiture tant que la rue n'aura pas été libérée.

Ils virent en approchant que les gyrophares étaient ceux d'une ambulance et de trois voitures de patrouille. Deux agents en uniforme étaient tellement occupés à faire reculer un petit groupe de badauds qu'ils purent se mêler à la foule sans se faire remarquer.

— Que se passe-t-il ? demanda Shane à l'homme qui se trouvait à côté de lui.

— Il paraît qu'une femme a été tuée dans l'un des appartements là haut.

— Elle a été assassinée, renchérit une femme. Je connais le voisin qui l'a trouvée et a appelé les flics. Un inspecteur est en train d'interroger Walter en ce moment.

— Et alors, c'était peut-être un accident ou un suicide, suggéra l'homme.

— Oh ! s'il vous plaît. Face contre terre avec une balle dans la nuque ? Je ne crois pas.

— Qui est-ce ? demanda Eden, en redoutant de connaître déjà la réponse.

— Je n'ai pas retenu le nom, mais elle travaille dans

une clinique. Si vous voulez en savoir plus, ce sera aux informations de 18 heures.

Eden prit Shane par le bras et l'entraîna à l'écart de la foule, sur le trottoir d'en face.

— Si on nous a vus entrer ou sortir de l'appartement d'Harriet Krause, la police va nous chercher. Nous sommes probablement les dernières personnes à l'avoir vue vivante. Vous pensez que ces deux brutes…

— Ils ne peuvent pas l'avoir assassinée, Eden. Ils venaient de s'arrêter quand ils nous ont repérés, et ensuite, ils nous ont poursuivis.

— Mais s'ils sont revenus avant nous ?

Shane secoua la tête.

— Ils n'auraient pas eu le temps.

— Vous avez raison. La mort d'Harriet Krause, la découverte par le voisin, l'arrivée de la police… tout cela ne s'est pas fait en cinq minutes. Ça veut dire qu'elle a été tuée peu de temps après que nous avons quitté son appartement. Mais qui…

Sa réflexion fut interrompue par un regain d'animation de l'autre côté de la rue. Les deux agents firent s'écarter la foule pour laisser le passage à un brancard chargé d'une housse noire contenant le cadavre d'Harriet Krause.

Des membres de l'équipe d'investigation criminelle suivaient et commencèrent à se disperser pour rejoindre leurs voitures.

Elle se crispa en les voyant.

— Du calme, lui dit Shane. Personne ne regarde de ce côté. Au pire, ils penseront que nous sommes de simples curieux.

Mais elle ne fut soulagée que lorsqu'ils se dissimulèrent dans l'entrée d'une ruelle. Ce fut à cet instant qu'elle remarqua quelque chose que ni l'un ni l'autre n'avait observé jusqu'alors.

— Shane, elle n'est plus là… La Mercedes était garée à peu près en face de là où nous nous trouvons en ce moment, et elle a disparu. Ils ont dû revenir et filer avant que la rue ne soit bloquée.

— Il y a une autre explication, beaucoup plus plausible.

Elle écarquilla les yeux, puis comprit à son tour.

— Il devait y avoir quelqu'un avec eux. Nous ne l'avons pas vu parce qu'il a dû rester à l'arrière de la voiture. Puis, tandis que les deux autres nous poursuivaient, il est monté à l'appartement d'Harriet…

Elle ne termina pas sa phrase. Leur attention venait de nouveau d'être attirée vers la rue, où un chemin était ouvert pour le départ des véhicules d'urgence.

Deux hommes, probablement les inspecteurs en charge de l'enquête, sortirent de l'immeuble, échangèrent quelques mots avec l'un des agents en uniforme, puis s'en allèrent. La foule commença à se disperser.

— Croyez-vous que votre ex-petit-ami, Charles Moses, soit capable de tuer quelqu'un ?

Elle secoua la tête.

— Je ne crois pas… Enfin, je n'en sais rien. Quand il m'a quittée, je me suis rendu compte qu'il y avait beaucoup de choses que j'ignorais à son sujet. Pourquoi ? Vous pensez qu'il était le troisième occupant de la Mercedes ?

— Peut-être. Nous savons qu'il a rencontré Harriet Krause, et si nos deux gorilles travaillaient avec lui… Oui, il a très bien pu rendre de nouveau visite à Harriet Krause aujourd'hui.

— Et il ne lui restait plus ensuite qu'à repartir avec la voiture.

En observant l'immeuble de l'autre côté de la rue, et les fenêtres des étages supérieurs qui reflétaient les dernières lueurs flamboyantes du coucher de soleil, elle sentit son instinct de détective privé reprendre le dessus.

— Je donnerais n'importe quoi pour jeter un coup d'œil à l'appartement d'Harriet Krause, dit-elle. Pourtant, je sais que ça n'a aucun sens. Que pourrais-je bien y trouver que la police n'aurait pas déjà remarqué ?

Il ne lui répondit pas. Il observait la rue. Il ne restait plus que quelques badauds, dont on se demandait pourquoi ils s'attardaient alors qu'il n'y avait plus rien à voir. Une seule voiture de police était garée le long du trottoir. Son unique occupant était resté pour monter la garde devant l'immeuble.

— Ma voiture n'est plus bloquée, remarqua-t-elle. Rien ne s'oppose à ce que nous partions maintenant.

— Vous avez remarqué ? dit-il d'un ton pensif. Il n'y avait pas de femme dans l'équipe d'investigation. Rien que des hommes.

Shane employait souvent des chemins détournés pour aborder le sujet qui l'intéressait, avait-elle noté. Sans doute était-ce le cas maintenant.

— Que voulez-vous dire ?

— Qu'une femme a la capacité d'observer chez une autre femme, ou en ce cas précis dans son appartement, certains détails qu'un homme peut facilement négliger.

— Vous ne proposez quand même pas…

— Si.

— Et comment pensez-vous échapper à la surveillance de ce flic, là-bas, et entrer dans l'appartement dont la porte est forcément fermée et barrée par un ruban de police ?

— Cette porte n'est peut-être pas le seul moyen d'accès. Faisons le tour du pâté de maisons pour voir ce qu'il y a derrière.

— Ce n'est pas très prudent.

— Vous êtes détective, ou pas ?

C'était un défi que son orgueil ne pouvait ignorer.

*
* *

Mais, quinze minutes plus tard, alors qu'elle escaladait péniblement une ancienne échelle à incendie, elle en vint à s'interroger sur leur santé mentale. Il ne manquerait plus que l'un d'eux perde l'équilibre sur les barreaux rouillés, dans la lumière déclinante.

— Vous voyez, dit Shane, en désignant la porte métallique à l'extrémité de l'échelle. Il y a bien un autre accès.

— D'accord, mais la dernière fois que j'ai vu une porte aussi solide, c'était sur un coffre-fort. Je ne vois vraiment pas comment nous pourrions entrer par ici.

— Regardez cette fenêtre à côté. Je crois que je peux l'atteindre.

Elle observa la fenêtre à quelques pas de la plate-forme en métal ajouré. La vitre était couverte de buée, ce qui pouvait faire penser à une fenêtre de salle de bains.

— Elle est probablement fermée.

— Le seul moyen de le savoir, c'est d'essayer.

— Attention, dit-elle, en le voyant s'étirer au maximum au-dessus de la rambarde.

Mais à sa grande surprise, le battant mobile de la fenêtre à guillotine se souleva sans effort.

— Eh bien, vous voyez, dit-il. Il faut toujours croire à la chance.

Il se pencha de façon encore plus précaire au-dessus de la rambarde, assura sa prise de chaque côté du montant de la fenêtre et se lança dans le vide. Pendant un court instant durant lequel elle retint son souffle, il resta suspendu ainsi puis, avec la souplesse et la force d'un gymnaste, se hissa dans l'ouverture.

Quoi qu'il ait fait ou ait été auparavant, songea-t-elle, avec un mélange de soulagement et d'admiration, il avait reçu un entraînement rigoureux.

Shane passa la tête à l'extérieur.

— La fenêtre n'était pas fermée parce que le loquet de verrouillage est cassé. Attendez que je fasse le tour pour vous ouvrir la porte.

Elle attendit sur la plate-forme, tout en regardant nerveusement en contrebas sur le trottoir. L'obscurité la dissimulait plus ou moins, mais elle redoutait d'être repérée par un passant.

Quelques secondes plus tard, elle entendit tourner un verrou de l'autre côté de la porte et poussa un soupir de soulagement.

Elle s'était munie d'une lampe de poche prise dans sa voiture mais, une fois la porte franchie, elle découvrit qu'elle n'en aurait pas besoin. La lumière provenant du salon était suffisante pour s'orienter dans le couloir. Elle s'en étonna.

— Vous n'avez quand même pas pris le risque d'allumer ?

— C'était comme ça quand je suis entré. La police a dû laisser quelques lampes pour que le flic qui monte la garde puisse repérer une éventuelle intrusion. Mais ne vous en faites pas. Tant que nous restons loin des fenêtres, il n'y a rien à craindre. Par où voulez-vous commencer ?

Elle était une détective aguerrie. Elle aurait dû être capable de répondre à cette question. Seulement, elle n'avait pas la moindre idée de ce qu'ils devaient chercher. Et, même dans un appartement aussi petit que celui d'Harriet Krause, cela pouvait prendre un temps fou.

— Commençons par la chambre, proposa-t-elle.

Parlant à voix basse, et uniquement quand c'était nécessaire, ils fouillèrent la chambre. Elle s'occupa de la penderie, et lui du bureau.

— Vous avez quelque chose ? demanda-t-il.

— Non. Et vous ? Dites-moi que vous avez découvert un relevé de compte avec de gros dépôts indiquant qu'Harriet Krause recevait des pots-de-vin.

— Tout ce que j'ai trouvé, ce sont de vieux tickets de caisse. Il n'y a même pas une lettre dans ce bureau.

— Je suppose que la police a tout emporté. Nous sommes en train de perdre notre temps. Nous ferions mieux de partir pour Savannah.

— Ne renonçons pas si vite. Il reste à voir ce que le salon peut nous offrir.

Elle le suivit dans la pièce voisine, en essayant de ne pas prêter attention à la silhouette dessinée au sol à l'endroit où Harriet Krause avait été abattue.

— Vous vous occupez de la bibliothèque pendant que je regarde dans le buffet ? proposa-t-il.

Un moment après, accroupi devant le buffet, une main sur la porte qu'il avait ouverte, il s'interrompit et se tourna vers elle.

— Qu'y-t-il ? lui demanda-t-il.

Elle n'avait pas bougé et se tenait toujours dans le passage entre le couloir et le salon.

— Vous ne sentez pas ? demanda-t-elle.

— Non, quoi ?

— Il y a une odeur de parfum dans la pièce.

Il se releva et la rejoignit, tout en prenant soin de ne pas passer à proximité des fenêtres. Elle le regarda humer l'atmosphère.

— Oui, maintenant je le sens. Et alors ?

— Vous ne vous souvenez pas ? Harriet Krause n'a accepté de nous laisser entrer qu'après s'être assurée que nous ne portions pas de parfum. Elle y était allergique.

— D'accord, ce n'est pas son parfum. Mais des tas de policiers se sont déplacés dans son appartement. Il y a aussi le voisin qui l'a trouvée…

Elle secoua vigoureusement la tête.

— C'était tous des hommes, et ce n'est pas une fragrance masculine. C'est un parfum de femme. Et un parfum de prix, à en juger par l'odeur, probablement français. Et j'ajouterai autre chose : la personne qui le porte est restée longtemps dans la pièce. Sinon, le sillage se serait évanoui.

Il eut l'air ravi.

— Eh bien, j'avais raison de dire qu'une femme pouvait voir — ou dans ce cas, sentir — ce qu'un homme laisserait passer.

Il lui adressa un clin d'œil.

— J'en ai de la chance d'avoir une femme aussi intelligente. Rappelez-moi de vous serrer dans mes bras quand nous serons sortis d'ici.

Le compliment la fit rougir de plaisir, bien qu'elle eût conscience du ridicule de sa réaction.

Mais finalement, de quoi se réjouissait-elle le plus ? De la fierté de Shane envers une épouse qui ne l'était pas véritablement, ou de la perspective d'une accolade dont elle aurait dû se moquer ?

En tout cas, cet homme avait un curieux effet sur elle.

— Vous comprenez ce que ça veut dire, Shane ? Le troisième occupant de la Mercedes était une femme.

Il hocha lentement la tête.

— Et elle a rendu visite à Harriet pendant que ses complices étaient occupés ailleurs.

— Et quel que soit l'objet de sa visite, ça devait être important pour qu'Harriet Krause la laisse entrer en portant ce parfum alors qu'elle y était allergique…

Qui pouvait bien être cette femme ? se demanda-t-elle. Lissie Reardon, la ravisseuse de Nathan ? S'était-elle présentée à la porte d'Harriet Krause cet après-midi ? Et où était-elle allée après avoir disparu de Savannah ? Qu'était-il advenu d'elle et où se trouvait-elle maintenant ?

Ces questions étaient inquiétantes à plusieurs titres.

D'abord, parce que Lissie Reardon, qui à un moment s'était trouvée en possession de son fils, venait peut être de commettre un meurtre.

Ensuite, parce que le nom de Reardon semblait avoir une signification pour Shane. Il n'était donc pas infondé de penser que, outre son lien avec une possible meurtrière, il avait été en contact avec Nathan.

10

— Vous auriez dû me laisser prendre le volant, s'agaça Shane.

Eden n'eut pas un instant d'hésitation.

— Certainement pas ! Vous n'avez pas de permis de conduire, ni aucune pièce d'identité. Si jamais nous faisions l'objet d'un contrôle de police…

— Je suis prêt à prendre le risque. La journée a été longue et riche en rebondissements. Vous avez besoin de vous reposer.

— Eh bien moi, je ne suis pas prête à prendre le risque. Et je ne suis pas fatiguée.

Comment aurait-elle pu l'être alors qu'elle était mue par l'urgence de retrouver son fils ?

Cela faisait maintenant une heure qu'ils roulaient, et Charleston était loin derrière eux. Par précaution, elle avait décidé de prendre une route secondaire.

Il leur faudrait un peu plus de temps pour rallier Savannah et la Géorgie, mais dans l'hypothèse où leurs ennemis auraient eu connaissance de leur projet, mieux valait ne pas prendre l'autoroute. Pour le moment, rien n'indiquait qu'ils étaient suivis, mais elle restait vigilante au volant. Shane s'était endormi, la laissant seule avec ses préoccupations. Parmi elles flottait une sensation de culpabilité sur ces dernières heures. Ils avaient achevé la fouille de l'appartement d'Harriet Krause, soigneusement refermé la porte de service derrière eux et disparu dans la nuit sans partager leur découverte avec la police de Charleston.

— Si nous faisons cela, ils pourraient le retenir contre moi, avait objecté Shane.

— Je sais, et nous devons rester en liberté si nous voulons déverrouiller votre mémoire et porter secours à Nathan.

— C'est une priorité, Eden. Retrouver le meurtrier d'Harriet peut attendre.

— Mais quand nous aurons retrouvé Nathan…

Jamais elle ne s'autoriserait à croire qu'ils n'y parviendraient pas.

— Alors, avait-il répondu, nous ferons tout ce que nous pouvons pour aider la police à résoudre ce crime.

Il n'y avait eu aucune désinvolture dans ses paroles. Il s'était exprimé avec sincérité et détermination.

Il était ce genre d'homme, se dit-elle. Les promesses étaient sacrées pour lui, et c'était un trait de caractère qu'elle admirait par-dessus tout.

Attention, Eden. Si tu n'y prends pas garde, tu vas y laisser ton cœur. Comment peux-tu être aussi sûre que c'est le genre d'homme prêt à tout pour tenir ses promesses ?

Elle le savait, c'est tout. Tout comme elle savait que son timbre de voix riche et profond la faisait soupirer de désir, que sa cicatrice à la joue l'intriguait et que sa prestance, sans doute militaire, l'émoustillait.

« Je perçois une aura de danger et de violence autour de lui. Il va vous faire souffrir, je le sens. Faites bien attention à vous. »

Les dernières paroles prononcées par Atlanta Johnson

avant de quitter la péniche lui revinrent comme une moquerie, et ravivèrent ses interrogations sur l'éventualité d'un lien entre celui qui se faisait appeler Shane et la ravisseuse de Nathan.

Les phares de la voiture derrière eux illuminèrent sa main sur le volant. Un éclat d'or capta brièvement son attention avant que la voiture ne s'engage sur une route transversale.

L'alliance à son annulaire. Elle lui semblait déjà familière, comme si c'était sa place.

Ce mariage de façade constituait un autre sujet de préoccupation et s'avérait beaucoup plus difficile que prévu sur le plan émotionnel.

Elle risqua un coup d'œil du côté de Shane. La lumière du tableau de bord suffisait à révéler la barbe qui ombrait sa mâchoire carrée. Pourquoi fallait-il qu'il soit aussi séduisant ?

Il avait les mains croisées sur son estomac. Des mains puissantes et capables. En voyant l'alliance assortie à la sienne, elle eut un coup au cœur. Aucune mise en garde ne pourrait rien y changer.

Elle était amoureuse de Shane.

Comment était-ce possible ? Comment pouvait-elle être amoureuse d'un homme dont elle avait fait la connaissance deux jours plus tôt ?

Deux jours. Mais il s'était passé tellement de choses pendant ces quarante-huit heures qu'elle avait l'impression que toute une vie s'était écoulée.

Il était probable que des gens tombaient amoureux en moins de temps que ça. Mais quand même… Etre amoureuse d'un homme qui représentait un mystère pour elle comme pour lui-même…

Tu sais de lui ce qui est vraiment important, Eden.

Vraiment ?

Oui. Elle savait qu'il avait le sens de l'humour. Il était instinctivement protecteur à son égard. Il obéissait à un sens de l'honneur garantissant que, quelle que soit la façon dont il était impliqué avec son fils, il ne lui aurait jamais fait de mal. N'importe quelle femme aurait apprécié ces qualités, surtout quand elles allaient de pair avec le physique de Shane.

C'est trop tard, Atlanta. Il a déjà pris le contrôle de mon cœur et de mon âme.

Ce constat n'aurait dû lui procurer qu'une immense exaltation. Mais pourquoi sa joie était-elle ternie par une soudaine inquiétude ? Sans doute parce qu'elle craignait qu'il ne partage pas ses sentiments.

Ce n'était pas parce qu'elle l'aimait qu'il devait absolument l'aimer en retour. Elle avait déjà vécu cela, et la leçon avait été suffisamment cruelle pour qu'elle la retienne.

Tu peux gérer cette situation. Il le faut. Retrouve Nathan, et ensuite si Shane te tourne le dos… eh bien, tu survivras. Du moment que tu as ton fils, tu survivras à tout.

Il avait commencé à pleuvoir, une bruine fine et persistante qui dans le halo des phares dessinait comme un écran sur la route.

Peut-être était-ce le temps qui la rendait morose… Peut-être…

La pluie tombait toujours, dessinant un halo fantomatique autour des phares des voitures qui venaient en sens inverse. Long et monotone ruban noir, la route s'étirait inlassablement devant ses yeux. Le ballet incessant des essuie-glaces avait sur elle un effet hypnotique. Elle avait de plus en plus de mal à rester éveillée.

Elle ne s'aperçut même pas qu'elle piquait du nez vers le volant, ni que la voiture commençait à glisser vers la voie de gauche. Ce fut le coup de Klaxon appuyé d'un automobiliste arrivant en face qui la ramena brutalement à la conscience.

Elle poussa un cri et se rabattit à temps pour éviter la collision. L'autre voiture continua sur sa lancée, le Klaxon toujours en marche.

Shane s'était brusquement réveillé au premier coup d'avertisseur.

— Garez-vous, dit-il, calmement mais avec une autorité qui ne pouvait être contestée.

Elle se gara sur le bas-côté gravillonné.

— Je suis désolée, dit-elle. J'aurais pu nous tuer.

— C'est autant ma faute que la vôtre. J'aurais dû rester éveillé pour vous tenir compagnie. De toute façon, c'est réglé. Permis ou pas, je prends le volant. Vous faites le tour, vous fermez vos beaux yeux bleus et vous ne les rouvrez qu'au son du clairon.

— C'est-à-dire, quand ?

— A l'aube.

Donc, il avait bien un passé militaire. Mais ce n'était pas le moment d'essayer de creuser cette piste.

Elle obéit sans protester, bien qu'elle fût certaine de ne pas pouvoir s'endormir facilement. Comment l'aurait-elle pu alors qu'elle subissait le contrecoup de ce qui aurait pu être un accident fatal et que son esprit était assiégé par d'angoissantes pensées ?

Le ciel rougeoyait quand Eden se réveilla. Il lui fallut un moment pour comprendre que la voiture était arrêtée. La radio fonctionnait, réglée sur une station de musique country et il pleuvait toujours.

Quand elle se redressa sur son siège, elle vit que le halo rouge n'était pas dû au lever du soleil, mais à un néon publicitaire.

— Où sommes-nous ?

— Sur le parking du motel Brise Marine qui, à ma connaissance, n'est pas au bord de la mer. Mais peu importe du moment qu'ils ont une chambre de libre.

— Quelle heure est-il ?

— Pas loin de minuit. Je pense que nous ne sommes plus très loin de la frontière de la Géorgie.

— Dans ce cas, pourquoi nous arrêtons-nous ?

— Voyons, Eden, ça n'aurait aucun sens d'arriver à cette heure de la nuit. Nous ne pourrons rien faire avant demain matin. Et, de toute façon, j'ai du mal à garder les yeux ouverts.

Ils prirent leurs affaires, fermèrent la voiture et entrèrent dans le bureau, où le réceptionniste leur proposa une chambre avec des lits jumeaux.

Shane n'ayant ni pièce d'identité ni argent, elle dut s'enregistrer et payer la chambre. Il ne dit rien, mais elle vit à son léger froncement de sourcils qu'il était agacé de devoir s'en remettre à elle pour tout, que ce soit l'hébergement, sa nourriture, ses vêtements, et même son alliance. C'était la marque d'une fierté masculine à l'ancienne, et elle ne l'en aimait que plus pour ça.

Elle apprécia autre chose quand ils se retrouvèrent derrière la porte close de leur chambre. Shane ne perdit pas de temps — et ne fit pas preuve d'une pudeur exagérée — pour ôter ses vêtements et apparaître en caleçon.

Elle avait déjà vu ce superbe corps deux nuits plus tôt, quand Tia et elle avaient dû le déshabiller pour soigner ses blessures. Mais il était alors inconscient et sans défense. Suivre le jeu de ses muscles sous sa peau halée, tandis qu'il se déplaçait dans la douce lueur dorée de la lampe de chevet, exerçait sur elle une tout autre fascination. Même ses cicatrices avaient quelque chose d'attirant, lui conférant l'aura d'un valeureux guerrier.

Pour échapper à un désir qu'elle se refusait d'éprouver, elle se réfugia dans la salle de bains, où elle se brossa les dents.

Lorsqu'elle en ressortit en sous-vêtements et T-shirt, Shane était déjà couché et endormi. Hésitant entre le soulagement et la déception, elle laissa la salle de bains allumée afin qu'ils puissent se diriger dans la chambre si l'un d'eux se réveillait au cours de la nuit, éteignit toutes les autres lampes et se glissa entre les draps.

La journée avait été longue et épuisante, et le peu qu'elle avait dormi dans la voiture ne lui suffisait pas. Elle aurait dû s'endormir immédiatement. Pourtant le sommeil se refusa à elle.

Etendue sur le dos, inconsciente du temps qui s'était écoulé depuis qu'elle s'était couchée, elle écoutait le bruit de la pluie qui tambourinait sur le toit. C'était un bruit déprimant, qui évoquait la solitude. Elle se sentait seule, privée de l'enfant qui lui avait été si cruellement arraché, privée de l'homme qui dormait dans le lit voisin du sien…

Aussi finit-elle par se concentrer sur un autre son, celui de la respiration calme et régulière de Shane qui peu à peu l'apaisa et l'entraîna vers son inconscient.

Mais son paisible repos fut de courte durée. Elle se trouva bientôt plongée dans un terrifiant cauchemar.

Elle errait dans un labyrinthe de couloirs étroits et sombres, cherchant quelque chose qu'elle avait perdu. Et soudain elle le vit, loin devant elle, une petite silhouette l'appelant à l'aide.

— Maman ! Viens, maman, j'ai besoin de toi.

— Tiens bon, Nathan. J'arrive. Je viens te chercher.

Mais elle ne pouvait pas l'atteindre.

Il n'était pas seul. Il y avait un homme avec lui, quelqu'un qui n'était guère plus qu'une ombre.

Il entraînait Nathan loin d'elle, jusqu'à ce qu'ils soient tous deux noyés dans une brume épaisse et que l'appel de son fils ne soit plus qu'un son étouffé.

Nathan, où es-tu ?

C'était l'expression d'une des pires craintes que pouvait vivre une mère. Si intense dans son cri de désespoir silencieux qu'elle l'arracha à son rêve pour la plonger dans une réalité hébétée.

Elle avait froid et tremblait. Son visage était humide de larmes. Elle avait dû sangloter dans son sommeil.

— La porte est verrouillée, dit une voix profonde et rauque. Nous sommes seuls ici.

Tournant la tête, elle vit une grande et large silhouette penchée au-dessus d'elle comme une menace.

— Eden, tout va bien. Vous étiez en train de crier comme si on vous attaquait, mais vous êtes en sécurité.

Donc, contrairement à ce qu'elle avait cru, son cri n'avait pas été silencieux.

Elle fit un effort pour reprendre ses esprits. Shane, bien sûr. C'était Shane qui se penchait sur elle pour lui apporter du réconfort, pas la silhouette de son cauchemar qui détenait Nathan et s'enfuyait avec lui.

Mais si ce rêve était comme une sorte de vision pour l'avertir que Shane, sans en avoir actuellement conscience compte tenu de son amnésie, avait réellement enlevé Nathan…

Non ! Elle était amoureuse de lui. Il ne pouvait pas être cet homme. C'était impossible.

— Un mauvais rêve, hein ? murmura-t-il.

Ses mots étaient compatissants, mais sa voix était encore enrouée de sommeil.

— Vous voulez m'en parler ?

Tandis qu'elle se redressait contre le dosseret du lit, il s'assit à côté d'elle.

Elle lui décrivit rapidement son cauchemar, mais tut sa crainte que l'homme qui lui avait fait si peur puisse être lui.

— Cela semblait si réel, susurra-t-elle, en frissonnant.

— Mais ça ne l'est pas.

Avant qu'elle ait pu deviner son geste, il l'attira contre lui.

— Quand nous étions chez Harriet Krause, je vous avais promis de vous prendre dans mes bras. Considérez cela comme la première échéance de ma dette.

Sa présence était réconfortante, mais elle ne pouvait oublier son cauchemar.

— Shane ?

— Oui ?

— J'ai l'impression que nous nous rapprochons des réponses, que nous allons retrouver Nathan. Et, en même temps, je ne peux pas faire disparaître cette peur de le perdre avant que ça se produise. Je pense que mon cauchemar vient de là. J'ai peur de le perdre de nouveau, et cette fois pour toujours.

— Ça n'arrivera pas, dit-il avec détermination, tout en la serrant plus étroitement contre lui. Nous ferons en sorte que votre enfant retrouve sa place auprès de vous.

Nathan représentait un lien entre eux, un projet commun.

Ils œuvraient vers un même but. Les sentiments qu'elle éprouvait pour cet homme et qu'elle prenait pour de l'amour se résumaient-ils à cela ?

Non, ce n'était pas possible, il devait y avoir autre chose. Elle ne pouvait pas se méprendre à ce point sur ce qu'elle ressentait pour lui.

— Essayez de vous rendormir, dit-il.

Puis il planta un chaste baiser sur son front et retourna se coucher.

Quelques instants plus tard, il dormait à poings fermés, la laissant seule avec ses sombres pensées. Peut-être n'était-il pas le mari qu'il prétendait être. Peut-être ne serait-elle jamais la femme qu'elle rêvait d'être pour lui.

— Je suppose que nous prenons des risques en venant ici, remarqua-t-elle.

Il ne répondit pas, ce qui ne la surprit guère. Elle connaissait déjà son opinion sur la question. Ce matin, avant d'arriver à Savannah, ils avaient longuement discuté du plan à suivre.

En homme d'action, Shane tenait en premier lieu à affronter Charles Moses, en se rendant directement à l'agence du détective privé pour exiger des réponses. Mais rien ne prouvait que celui-ci se trouvait à Savannah. Il pouvait être n'importe où sur une enquête, en train d'essayer de localiser Nathan pour les Jamison, ou même à Charleston.

En revanche, ce que Shane n'avait pas du tout envie de faire — et il ne se privait pas de le lui montrer en faisant une tête de six pieds de long —, c'était de se dissimuler dans les buissons pour observer une maison qui, selon sa logique, ne pouvait leur fournir aucune explication.

Il ne comprenait pas que, pour elle, ce n'était pas

un simple bâtiment. C'était la maison où son fils avait passé trois ans de sa vie. Elle avait besoin de la voir pour mieux se figurer l'existence de Nathan dans ces lieux. Y avait-il été heureux, aimé ?

— J'espère que les flics de Savannah sont sympathiques, marmonna-t-il, car ils risquent de débarquer si quelqu'un dans le coin nous remarque en train d'espionner.

Elle ne se faisait pas trop de souci pour cela. Située plus au sud, Savannah bénéficiait d'une végétation encore plus luxuriante que celle de Charleston. C'était particulièrement vrai dans ce parc, l'un des nombreux jardins historiques qui faisaient la réputation de la ville, où Shane et elle se dissimulaient derrière un massif de rhododendrons précoces, dont les inflorescences s'épanouissaient en un radieux camaïeu de roses. A travers le feuillage, elle pouvait apercevoir l'imposant manoir des Jamison qui surplombait l'un des côtés du square.

— Je suppose qu'il fallait commencer par ici, concéda-t-il après un moment. Si le fait d'observer cette bâtisse vous permet d'établir un quelconque lien avec votre enfant, c'est important.

Il comprenait.

Elle tourna la tête vers lui. Peu importait finalement si la maison des Jamison ne lui apportait pas le réconfort qu'elle cherchait. Il lui suffisait d'avoir le soutien de Shane.

— Et à vous ? demanda-t-elle. Cela vous évoque-t-il quelque chose ?

— Eden, il n'y a pas la moindre chose dans cette ville qui me semble familier.

C'était une déception. Ils avaient espéré que se retrouver à Savannah réveillerait quelques souvenirs en lui. D'autant que, s'il avait bien été en contact avec Nathan, comme elle en était de plus en plus persuadée, il était probable que tout soit parti d'ici.

— Regardez, dit-il, en attirant son attention vers la maison. Quelqu'un est en train de sortir.

La porte venait en effet de s'ouvrir. Une silhouette apparut et descendit les marches du perron. Elle resta un moment en arrêt sur le trottoir, observant la rue de chaque côté.

— Surprise, murmura Shane.

Et c'en était une de taille, pensa Eden. La silhouette était celle d'une des deux brutes qui les avaient poursuivis la veille dans Charleston.

Et il n'était pas seul. Quelques secondes après, son complice le rejoignit.

— Que font-ils ici ? demanda Shane.

— Ils n'ont pas pu nous suivre, nous avons pris trop de précautions pour cela. Et pourtant, ils sont en ville et ils sortent de la maison des Jamison.

— Ils travaillent probablement pour eux.

Elle percut sa colère, l'envie qu'il avait d'en découdre avec les deux hommes. Mais ce serait une erreur de révéler leur présence.

Elle posa la main sur son bras pour le retenir, redoutant qu'il ne jaillisse sauvagement du square.

— Attendez. Ils scrutent tous les deux la rue. Ils attendent quelque chose.

— Non, quelqu'un. Et d'ailleurs, le voilà.

Une longue berline gris métallisé apparut au coin de la rue et vint se garer devant la maison. Elle ressemblait comme deux gouttes d'eau à la voiture qu'ils avaient vue devant chez Harriet Krause.

Le conducteur sortit sur le trottoir et s'adressa aux deux hommes.

Il était plus mince que dans son souvenir, et beaucoup mieux habillé, comme si l'argent n'était plus un problème pour lui, mais elle le reconnut immédiatement.

— C'est Charlie, murmura-t-elle.

— Je ne sais pas de quoi il retourne, mais Moses a l'air d'être dans le coup avec eux.

— Attention, ils s'en vont.

Charles Moses s'était remis au volant. Les deux autres s'installèrent à l'arrière.

— Essayons de les suivre, proposa Shane.

— C'est trop tard. Ils démarrent déjà. Le temps de retourner à ma voiture, ils auront disparu.

Il laissa échapper un juron.

— Ce n'est plus la peine maintenant d'aller à l'agence de Moses.

— Non, mais nous pouvons faire des recherches.

— C'est le détective qui parle, là ?

— Collecter un maximum d'informations est le meilleur moyen de résoudre une enquête. Les Jamison sont une famille de premier plan dans cette ville. Il doit y avoir des quantités d'éléments sur eux à la bibliothèque municipale.

Il approuva son plan, même s'il était évident qu'il aurait préféré plus d'action.

Un des petits trains touristiques qui véhiculait les promeneurs à travers le district historique de Savannah s'était garé à l'entrée du square, afin de permettre à ses passagers de photographier une fontaine. Le conducteur leur indiqua la direction pour la bibliothèque.

— Quoi ? Ils n'ont pas d'ordinateurs ? s'étonna Shane, après qu'une documentaliste les eut installés devant un lecteur de microfilms. Mais sur quelle planète vivent-ils ?

Sa mine éberluée arracha un sourire à Eden.

— C'est fréquent dans les petites villes, surtout pour consulter la presse locale qui n'a pas forcément de site internet et qui continue à stocker ses archives sur microfilms.

Ils se plongèrent dans la documentation.

Mais quinze minutes plus tard, Shane ne parvenait plus à masquer son ennui et bâillait à s'en décrocher la mâchoire.

— Vous trouvez quelque chose ?

— Eh bien, ça ne manque pas d'articles sur les Jamison. Ils sont très actifs sur le plan social. Ou en tout cas, ils l'étaient avant la mort de Sebastian Jamison.

— Vous parlez d'un pensum ! Ça va nous prendre des années pour venir à bout de ce truc.

Elle continua à faire défiler le microfilm que la documentaliste avait chargé pour eux sur la machine.

La plupart des articles concernaient des projets que le riche Sebastian avait financés. Apparemment, le grand-père de Nathan était une sorte de philanthrope. Ce n'était pas inintéressant, mais cela ne les aidait en rien dans leur recherche.

— Vous permettez que je jette un œil ? lui demanda-t-il.

Il commençait visiblement à se morfondre.

Elle lui céda sa place devant l'appareil et le regarda faire défiler les fiches.

— Là ! s'écria-t-il soudain.

— Qu'y a-t-il ? Vous avez trouvé quelque chose ?

Intriguée par son silence et la fixité de son regard, elle se leva et alla regarder par-dessus son épaule.

Une photographie s'affichait à l'écran, représentant Sebastian Jamison à un gala de charité. A côté de lui se trouvait une femme à l'expression surprise et agacée, comme si l'appareil photo l'avait prise de court.

A peu près du même âge qu'Eden, elle était blonde, mince et assez jolie. La légende la présentait simplement comme la mère du petit-fils de Sebastian.

Le regard d'Eden passa de l'écran au visage de Shane. Il semblait fasciné par cette femme. Une lumière irradiait ses traits.

Elle comprit immédiatement ce qui se passait.

Cette lumière, c'était celle de sa conscience retrouvée. Le mur qui bloquait sa mémoire était en train de se fissurer, les briques qui le composaient se détachant une par une.

— C'est Lissie Reardon, murmura-t-elle. Et vous la connaissez, n'est-ce pas ?

— C'est Beth, dit-il lentement, la voix éraillée par l'émotion. C'est ma Beth.

11

— Je ne peux plus regarder ça, déclara Shane.

Il repoussa brusquement sa chaise et bondit sur ses pieds.

— Il faut que je sorte d'ici. J'ai besoin de bouger.

Malgré sa claudication, son pas était si rapide qu'Eden peinait à suivre le rythme.

Elle essaya de l'interroger sur Nathan. Savait-il où se trouvait son fils ? Mais il ne voulut rien lui dire, ne cessant de lui répéter qu'il en parlerait quand ils seraient dehors.

Bizarrement, elle ne parvenait pas à se réjouir. Leurs recherches avaient porté leurs fruits. La mémoire de Shane s'était réveillée. Et elle se sentait inexplicablement affligée.

Ma Beth.

C'était ainsi que Shane avait appelé Lissie Reardon. Il y avait de la tendresse dans sa voix quand il avait prononcé ces mots.

De toute évidence, cette femme comptait énormément pour lui et, à n'en pas douter, il était perdu pour Eden.

Pour éviter d'y penser, elle se concentra sur son fils. Il était sa seule vraie urgence.

Quand elle reprit pied avec la réalité, elle se trouvait dans un lieu pour le moins inattendu. Shane l'avait conduite dans le vieux cimetière historique situé presque en face de la bibliothèque. Comme partout à Savannah, le lieu avait un caractère suranné, avec ses caveaux recouverts de mousse et ses pierres tombales de guingois.

Elle ne s'offusqua pas de ce choix. C'était un endroit comme un autre pour pratiquer un exercice à la fois physique et cérébral.

Shane avait ralenti le pas. Il semblait avoir atteint une destination vitale et pouvoir enfin reprendre son souffle.

Pendant un moment, ils déambulèrent en silence dans l'allée centrale, sous une voute de vieux chênes.

— Nathan, finit-elle par lui rappeler.

— Laissez-moi du temps. Les images continuent à affluer.

Elle s'efforça de contenir son impatience pendant que les dernières pièces du puzzle s'assemblaient dans l'esprit de Shane.

Ce ne fut pas facile. De nature impatiente, elle avait toujours le plus grand mal à s'adapter à la lenteur des événements ou aux tergiversations d'autrui. Mais elle comprenait aussi que rien n'était simple pour Shane.

Les minutes passèrent.

Il finit par s'arrêter au beau milieu de l'allée et se tourna vers elle, la fixant droit dans les yeux.

— Je sais qui je suis, maintenant. Je m'appelle Michael Reardon.

Reardon.

Elle le dévisagea, le cœur brisé. Ainsi, il était le mari de Lissie !

Le coup était rude. Et pourtant, il lui était interdit d'éprouver autre chose qu'une joie sincère pour lui, maintenant qu'il avait retrouvé son identité.

Elle s'obligea à sourire.

— Bonjour, Michael.

— Non, ne m'appelez pas comme ça. Je suis peut-être

Michael pour moi et pour ceux qui m'ont connu avant mon amnésie, mais pour vous…

— Vous serez toujours Shane.

— Oui. Continuons ainsi. Ça me plaît bien.

— Et Lissie ? ne put-elle s'empêcher de demander.

— Beth. Pour moi, elle a toujours été Beth. Mais si vous y réfléchissez bien, Lissie et Beth sont deux diminutifs d'Elizabeth, son véritable prénom.

— Et pourtant, à un moment, elle a ommencé à se faire appeler Lissie.

— Je ne suis pas surpris. Elle trouvait « Beth » trop démodé, trop ordinaire. Elle aimait être toujours à la pointe de la mode.

— Harriet Krause disait que c'était un esprit libre.

— Oui, c'était tout à fait elle.

Il avait le sourire attendri d'un homme se rappelant une femme qui avait compté pour lui. Elle eut soudain très peur d'entendre ce qu'il avait à lui dire.

Il dut s'en rendre compte et lui prit gentiment le menton dans la main, caressant sa joue du bout du pouce.

— Vous semblez contrariée et malheureuse. Ça doit vouloir dire que vous vous inquiétez à propos de ma relation avec Beth.

— Vous l'avez perdue. C'est ce que vous avez dit à Atlanta Johnson sous hypnose.

— Et vous pensez que je l'ai retrouvée. Que je me trompais en pensant que je n'étais pas marié.

— Vous avez le même nom. Vous l'appelez « ma Beth ».

— C'était ma Beth.

Etait.

Shane avait toujours parlé de Beth au passé. Elle n'en prenait conscience que maintenant.

— Et nous avons le même nom parce que c'était ma sœur.

Il laissa retomber sa main.

— Marchons.

Elle lui emboîta le pas, en proie à un soulagement coupable.

Elle aurait dû ressentir des émotions plus nobles, faire preuve de plus de grandeur d'âme, mais elle n'éprouvait rien d'autre qu'un doux apaisement.

Lissie était sa sœur. Pas sa femme, sa sœur.

Il commença à lui parler d'elle.

— Je l'aimais, bien sûr, mais nous n'avions pas grand-chose en commun. J'étais plus âgé, j'avais d'autres centres d'intérêt… Elle a toujours été un peu sauvage et excentrique, et je n'avais pas beaucoup de patience pour ce genre de comportement.

— Où était-ce ?

— A Richmond. C'est là que nous avons grandi. Richmond, Virginie. J'abordais la trentaine quand nos parents sont morts. Nous aurions dû nous rapprocher à cette occasion, mais le fossé s'était déjà creusé entre nous. Elle avait sa propre vie, et j'étais totalement concentré sur ma carrière.

Elle perçut une note d'amertume dans sa voix quand il fit référence à sa carrière, mais ne fit aucune remarque et le laissa poursuivre.

— J'ai toujours voulu être militaire. J'étais major dans les Rangers.

Cela expliquait sa capacité à affronter les situations difficiles, tout autant que son incroyable endurance physique.

— C'est facile de devenir solitaire quand on est exposé au danger comme je l'ai été, quand on ne cesse d'être envoyé en mission un peu partout. J'ai très vite compris que cela ne laissait aucune place à une relation amoureuse suivie.

Il glissa un coup d'œil dans sa direction.

— Ce doit être pour ça que j'étais absolument certain au fond de moi qu'aucune femme ne m'attendait. Et pour être honnête, je n'ai jamais eu envie de ce genre d'attachement.

Jusqu'à maintenant. Elle attendit qu'il termine ainsi sa phrase, espérant de tout son cœur entendre ces mots. Mais il n'en fit rien.

— A force d'enchaîner les missions à l'étranger, j'ai fini par ne plus savoir où vivait Beth, ni ce qu'elle faisait. Je comprends maintenant quelle piètre excuse c'était.

Il avait perdu trace de sa sœur. C'était probablement ce qu'il avait essayé de dire sous hypnose en révélant qu'il l'avait perdue.

— A l'étranger, répéta-t-il doucement, le regard perdu dans le vide.

— Que se passe-t-il ? Vous vous rappelez autre chose ?

Oui, ma dernière mission. Il s'agissait d'une libération d'otages.

— Et ça a mal tourné, devina-t-elle, en se rappelant la scène qu'il avait douloureusement revécue sous hypnose.

— Notre informateur était un traître et nous a attirés dans un guet-apens. J'y ai perdu deux de mes hommes, et plusieurs autres ont été blessés.

— Dont vous-même, n'est-ce pas ?

— Oui, c'est comme ça que je me suis retrouvé avec une jambe fichue. Mais ça, encore, ce n'est rien. Ce que je ne me pardonnerai jamais, c'est d'avoir entraîné mes hommes là-dedans.

— Mais, ce n'était pas votre faute.

— C'est ce que j'ai essayé de me dire pendant ces longs mois de convalescence, mais…

Il se laissa tomber sur un banc de pierre et se mura dans le silence.

Elle prit place à côté de lui, regrettant de ne rien pouvoir faire pour apaiser ses tourments.

Il ne se pardonnait pas ce qu'il percevait comme un échec en tant qu'officier chargé d'assurer la protection des hommes placés sous ses ordres. Malheureusement, toute la force de son amour ne suffirait pas à le soulager de sa culpabilité. Il faudrait qu'il fasse lui-même ce travail.

Tournant la tête vers elle, il grimaça un sourire.

— Même si mon passé ne me paraît pas très glorieux, je sais au moins que je n'ai pas fait de mal à votre fils.

— Oui, parlons de Nathan. Je vous en prie, dites-moi que vous savez ce qu'il est devenu.

— Beth me l'a amené, il y a environ cinq semaines. J'étais en congé maladie de longue durée, et j'habitais en Arizona. J'étais cloîtré dans une petite maison en plein désert, que j'avais achetée quelques années plus tôt comme point de chute entre deux missions.

Ce qui expliquait son teint halé, et les vêtements de style western qu'il portait la nuit où il s'était évanoui dans sa cour.

— C'était l'endroit idéal pour réfléchir à ce que je ferais une fois que l'armée m'aurait officiellement laissé partir. Avec ma jambe, il n'était pas question que je reprenne du service actif, et je n'étais pas sûr de m'accommoder d'un poste administratif. Comme vous pouvez l'imaginer, je n'avais pas le moral et je n'avais envie de voir personne. Quand Beth s'est présentée à ma porte, en débarquant de nulle part, je n'ai pas exactement sauté de joie.

— Comment vous avait-elle retrouvé ?

— Par un de mes copains de l'armée avec qui elle était sortie quelque temps quand nous étions à Richmond.

— Et vous l'avez fait entrer ?

— C'était quand même ma famille, qu'est-ce que je pouvais faire ? Et elle avait un enfant avec elle, Patrick… Désolé, je voulais dire, Nathan. C'est un peu difficile de penser à lui comme étant…

— Mon fils, et non le sien ?

Elle n'avait pu réprimer la colère qu'elle ressentait.

— Eden, je vous jure que j'ignorais qu'il n'était pas son enfant. Et si ça peut vous réconforter, elle lui était entièrement dévouée. Elle n'avait plus rien à voir avec la Beth d'autrefois, écorchée vive et méfiante. Je me suis dit que la maternité l'avait changée. Mais la raison était tout autre. Elle était d'une maigreur effrayante, et totalement épuisée. Je voulais l'emmener chez un médecin, mais elle a refusé.

— Elle était malade ? C'est pour ça qu'elle est venue vous voir ?

— Pas seulement. Elle était terrorisée.

— Quelqu'un la menaçait ?

— C'est pour Patrick qu'elle avait peur. Elle disait qu'il était en danger depuis la mort de son grand-père.

— Pourquoi ?

— D'après elle, le vieil homme avait fait de Patrick son unique héritier. Elle avait peur que les Jamison le fassent éliminer pour récupérer la fortune qui aurait dû leur revenir. Je lui ai dit qu'elle aurait mieux fait de s'adresser à la police plutôt que de s'enfuir avec l'enfant. Mais elle pensait que les Jamison étaient trop puissants pour que les autorités osent s'en prendre à eux. J'étais la seule personne sur qui elle pouvait compter.

C'était très difficile pour elle d'entendre Shane continuer à appeler son fils Patrick. Mais il n'avait jamais connu l'enfant que sous ce nom, et elle se refusa à le corriger.

— Vous l'avez crue ?

— Je n'étais pas totalement convaincu. Je pensais qu'il

y avait autre chose dont elle ne voulait pas me parler. J'ai essayé d'interroger Patrick, mais il était fermé comme une huître. Il avait peur, et Beth avait probablement dû lui dire de ne parler à personne.

— Mais, qu'attendait-elle de vous, exactement ?

— Que je les protège, tout simplement.

— Et c'est tout ?

— Je le croyais, jusqu'à ce qu'elle fasse quelque chose d'étrange quelques semaines après son arrivée.

— Quoi ?

— Elle m'a demandé de la conduire chez un photographe, afin qu'il fasse un portrait de Patrick.

— Mais pourquoi, grands dieux ?

— Je me suis posé la même question, mais elle n'a rien voulu me dire. Jusqu'à ce que sa santé se dégrade. Il s'est avéré qu'elle était vraiment malade.

— A quel point ?

— Bien plus que je ne l'aurais imaginé. Seule la volonté la faisait tenir debout, m'a dit le médecin, après qu'elle eut finalement accepté que je la conduise à l'hôpital. Mais il était déjà trop tard. En fait, elle se savait déjà condamnée quand elle est venue me trouver.

Il resta silencieux un moment.

En face du banc où ils étaient assis se trouvait un mausolée surmonté d'un ange sculpté dans le marbre. Il l'observa, toujours sans rien dire, tandis qu'elle oscillait entre la haine qu'elle vouait à la femme qui lui avait volé son fils, et la compassion que tout être humain ne pouvait qu'éprouver pour une personne aussi malade.

— Beth a fini par reconnaître qu'elle était soignée à Savannah. Elle s'est enfuie de l'hôpital en emmenant Patrick, et elle a cessé tout traitement pendant qu'elle vivait chez moi. Dès lors, il n'y avait plus rien à faire, à part éviter qu'elle ne souffre trop.

Il tourna la tête vers elle, cherchant son regard.

— Ce qu'elle vous a fait subir est monstrueux, Eden, j'en suis parfaitement conscient. Vous avez parfaitement le droit de la haïr. Mais il y a une chose que vous devez savoir. Patrick était tout pour elle. Elle a sacrifié sa vie pour assurer sa sécurité.

— Mais elle ne vous a jamais parlé de moi, de ce qu'elle avait fait ?

— A la toute fin, quand elle a compris qu'il n'y avait plus d'espoir, elle m'a donné la photo de Patrick et votre carte de visite, en me faisant promettre de vous confier l'enfant après sa mort.

— Sans vous dire qui j'étais ?

— Elle répétait sans cesse : « Ne les laisse pas le prendre. Emmène-le chez Eden Hawke. Elle saura quoi faire. »

Eden était médusée.

— Et vous n'avez pas compris qu'elle le renvoyait à sa véritable mère ? Vous avez fait cette promesse sans…

— Que pouvais-je faire ? Elle était mourante. Je me suis dit que vous me donneriez toutes les explications. La carte indiquait que vous étiez détective privé, et j'ai pensé que c'était pour cette raison que Beth vous faisait confiance.

— Mais Nathan n'était pas avec vous quand ces deux gorilles vous ont enlevé. J'en déduis donc que vous ne l'ameniez pas chez moi.

— Ne prenez pas ce ton accusateur. Vous ne pensez quand même pas que j'allais vous remettre l'enfant avant d'avoir vérifié qui vous étiez vraiment ?

— Et donc ?

— J'ai d'abord enterré ma sœur.

Même s'ils n'étaient pas proches, cela n'avait pas dû être facile pour lui, pensa-t-elle. Tout comme Beth n'avait pas dû admettre aisément qu'elle était mourante. Prendre la décision de rendre Nathan à sa véritable mère avait probablement été un crève-cœur. Mais Beth avait su faire passer l'intérêt de l'enfant avant tout.

Jamais elle n'aurait imaginé pouvoir éprouver une quelconque sympathie pour la femme qui lui avait volé son fils, et encore moins être capable de lui pardonner.

A présent, elle n'en était plus aussi certaine.

— Et ensuite, qu'avez-vous fait ?

— J'ai pris Patrick — je veux dire, Nathan — et nous sommes partis pour Charleston.

— Mais alors, où est-il ? Où l'avez-vous caché en attendant de prendre des renseignements sur moi ?

Il lui adressa un regard désespéré qui l'alarma aussitôt.

— Je n'en sais rien.

— Comment ça, vous n'en savez rien ? Mais vous *devez* le savoir.

— J'aimerais que ce soit le cas. Mais il y a ce grand vide entre le moment où l'avion s'est posé, et celui où j'ai été forcé à quitter la route.

— Mais, comment est-ce possible alors que vous vous rappelez tout le reste ?

— Je n'ai malheureusement pas d'explication, Eden. C'est peut-être un mécanisme de défense. Une partie de mon cerveau doit probablement refuser de divulguer l'endroit où se trouve Nathan, de peur que l'information tombe dans de mauvaises mains. Cela pourrait aussi expliquer ce besoin vital que j'avais d'éviter la police.

— Pourquoi ne m'avez-vous pas dit ça depuis le début ? Pourquoi m'avez-vous laissé croire…

— Je sais, je suis désolé. Mais j'ai pensé qu'en commençant à vous raconter mes souvenirs, cette partie-là reviendrait aussi. Je me suis trompé. Mais, soyez sûre que je n'avais aucune intention de vous donner de faux espoirs.

Elle s'efforça de lutter contre un désespoir grandissant. Etre si près de retrouver Nathan, et voir quand même cette possibilité lui échapper était le comble de la douleur. Il y avait de quoi devenir folle.

— Mais, qu'avez-vous bien pu faire de lui, avant de partir seul au volant de cette voiture de location ?

— Il est certain que je ne me suis pas contenté de le laisser à l'aéroport. Je me suis forcément assuré qu'il était parfaitement en sécurité.

Elle s'accrocha à cet espoir, mais elle avait peur. Si les Jamison étaient réellement une menace pour son fils, comme Beth en était persuadée, Nathan pouvait être en danger à l'heure qu'il était.

— Qu'allons-nous faire, Shane ? demanda-t-elle d'un ton suppliant. Que pouvons-nous faire ?

Il resta silencieux un long moment, le regard de nouveau fixé sur l'ange de marbre du mausolée. Il y avait quelque chose de si intense dans la façon dont il observait la statue, qu'elle ne put s'empêcher de l'interroger.

— Qu'y a-t-il ? Vous vous souvenez de quelque chose ?

— Non. Je pensais aux sculptures.

— De quoi parlez-vous ?

— Des articles de presse sur microfilm. Dans l'un d'eux, on parlait d'hommage à Sebastian Jamison et d'une sculpture qui serait dévoilée cet après-midi au cours d'une cérémonie commémorative au musée de Savannah. Tous les Jamison y assisteront.

Elle se souvint d'avoir lu cet article avant de céder sa place à Shane devant le lecteur de microfilms. Pour autant, elle ne voyait pas quel bénéfice ils pourraient en tirer.

— D'accord, j'ai lu l'histoire aussi. Mais en quoi cela nous aidera-t-il à retrouver Nathan ?

— La mémoire me reviendra peut-être en les voyant. Je suis persuadé qu'ils sont la clé de tout.

— Vous avez peut-être raison, admit-elle. Mais il y a un problème. C'est sur invitation uniquement, et les cartons ont dû être envoyés à toutes les associations caritatives que soutenait Sebastian.

— Justement, il y aura beaucoup de monde. Nous n'aurons qu'à nous glisser dans la foule.

Elle secoua la tête.

— J'ai lu que la sécurité serait renforcée à cause de l'exposition Vermeer qui se tient actuellement au musée. Certaines toiles ont été prêtées par les Pays-Bas, et ils ne prendront aucun risque.

— Il doit bien y avoir un moyen.

Alors qu'elle affichait une moue dubitative, quelque chose lui revint tout à coup en tête.

— Retournons à la bibliothèque, lança-t-elle. Je voudrais vérifier une information.

— Là ! s'exclama triomphalement Eden, quelques minutes plus tard. Je ne m'étais pas trompée. Elle fait bien partie des organisations invitées à la cérémonie.

— Laquelle ? demanda Shane, en se penchant par-dessus son épaule pour étudier la liste.

— La société Afro-américaine.

Il ne put masquer sa perplexité.

— Laissez tomber, ajouta-t-elle. Je vous expliquerai plus tard. Il faut que je retourne à la voiture prendre mon portable.

Quelques minutes plus tard, il attendait près de la Toyota, tandis qu'elle appelait sa sœur Christy, détective privée à La Nouvelle-Orléans à ce qu'il avait compris.

— Chris ? Oui, c'est moi. Je sais qu'on ne s'est pas

parlé depuis des siècles, mais je n'ai pas le temps. Je suis à Savannah, et j'ai besoin d'un service. C'est très important. Tu m'as bien dit que Denise avait pris un emploi à la société Afro-américaine, ici ? Elle travaille toujours pour eux ? Formidable. Ecoute, voilà ce que je voudrais que tu fasses…

Le téléphone toujours collé à l'oreille, elle s'adressa ensuite à lui.

— J'attends pendant qu'elle appelle Denise.

— Et, on peut savoir qui est cette Denise ?

— L'ancienne assistante de Christy à La Nouvelle-Orléans. Elle a démissionné pour épouser un homme originaire de Géorgie, et ils se sont installés à Savannah. Mais elles sont restées amies. J'espère seulement…

Elle interrompit son explication alors que sa sœur revenait en ligne.

— Elle est d'accord ? Fantastique ! Merci beaucoup. Square Washington dans une demi-heure. C'est noté.

Eden raccrocha et se tourna triomphalement vers lui.

— Nous sommes dans la place ! Denise est d'accord pour nous retrouver pendant sa pause-déjeuner. Ils ont reçu trois invitations, mais une seule servira. Nous pouvons avoir les deux autres, à condition de faire attention que cela ne revienne pas aux oreilles de son patron.

Ce qui pouvait être un problème, pensa-t-il. A l'évidence, ils n'étaient ni l'un ni l'autre afro-américains. Et puis, il y avait un autre détail qu'Eden négligeait, et non des moindres. Harriet Krause avait été assassinée et, avec ce qu'ils connaissaient à présent des Jamison, il était tout à fait possible que son assassin soit un membre de cette famille.

Mais Eden semblait si excitée d'avoir trouvé une solution qu'il préféra ne rien dire.

*
* *

Le musée de Savannah était une immense bâtisse de style classique qui surplombait le fleuve. Les visiteurs se pressaient à l'entrée quand Eden et Shane arrivèrent.

Ils rejoignirent la bruyante assemblée dans le vaste hall de marbre. Certains n'étaient intéressés que par la collection Vermeer, mais la grande majorité faisait la queue devant les portes permettant d'accéder à la cérémonie commémorative.

— Vous avez raison, observa Shane. La sécurité est renforcée.

Eden jeta un coup d'œil nerveux aux gardes en uniforme qui contrôlaient scrupuleusement chaque personne. Leurs invitations étaient authentiques, et il n'y avait aucune raison pour qu'ils aient des ennuis, mais elle se sentirait quand même plus rassurée une fois qu'ils auraient franchi le contrôle.

— Restez près de moi, lui dit-il.

C'était un bon conseil, mais les mouvements de foule ne tardèrent pas à les séparer. Elle se retrouva à avancer dans la file de droite, tandis qu'il restait bloqué dans celle de gauche.

Etait-ce parce qu'elle pouvait difficilement passer pour une Afro-américaine, ou parce qu'elle était habillée de façon trop décontractée pour l'occasion — son T-shirt et son pantalon de toile avaient mal supporté le voyage — ? Quoi qu'il en soit, le vigile ne se contenta pas d'un simple coup d'œil à son invitation.

— Ouvrez votre sac, s'il vous plaît.

Elle s'exécuta, tout en se félicitant d'avoir laissé son arme dans la boîte à gant de sa voiture.

L'homme déplaça le contenu de son sac avec le bout de son crayon et parut satisfait.

— Merci, madame. Bonne soirée.

Elle franchit la porte, mais son soulagement fut de courte durée. Quand elle se tourna pour repérer Shane dans la foule, elle le trouva confronté à un problème plus alarmant que le sien.

— Puis-je avoir une pièce d'identité, monsieur ?

Shane n'avait pas de papiers. Ils n'avaient pas pensé à cela.

— Ecoutez, je suis désolé, mais j'ai oublié mon portefeuille à la maison.

Elle s'approcha et présenta son permis de conduire.

— Tout va bien. C'est mon mari.

Le vigile hésita.

— Je vous assure que nous sommes mariés, insista-t-elle.

Elle souleva la main de Shane et la présenta à côté de la sienne.

— Vous voyez, nos alliances sont assorties.

Observant d'abord les alliances, puis la longue ligne d'invités qui s'impatientaient, le vigile hocha la tête.

— C'est bon. Passez.

Shane la rejoignit de l'autre côté de la barrière.

— Bien joué, murmura-t-il.

Puis il lui adressa un clin d'œil.

— C'est bien pratique, finalement, non ?

Elle sourit subrepticement. Il faisait référence à leur prétendu mariage. Une fois de plus, cela leur avait sauvé la mise. Mais ce n'était pas le moment de rêver à la possibilité que cet arrangement devienne un jour une réalité.

— Je crois qu'il faut aller par là, dit-elle.

Ils suivirent la foule le long d'un des halls d'exposition et débouchèrent sur le lieu de la cérémonie.

La plupart des invités se ruaient vers les hautes portes vitrées à la française qui permettaient d'accéder au patio, mais Eden et Shane ne se joignirent pas à eux. Denise les avait prévenus que son patron serait assis au premier rang et qu'ils feraient mieux de trouver une place à l'écart sur la galerie.

Cette suggestion leur convenait très bien : ils avaient besoin de voir sans être vus.

Ils empruntèrent un escalier qui les mena à une galerie en arcades surplombant le patio sur quatre côtés. De nombreux spectateurs y avaient déjà pris place. C'était aussi un avantage : ils pouvaient se fondre dans la foule.

Ils se trouvèrent un emplacement discret près d'une colonne, d'où ils avaient une vue imprenable sur le patio. Des rangées de chaises pliantes avaient été disposées sur la partie dallée au centre, et toutes étaient occupées. Sebastian Jamison avait dû être un donateur apprécié pour attirer un tel public, songea Eden.

Une harpiste jouait en sourdine sur l'un des côtés de la cour baignée de soleil, où des plantes en pots encadraient une fontaine. Une longue estrade avait été installée de l'autre côté. La sculpture commémorative se trouvait juste devant, momentanément dissimulée sous une étoffe.

— C'est sans doute réservé à la famille, dit Shane, en indiquant une rangée de chaises sur l'estrade.

Les Jamison ne s'étaient pas encore montrés. Toutes les chaises étaient vacantes.

— Que le spectacle commence, murmura Shane, tandis qu'un homme aux cheveux blancs montait sur l'estrade.

La harpe se tut. Les conversations bruissèrent encore quelques secondes et cessèrent.

Après avoir souhaité la bienvenue aux invités, et s'être présenté comme étant Edward Harris, le directeur du musée, l'homme poursuivit sur un ton plus solennel.

— Nous sommes ici pour rendre hommage à un citoyen exceptionnel, en compagnie de nos cinq invités d'honneur. Merci d'accueillir la famille du regretté Sebastian Jamison.

L'audience applaudit poliment tandis que deux femmes, suivies de trois hommes entraient par une porte sur la gauche et rejoignaient en file indienne les chaises qui les attendaient sur l'estrade.

Eden eut un hoquet de surprise et s'agrippa au bras de Shane. A la crispation de ses muscles sous sa main, elle comprit qu'il était tout aussi choqué qu'elle-même.

Les deux femmes restaient encore à être identifiées, mais les trois hommes étaient quant à eux par trop familiers.

— Pour ceux qui ne les connaîtraient pas encore, dit Edward Harris, laissez-moi vous présenter nos invités. L'épouse de Sebastian, le très respecté Dr Claire Jamison.

Elle était mince et élégante, avec des cheveux blonds cendrés coupés en un carré classique aux épaules. Elle devait avoir dans les cinquante-cinq ans, jugea Eden, mais elle avait le visage étonnamment dépourvu de rides. Esquissant un sourire, elle adressa un signe de tête altier à l'assistance.

— La fille de Sebastian, Irene Jamison Moses.

La fille de son premier mariage donc. Et la femme de Charlie ? Voilà qui expliquait son lien avec la famille. En tout cas, il ne s'était pas trop mal débrouillé. Non contente d'être riche, Irene était éblouissante de beauté, avec les mêmes cheveux blonds-roux que son frère Simon. Les cheveux de Nathan, pensa t elle, avec un petit pincement au cœur.

Irene fit un petit salut mutin en agitant le bout des doigts, tandis qu'Edward Harris passait aux hommes.

— Le mari d'Irene, Charles Moses, et les beaux-fils de Sebastian, Bryant et Hugh Dennis.

Les fils que Claire avait eus d'un premier mariage, supposa Eden. Quelles avaient été leurs relations avec

Sebastian ? Le vieil homme devait avoir une bonne raison pour faire de Nathan son seul héritier, au détriment de sa propre fille, Irene. Quel était le degré de rancœur de ces cinq personnes ? Assez fort pour tuer ?

La famille avait pris place sur les chaises. Le directeur s'était lancé d'un éloge de Sebastian. Claire était sagement assise, les mains croisées sur ses genoux. Irene paraissait s'ennuyer. Elle jouait avec une paire de lunettes de soleil. Charlie et les deux frères semblaient mal à l'aise.

— Et maintenant, je voudrais demander au Dr Jamison de se joindre à moi pour dévoiler la sculpture dédiée à Sebastian Jamison.

Edward Harris tendit son bras à Claire et la guida en bas de l'estrade.

— A la mémoire de mon cher mari, annonça-t-elle d'une voix douce et élégante, tout en tirant sur la cordelette que lui avait indiquée son accompagnateur.

L'étoffe glissa, révélant, sous une pluie d'applaudissements, un obélisque installé sur un carrousel provisoire. Le plateau se mit à tourner lentement, révélant sur les quatre faces une série de reliefs sculptés dans la pierre.

Tandis que Claire regagnait sa chaise, le directeur s'adressa de nouveau à la foule.

— Les éléments en relief que vous pouvez admirer, mesdames et messieurs, représentent les différents projets auxquels Sebastian Jamison a donné vie à Savannah et ailleurs en Géorgie. Dès demain, la sculpture sera installée de façon permanente dans la cour.

Puis, il céda le micro à un autre intervenant.

Les discours s'enchaînèrent, plus ennuyeux les uns que les autres, et Eden ne tarda pas à décrocher. Tournant la tête vers Shane, elle allait lui proposer de partir, quand elle remarqua avec quelle fascination il observait l'obélisque qui continuait à pivoter sous les rayons du soleil.

— Qu'est-ce qu'il y a ? murmura-t-elle.

Il secoua la tête.

— Je ne suis pas sûr…

Elle avait déjà vu cette expression crispée, ce regard hébété… N'était-ce pas le signe avant-coureur d'un nouvel éclair de mémoire ?

Un regain d'espoir lui fit battre le cœur plus vite.

12

La cérémonie était enfin terminée. La foule commençait à se presser vers la sortie. Un photographe demanda à la famille Jamison de poser à côté de l'obélisque. La galerie commençait aussi à se vider, mais Eden et Shane s'y attardèrent.

— Cette sculpture a réveillé quelque chose en vous, n'est-ce pas ? lui demanda-t-elle.

— Peut-être. Il faudrait que j'aille voir de plus près.

Elle tiqua un peu. C'était risqué, mais ils ne pouvaient négliger aucune possibilité.

Ils attendirent que la galerie soit totalement inoccupée, regagnèrent le hall et jetèrent un coup d'œil dans le patio par l'une des portes-fenêtres. Les invités avaient déserté l'endroit, et deux employés commençaient à replier les chaises.

— Je vais rester ici pour faire le guet, proposa-t-elle.

— Je ne sais pas si c'est une bonne idée de nous séparer avec les frères Dennis dans les parages.

— Nous avons fait attention de ne pas nous faire repérer. Ils n'ont aucune raison de s'être attardés ici, alors qu'ils ignorent notre présence à Savannah.

— Dans ce cas, pourquoi avez-vous besoin de faire le guet ?

— Par simple précaution.

Shane ne semblait toujours pas convaincu, mais ils perdaient du temps.

— Très bien. Ça ne devrait me prendre que deux minutes. Mais criez si vous avez besoin de moi.

Elle le regarda se diriger vers l'obélisque, dont le plateau avait cessé de tourner. Les employés empilaient les chaises sur un chariot et ne lui posèrent pas de questions.

Elle s'écarta du seuil et fit quelques pas dans le hall, afin d'avoir une vue dans toutes les directions.

A gauche, le large corridor désert s'étirait vers l'arrière de l'immeuble. Sur la droite, il formait un angle quelques mètres plus loin et revenait vers l'entrée principale.

Par simple précaution, avait-elle dit. Mais pourquoi ? Quelle raison avait-elle de s'inquiéter ?

Quelques secondes plus tard, elle eut la réponse. Le silence fut soudain interrompu par une conversation qui venait de quelque part au coin du couloir, assez proche pour qu'elle la distingue clairement.

— Alors, Jerry, on fait sa ronde ?

Elle se raidit aussitôt.

Elle connaissait cette voix !

— En fait, je sortais faire une pause cigarette. Mais je pensais que vous étiez tous partis.

— Ma femme ne retrouve plus ses lunettes de soleil. Elle pense qu'elle a dû les faire tomber sur l'estrade.

— Je peux aller voir, si vous voulez.

Non, Jerry, je vais les chercher moi-même. Allez-y, et profitez de votre pause.

Eden devait prendre très rapidement une décision. Elle avait le choix entre courir jusqu'au patio et prévenir Shane du danger, ou rester là et affronter l'homme qui l'avait autrefois trahie.

Mais le plus important n'était-il pas que Shane ait suffisamment de temps pour examiner l'obélisque ?

Cela pouvait débloquer le reste de sa mémoire et les conduire à Nathan. Elle n'avait donc pas d'autre choix que de retarder Charles Moses.

— Bonne soirée, monsieur.

Le vigile devait s'être éloigné. Elle se blinda pour la confrontation. L'instant d'après, Charlie apparaissait au coin du couloir, la démarche nonchalante. Il se figea en la découvrant.

— Eden ! Que fais-tu ici ?

Elle l'observa sans répondre. Il avait toujours été séduisant, avec des traits qui frôlaient la perfection, et des cheveux très noirs.

Cela n'avait pas changé. Il était même encore plus beau qu'autrefois, si cela était possible. Mais son charme n'agissait plus sur elle. Au contraire. Qu'avait-elle bien pu lui trouver ?

— Cela fait longtemps, n'est-ce pas ? dit-elle d'un ton dégagé.

Il ne fut pas dupe. Son regard quitta son visage et sonda la zone derrière elle.

— Où est-il ?

— Qui ?

— Ne joue pas les innocentes avec moi, Eden. Tu sais très bien de qui je parle. Le type avec qui tu es en cavale.

— Oh ! tu veux dire, Michael Reardon ?

Charlie ne fut pas assez rapide à cacher sa surprise.

— Eh oui, il sait qui il est maintenant. Mais il y a quelque chose de curieux, Charlie.

— Quoi ?

— Ta réaction quand j'ai dit qu'il avait retrouvé son identité, comme si tu savais qu'il était amnésique. Et tu ne pouvais pas le savoir, à moins de l'avoir appris par Harriet Krause juste avant qu'elle ne meure.

— Je ne sais pas de qui tu parles.

— Bien sûr que si. Tu lui as rendu visite il y a quelques semaines, et elle t'a parlé de Lissie Reardon. Je pense qu'elle a dû aussi t'apprendre que Lissie avait un frère, et tu t'es dit qu'elle s'était probablement réfugiée chez lui. Ça t'a pris un moment pour le retrouver, mais en bon détective que tu es, tu l'as finalement localisé en Arizona. C'est bien comme ça que ça s'est passé, n'est-ce pas, Charlie ?

— Et alors ? La famille était inquiète. Nous avions le droit de savoir où l'enfant et sa mère étaient allés.

— Je suis sa mère, Charlie. Mais je pense que tu le sais déjà. Harriet a dû te le dire. A toi, ou à la dernière personne qui lui a rendu visite.

Il la toisa sans répondre.

— Que s'est-il passé en Arizona, Charlie ? Je parie que tu es arrivé trop tard. Lissie était morte, et Michael était déjà en route pour Charleston avec mon fils. Qu'as-tu fait, alors ? Tu as appelé les demi-frères de ta femme à la rescousse ? Tu as lâché ces deux brutes sur lui comme on lâche des chiens d'attaque ?

— Reardon n'a aucun droit sur Patrick. Ce n'était ni plus ni moins qu'un enlèvement.

— Il n'avait pas le droit de ramener son fils à la femme qu'il a épousée ?

Charlie ricana.

— Qu'est-ce que c'est que cette histoire ?

— La vérité. Michael est mon mari.

Elle lui agita sa main gauche sous le nez.

— Tu vois ?

Charlie comprendrait très vite que Shane n'était pas réellement son mari, pensa-t-elle. Mais si cela pouvait leur faire gagner quelques minutes, c'était toujours ça de pris.

Et franchement, elle se délectait de son expression

médusée. C'était l'occasion de lui montrer que, même s'il l'avait laissée tomber, un autre homme avait voulu d'elle.

— De toute façon, reprit-elle, si vous étiez convaincus que Michael avait de mauvaises intentions, pourquoi n'avez-vous pas prévenu la police ? Qu'est-ce que vous mijotez tous les cinq ?

Les yeux soudain brillants de colère, Charlie s'avança vers elle avec un air menaçant.

— Tu n'es pas très maligne.

Elle resta fermement campée sur ses positions.

— Ah, non ?

— Je te suggère de me dire où est Reardon.

— Et moi, dit une voix glaciale dans le dos d'Eden, je vous suggère de reculer.

Charlie et elle étaient si impliqués dans leur joute verbale qu'ils n'avaient pas entendu Shane arriver.

— Si vous la touchez, insista ce dernier, je vous mets en pièces.

Elle vit Charlie hésiter. Il n'était pas de taille à affronter Shane.

— Il va chercher des renforts, dit-elle, alors que son ex-petit-ami tournait les talons et se dirigeait d'un pas pressé vers le hall d'entrée.

— Je sais. C'est pourquoi nous ferions mieux de ne pas nous attarder. Venez.

Shane la prit par la main, et ils se hâtèrent le long du corridor qui menait à l'arrière du musée.

— Et l'obélisque ? demanda-t-elle d'une voix haletante. Vous avez pu…

— Oui, j'ai reconnu un des sites, et cela a suffi à débloquer le reste de mes souvenirs perdus.

— Et Nathan ?

— Il n'est pas loin d'ici. Ne vous inquiétez pas, il est

entre de bonnes mains. Je vous raconterai tout quand nous serons sortis.

Shane avait raison. Ils avaient besoin de garder leur souffle et de se concentrer pour trouver une sortie. Pour le moment, elle devrait se contenter de savoir que son fils était en sécurité.

Ils étaient presque arrivés au bout du corridor quand Shane reprit leur conversation.

— Il y a autre chose concernant cet obélisque. Ou plutôt, l'air autour de lui.

Elle lui lança un regard oblique. De quoi pouvait-il bien parler ?

— J'ai senti le même parfum que celui qui flottait dans le salon d'Harriet Krause.

— Claire et Irene se sont tenues près de l'obélisque pour la photo. Ça veut dire que l'une d'elles a rendu visite à Harriet… et l'a peut-être tuée.

— Encore une nouvelle direction dans laquelle chercher.

Et cela aussi devrait attendre qu'ils soient sortis. Ce qui ne se présentait pas sous les meilleurs auspices, se dit Eden, quand ils arrivèrent enfin au bout du couloir. Il n'y avait aucune issue vers l'extérieur, à part les fenêtres. Mais, à cause du dénivelé de la colline, cette partie du bâtiment surplombait la rivière d'une hauteur de deux étages.

Shane jura entre ses dents. Pourtant tout n'était pas perdu. Ils n'étaient pas dans un cul-de-sac, mais avaient encore le choix de bifurquer à droite ou à gauche.

— De quel côté ? demanda-t-elle.

— Par là, lança-t-il, en désignant la droite. On dirait qu'il y a un escalier de ce côté.

Ils ne purent malheureusement pas l'emprunter. Un garde était posté en bas. Par chance, il leur tournait le dos et parlait dans sa radio, la tête penchée.

— Vous voulez parier que nous sommes le sujet de la conversation ? murmura Shane, tandis qu'ils battaient rapidement en retraite.

Il ne leur restait plus maintenant qu'à essayer le côté gauche, et à croiser les doigts pour que cela les mène vers une sortie.

Comme ils repassaient devant les fenêtres, Shane marqua un temps d'arrêt.

— Attendez un instant. Je veux vérifier quelque chose.

— Faites vite.

— Oui, j'avais raison, annonça-t-il triomphalement. Il y a un toit terrasse juste en dessous. Il suffit de passer par la fenêtre et de sauter.

— Et ensuite ?

— Je pense qu'il y a un moyen de descendre… Vous voyez cette paire de rambardes recourbées au ras du toit ?

— Une échelle à incendie ?

— Non, un équipement permanent pour la maintenance des appareils de ventilation sur le toit. Venez. Il n'y a pas une minute à perdre.

— Evidemment, ils se sont échappés ! Il est trop malin pour vous.

Claire Jamison toisait sévèrement sa famille rassemblée dans le patio désert.

Charles Moses venait de les rejoindre pour leur rapporter qu'il n'y avait trace nulle part d'Eden Hawke et de Michael Reardon, et qu'une fenêtre ouverte semblait indiquer qu'ils avaient quitté le musée par cette voie.

Le regard vert de Claire se posa sur ses deux fils.

Plus de muscles que de cervelle, songea-t-elle avec dédain. Exactement comme leur père, dont elle s'était empressée de divorcer quand elle avait compris que Sebastian Jamison avait beaucoup plus à lui offrir.

— Comment ai-je pu vous faire confiance ? Si vous n'aviez pas tout compromis dès le départ, en n'étant pas à l'aéroport quand l'avion de Reardon s'est posé, nous n'en serions pas là.

— Ce n'est pas notre faute si le temps et la circulation nous ont retardés, pleurnicha Bryant.

— Et je suppose que ce n'était pas non plus votre faute quand vous l'avez perdu à Charleston ?

Elle claqua la langue pour exprimer son dégoût, tandis que son regard se posait sur le mari de sa belle-fille.

Contrairement à Bryant et Hugh, Charles n'était pas stupide. Elle s'était attendue à autre chose de sa part, mais lui aussi avait échoué.

— Tu as eu tort de prévenir les vigiles en prétendant que Reardon menaçait ta famille. Tu savais pourtant que nous ne devions pas attirer l'attention sur lui.

Charles haussa les épaules.

— Vous vouliez quoi ? Que je le laisse filer ?

— Il s'est échappé de toute façon, lui fit-elle remarquer d'un ton sec. Et nous n'avons toujours pas Patrick.

Mais elle trouverait une solution, se promit-elle.

Elle, au moins, elle était intelligente. Bien plus intelligente que la moyenne des gens. Et surtout, elle possédait une qualité essentielle : une détermination sans faille.

Elle l'avait prouvé ici à Savannah, et à Charleston, où Harriet Krause lui avait fourni des informations capitales avant de mourir. Ainsi, elle avait appris qu'Eden Hawke était la mère biologique de Patrick. Et que l'homme qui se faisait appeler Shane était amnésique et ne savait pas ce qu'il avait fait de l'enfant.

— Maintenant, vous allez tous m'écouter, dit-elle d'un ton sévère. Ce que j'ai déjà fait, je peux le refaire si j'y suis obligée. Mais je ne suis pas seule dans cette affaire. Nous sommes tous impliqués. Et vous savez ce que nous perdrons si l'un de vous l'oublie. Il serait temps que vous vous bougiez un peu.

— Dans ce cas, pourquoi sommes-nous encore ici en train de discuter ? demanda sa belle-fille d'un ton de défi.

— Réfléchissez, répondit-elle, en ne s'adressant pas seulement à Irene, mais à tous. Nous ne savons pas pourquoi Reardon et cette femme sont venus à Savannah. Mais, d'après ce qu'elle a dit à Charles, nous savons maintenant qu'il a recouvré la mémoire.

— Si c'était vrai, remarqua Irene, pourquoi se seraient-ils embêtés à venir au musée ? D'autant que c'était quand même risqué pour eux.

— Exactement.

Claire passa la main dans ses cheveux blonds et attendit une réaction. Mais personne ne semblait voir l'évidence.

— Vous ne comprenez pas ? Si Reardon avait totalement recouvré la mémoire, ils auraient l'enfant à l'heure qu'il est et seraient retournés à Charleston pour tout raconter à la police.

— Eden m'aurait menti ? Reardon n'aurait pas retrouvé la mémoire ? demanda Charles.

— Si c'était le cas, ils ne connaîtraient pas son nom. Mais il est fréquent que la mémoire ne revienne que par bribes, et il peut lui manquer des éléments…

— Je comprends, dit Charles. Vous pensez qu'il se souvient de tout, sauf de l'endroit où il a caché Patrick.

Claire hocha la tête.

— Et il était ici dans le patio quand tu es revenu chercher les lunettes d'Irene ? Tu en es bien sûr, Charles ?

— Oui. Il en est sorti pendant qu'Eden et moi étions en train de discuter.

— Alors, c'est qu'il cherchait une réponse dans cet endroit.

Les deux employés étaient revenus avec le chariot pour emporter une seconde cargaison de chaises. Claire traversa la cour, en faisant claquer ses talons sur les dalles, et alla leur parler.

— Je me demandais si vous pouviez m'aider, demanda-t-elle d'un ton doucereux. Il y avait un homme ici, il y a une demi-heure.

Charles l'avait rejointe pour apporter une description.

— Un grand type assez baraqué, avec une légère claudication. Vous étiez peut-être dans la cour à ce moment-là ?

Le plus âgé des employés hocha la tête.

— Avez-vous remarqué ce qu'il faisait ? demanda Claire.

— Il regardait l'obélisque.

— Un endroit en particulier ?

— Je n'ai pas remarqué.

— Moi, si, intervint le plus jeune. Il regardait derrière. Et il avait l'air en extase. Je me suis dit que c'était vraiment un fan de sculptures, vous voyez.

— Merci, messieurs.

Les deux hommes se remirent au travail, tandis que Claire se précipitait vers l'obélisque, sa famille sur ses talons.

Elle passa un moment à étudier les dessins, au nombre de quatre.

Le premier représentait le musée, et le troisième un jardin d'enfants à Savannah. Elle eut tôt fait de les écarter. Le second et le quatrième lui semblaient beaucoup plus intéressants.

— L'une de ces représentations a débloqué la mémoire

de Michael Reardon. C'est soit ce phare sur la côte, soit cette plantation.

— Tu veux dire que le gamin est caché dans un de ces endroits ? demanda Bryant d'un ton dubitatif.

— C'est un peu tiré par les cheveux, approuva son frère, Hugh.

Claire se rapprocha de ses fils.

— Ecoutez-moi bien, tous les deux. C'est probablement notre dernière chance, et vous n'allez pas tout gâcher cette fois. Hugh, tu iras à la plantation avec Charles. Bryant, tu viens avec moi au phare. Je suis convaincue que Patrick est dans l'un de ces endroits, et nous ne reviendrons pas sans lui.

Il fallait absolument retrouver ce gamin et régler le problème. Leur avenir en dépendait.

13

— Le phare de Palm Island, dit Shane.

Eden avait hâte d'entendre la suite, mais elle devait concentrer son énergie à les sortir de Savannah. Elle était arrêtée derrière un petit train touristique. Il fallait prendre une décision avant que le feu ne passe au vert.

— Dans quelle direction ?

— Tout droit, répondit-il.

Il lui donna le numéro de la route qu'ils devaient prendre. Ils furent bientôt sortis du district historique et en route pour la côte.

— Et maintenant, dites-moi tout, le pressa-t-elle.

— C'est l'un des premiers phares de la côte Atlantique, et il était en mauvais état quand je l'ai connu, adolescent. Cela faisait des années qu'on parlait de le restaurer, et Jamison a fini par financer une large partie du projet. C'est pour ça qu'il était représenté sur l'obélisque.

Elle ne trouvait pas ses explications très claires.

— Nathan est caché dans un phare ?

— Non, mais pas loin. J'avais l'habitude de voir tous les jours sa lumière à distance. C'était un point de repère familier, et c'est pour ça que je l'ai finalement reconnu.

— Mais, attendez, vous ne m'avez pas dit que vous aviez grandi en Virginie ?

— Si, mais je passais mes vacances scolaires ici, à travailler pour un couple de Palm Island.

Ce nom ne lui disait rien, mais ce n'était pas surprenant. Il y avait quantité de petites îles le long de la côte de Caroline et de Géorgie. Elle ne pouvait pas toutes les connaître.

— Estelle et Victor Dubois, reprit Shane, avec une intonation affectueuse. Victor et mon père étaient professeurs à l'université de Richmond, mais les Dubois possédaient une maison de vacances et des cottages de location sur la plage de Palm Island. Je les aidais à accueillir les touristes durant l'été. Aujourd'hui, Victor est à la retraite, et ils y vivent à plein temps.

Elle comprit enfin.

— Nathan est avec ce couple ?

— Je les ai appelés depuis l'Arizona, et ils sont venus prendre Nathan à l'aéroport de Charleston. Je savais qu'il serait en sécurité avec eux, tandis que j'enquêtais sur vous. Estelle et Victor sont comme ma famille. Ce sont des gens bien.

Elle avait confiance en lui, mais la situation l'angoissait. Il dut le comprendre, car il attrapa son portable sur le tableau de bord.

— Je vais les appeler, dit-il. Il faut qu'ils sachent que nous sommes en chemin

Les yeux rivés sur la route, elle l'écouta discuter avec Victor et lui expliquer la situation.

— Tout va bien, annonça-t-il, après avoir raccroché. Patrick, je veux dire Nathan, est en pleine forme. Personne n'est venu rôder autour de la maison ou n'a demandé après lui. Mais ils ont promis de le surveiller de près jusqu'à ce que nous arrivions.

Elle hocha la tête et regarda dans son rétroviseur. Rien n'indiquait qu'ils aient pu être suivis, mais elle préférait rester sur ses gardes.

Jusqu'à présent, elle n'avait pas eu l'occasion de

demander à Shane ce qu'elle brûlait de savoir depuis qu'il lui avait appris que Beth lui avait confié Nathan, mais maintenant…

— Cela fait trois ans que je l'ai perdu, dit-elle d'une voix chargée d'émotion. Il a dû beaucoup changer, depuis. Vous avez passé du temps avec lui, Shane. Dites-moi comment est mon fils.

— Je n'ai pas l'habitude des enfants, Eden. Je ne sais pas s'il est comme tous les enfants de cinq ans ou pas.

— Je vous en prie. J'ai besoin de savoir.

— Il est mignon, mais vous le savez déjà grâce à la photo. Pour le reste… Eh bien, il est intelligent, il aime les animaux, mais il est un peu timide avec les gens.

— Est-ce qu'il a beaucoup d'énergie ? La plupart des garçons de cet âge ne tiennent pas en place.

— Eh bien, il lui arrive de jouer comme un petit fou, et puis…

Il hésita, comme s'il craignait de dire quelque chose qui pourrait l'inquiéter.

— Quoi ?

— Il devient soudain très silencieux, replié sur lui-même.

— Parce que la femme qu'il croyait être sa mère lui manque ?

— Il n'y a pas que ça. Je crois qu'il cache un lourd secret. Quelque chose qui lui fait peur. Il a dû voir quelque chose qui a poussé Beth à partir, et qu'elle lui a demandé de ne dire à personne.

Seigneur, songea Eden. Mais qu'avait bien pu voir son fils pour être traumatisé à ce point ?

Shane fit un effort pour la réconforter.

— Il va s'en sortir, Eden. Il est solide. Avec du temps et de la patience, il surmontera tout ça, vous verrez.

Elle lui adressa un regard de gratitude et reporta toute son attention sur la route.

Elle ne voulait pas regarder trop souvent dans sa direction et se laisser troubler par sa présence magnétique. Il y avait trop d'incertitudes le concernant.

Ils seraient bientôt à Palm Island. Ils récupéreraient Nathan et retourneraient avec lui à Charleston, où sa véritable identité et son lien avec elle seraient vite établis. La police se chargerait de tout, y compris de faire la lumière sur la véritable implication des Jamison.

Shane et elle en auraient alors terminé avec la mission qu'ils s'étaient assignée. Que se passerait-il ensuite ? Shane sortirait-il de sa vie aussi brutalement qu'il y était entré ? Choisirait-il de repartir en Arizona ?

Elle n'avait pas osé y réfléchir avant, et c'était un sujet qu'elle préférait continuer à éviter. L'idée de le perdre était insupportable.

Elle essaya de penser à autre chose. Le ciel s'était considérablement assombri au sud-est, la direction vers laquelle ils se dirigeaient.

— Je comprends pourquoi il n'y a pas beaucoup de circulation, dit-elle. Le temps se gâte.

— Oui, je sais. Un orage se prépare. J'en ai vu souvent arriver comme ça, de but en blanc, et ils peuvent être violents.

Il fixait le ciel d'un air inquiet.

— Shane, que se passe-t-il ?

— Il n'y a pas de pont.

— Je ne comprends pas.

— Palm Island n'est pas reliée au continent par un pont. La liaison se fait par ferry, et si le temps est trop mauvais…

— Vous êtes en train de me dire que nous risquons de ne pas pouvoir traverser ?

— Ne soyons pas défaitistes. Nous arriverons peut-être avant l'orage.

Ce ne fut pas le cas.

Eden avait beau rouler pied au plancher, l'orage éclata alors qu'ils étaient encore à plusieurs kilomètres de leur destination.

Le vent et la pluie étaient tellement violents qu'elle dut finir par rouler au pas. C'était ça ou prendre le risque d'être balayés hors de la route, qu'elle ne voyait même pas à travers le rideau de pluie.

Quand, enfin, ils arrivèrent à la zone d'embarquement, le torrent s'était quelque peu calmé. Mais le vent continuait à souffler avec force.

Son cœur se serra à l'idée d'être aussi près de Nathan et de ne pas pouvoir l'atteindre.

— Restez à l'abri, dit Shane. Je vais voir quelles sont nos chances.

Il se glissa hors de la voiture et s'élança sous la pluie battante vers le ferry amarré au ponton. Il ne tarda pas à revenir, trempé jusqu'aux os.

— Nous avons de la chance. Le pilote habite sur l'île et comme il n'a aucune envie de passer la nuit ici, il est prêt à prendre le risque de traverser. Il dit qu'il l'a déjà fait dans de pires conditions. Ça vous dit ?

S'il l'avait fallu, elle aurait traversé à la nage pour rejoindre son fils.

— Bien sûr.

Mais la traversée ne fut pas de tout repos, et elle ne fut pas mécontente de retrouver la terre ferme.

Ils faisaient nuit quand ils atteignirent les docks, et Shane prit le volant. Après avoir longé la côte un moment, il bifurqua dans un chemin bordé de pins au bout duquel apparut une maison de briques construite tout en longueur.

Il pleuvait toujours, mais elle se moquait du temps. Tandis qu'ils descendaient de voiture et se dirigeaient vers la maison, dont le perron était allumé, elle remarqua à peine le faisceau du phare qui pivotait dans le lointain. Elle ne pensait plus qu'à Nathan.

Ils sonnèrent à la porte et, en attendant qu'on leur ouvre, Shane se pencha vers elle.

Il déposa un baiser furtif sur ses lèvres.

Ce geste, destiné à la rassurer, la toucha. Shane comprenait ce qu'elle ressentait.

— Ça va aller, dit-il. Il réapprendra à vous aimer.

Elle aurait pu lui rendre son baiser pour cette phrase. Elle l'aurait fait si la porte ne s'était pas ouverte.

Ils furent invités à entrer, avec force sourires et exclamations de bienvenue, et elle fut présentée au couple afro-américain qui avait pris soin de son fils.

Estelle Dubois était une petite femme débordante de gentillesse, de joie de vivre et de chaleur. Son mari, Victor, la dépassait d'une bonne trentaine de centimètres et dégageait une impression de dignité et de sagesse. Elle les trouva immédiatement sympathiques.

Elle devait avoir l'air plus impatiente qu'elle ne l'avait pensé, le regard porté loin au-delà du hall où ils se trouvaient. En tout cas, Victor la comprit.

— Il est dans le séjour familial avec Spice, dit-il d'une voix de basse qui avait dû faire merveille pour attirer l'attention dans ses classes.

Le couple la conduisit à travers un confortable salon, une salle à manger dont la table était dressée pour le dîner, et un vaste séjour familial à l'arrière de la maison.

Spice se révéla être un épagneul turbulent, qui tirait en grognant sur la serviette qu'agitait devant lui le petit garçon assis par terre. Il ne les avait pas entendus arriver, sans doute à cause de la télévision qui marchait à tue-tête.

Estelle traversa la pièce et baissa le volume.

— Regarde qui est là, Patrick.

Il leva les yeux et, même depuis l'autre bout du séjour, Eden reconnut les prunelles bleu lavande qui l'avaient hantée pendant trois ans.

Les larmes vinrent alors brouiller sa vision.

Elle attendait ces retrouvailles depuis si longtemps, elle en rêvait, et soudain elle avait peur que son propre fils la rejette. Après tout, elle était pour lui une étrangère.

Ce n'était pas le cas de Shane. Lâchant la serviette, l'enfant bondit sur ses pieds et se rua à travers la pièce.

— Oncle Mike !

L'homme et l'enfant échangèrent une accolade enthousiaste.

— Hé, mon grand. Tu as vu que je suis revenu te chercher, hein ?

En les voyant ensemble, Eden comprit que Shane avait minimisé leur relation. Il était évident qu'un lien s'était noué entre eux. Elle en était heureuse, et en même temps un peu jalouse.

Les mains sur les épaules de Nathan, Shane le fit pivoter dans la direction d'Eden.

— Patrick, je voudrais te présenter une amie à moi. Elle s'appelle Eden Hawke.

Rien ne passa dans le regard posé sur elle, à part peut-être un peu de curiosité.

Elle le savait. Il n'y avait aucune chance que son fils la reconnaisse après si longtemps, mais elle eut quand même un pincement au cœur. Elle aurait voulu le serrer dans ses bras comme l'avait fait Shane, mais elle n'osa pas. Ce genre de familiarité risquait d'effrayer Nathan.

Elle ne pouvait pas non plus lui dire qu'elle était sa mère. Il ne comprendrait pas.

Elle refoula ses larmes et tenta de se raisonner.

Il faudrait du temps et de la patience avant qu'il ne soit apte à entendre la vérité. Tout ce qu'elle pouvait faire pour le moment, c'était lui sourire et se montrer amicale.

— Bonjour, Patrick. J'espère que nous allons devenir amis.

— 'Jour, marmonna-t-il, sans conviction.

Elle continua à sourire, tandis que son cœur se fissurait d'émotion.

Parviendrait-il un jour à l'appeler maman, ou resterait-il irrémédiablement attaché à la femme qui le lui avait pris ?

La bataille qu'Eden dut livrer contre elle-même au cours du dîner fut très rude.

Elle parvenait à peine à détacher les yeux de Nathan, et ce n'était pas bien. Cette attitude inquiétait son fils, mais c'était si difficile de ne pas le regarder, alors qu'elle voulait se familiariser avec les changements, rattraper tout ce qu'elle avait manqué. Pour finir, ce fut la main de Shane pressant la sienne sous la table qui lui donna le courage de se refréner.

Plus tard, lorsque les adultes se retrouvèrent entre eux, elle interrogea Victor sur un sujet qui la préoccupait depuis le musée.

— J'imagine que l'île est trop éloignée de Savannah pour que vous vous intéressiez à ce qui s'y passe. Mais, comme Sebastian Jamison a financé la restauration du phare, je me demandais si le journal local avait publié son avis de décès.

— Si c'est le cas, je ne me souviens pas l'avoir lu, répondit Victor. Et toi, Estelle ?

Sa femme eut un signe de dénégation.

— Donc, vous ne savez pas comment il est mort ? demanda Eden.

— Non, reprit Victor, mais je connais quelqu'un qui le sait peut-être. Bud Pruitt, qui habite de l'autre côté de l'île, était président du comité de restauration, et il a rencontré plusieurs fois Jamison à Savannah. Je vais l'appeler.

Victor se rendit dans le salon pour téléphoner et revint quelques minutes plus tard. Après avoir jeté un coup d'œil du côté du séjour familial, afin de s'assurer que Nathan ne pouvait pas les entendre, il reprit place à table et leur dit ce qu'il avait appris.

— Bud m'a dit que le vieil homme souffrait d'arthrite sévère et d'angine de poitrine. Vers la fin, il était presque invalide et restait confiné dans son lit ou dans son fauteuil roulant.

— Je suppose qu'il a fait un infarctus ? demanda Eden.

— Effectivement, son cœur a lâché, mais à cause d'une chute dans l'escalier.

Elle échangea un regard avec Shane : il pensait la même chose qu'elle.

Victor surprit cet échange et n'eut pas de mal à deviner leurs soupçons.

— Il y a en effet quelque chose qui cloche dans cette histoire, mes amis. Bud m'a dit que la femme de Sebastian est médecin, et que c'est elle qui s'occupait de ses traitements. D'après l'enquête, il n'y avait personne dans la maison cette nuit-là, à part Patrick et sa nounou, qui dormaient à poings fermés. Le personnel et la famille étaient ailleurs, avec de solides alibis. Personne ne sait pourquoi Sebastian a essayé de descendre, ni pourquoi il n'a pas appelé la nounou s'il avait besoin de quelque chose. Mais pour finir, tout le monde a paru se satisfaire de la thèse de l'accident.

— Et du côté de la nounou ? demanda Eden.

— Aucun mobile, répondit Victor. Apparemment, elle était aussi dévouée à Sebastian qu'à Patrick. Elle s'en voulait même terriblement de s'être endormie.

Eden ne croyait pas du tout à la thèse de l'accident, mais l'ouverture d'une nouvelle enquête devrait attendre leur retour à Charleston. Et cela ne pourrait pas avoir lieu avant demain, à supposer que le temps se soit suffisamment amélioré pour leur permettre de quitter l'île.

Elle se leva pour aider Estelle à débarrasser la table. Une fois dans la cuisine, elle en profita pour la remercier d'avoir pris soin de son fils. La gentillesse du couple ne s'arrêtait cependant pas là. Elle l'apprit en retournant dans la salle à manger.

— Estelle et moi en avons discuté plus tôt, expliqua Victor, et, si vous êtes d'accord, nous voudrions vous proposer un des cottages pour la nuit. Ce serait l'occasion pour vous, Eden, de vous rapprocher de Patrick.

L'idée de se retrouver avec Shane et son fils était tentante. Mais, d'un autre côté, ils seraient livrés à eux-mêmes dans ce cottage…

Inquiète pour la sécurité de Nathan, elle tourna la tête vers le séjour, où son fils jouait avec le chien.

— Personne ne peut accoster cette nuit, dit Shane, comme s'il lisait dans ses pensées. Et je ne vois pas comment ils pourraient savoir que nous sommes ici.

Il avait raison, bien sûr. Et ils n'avaient pas été suivis, ils s'en étaient assurés.

— Ça me ferait très plaisir, dit-elle, en acceptant l'offre de Victor.

— Je dois quand même vous préciser quelque chose. Le cottage Lincoln est le seul préparé pour les hôtes à cette époque de l'année, et il n'a que deux chambres. J'espère que ce n'est pas un problème…

— Je pense que nous trouverons un arrangement, affirma Shane. N'est-ce pas, Eden ?

Etait-ce une lueur de désir dans son regard ? Oui, sans aucun doute.

Y voyait-elle un inconvénient ? Elle avait beau réfléchir, il ne lui en venait pas un seul à l'esprit.

Il avait enfin cessé de pleuvoir quand ils arrivèrent au cottage Lincoln, niché dans un bosquet de pins à proximité de la plage.

Les lourds nuages noirs avaient disparu, laissant un ciel piqueté d'étoiles, mais le vent agitait encore l'océan.

Eden entendait les vagues s'écraser bruyamment sur le sable. Ce bruit, combiné à la lueur phosphorescente de l'eau, renforçait l'impression d'isolement du cottage et donnait au lieu un aspect fantomatique.

Mais le plus sinistre était sans conteste la silhouette massive d'un bâtiment en ruine, érigé sur un piton rocheux à quelques centaines de mètres en surplomb.

— Ce sont les ruines du fort Lafayette, lui expliqua Shane. C'était l'endroit idéal pour amener des filles quand j'étais adolescent.

— J'imagine, marmonna-t-elle.

Ils laissèrent la voiture garée sous les arbres et transportèrent leurs affaires à l'intérieur du cottage. Une fois les lumières allumées et le chauffage mis en route, l'endroit perdit son caractère inquiétant. En fait, il était même plutôt confortable, et elle se réjouit d'y être.

Nathan était en partie responsable de son regain de bonne humeur. Il était surexcité à l'idée de passer la nuit là. C'était tout une aventure pour lui.

— C'est comme du camping, lança-t-il.

— Tu as raison, mon grand, approuva Shane. Mais tu auras droit à un lit confortable au lieu d'un sac de couchage. D'ailleurs, la pendule dit que tu devrais déjà être au lit.

Elle lui enviait son aisance avec Nathan. Elle se sentait quant à elle mal à l'aise et désemparée face à son propre fils, et tournait en rond pendant que Shane s'occupait de tout.

Elle finit par battre en retraite dans la chambre qu'ils allaient partager, en essayant de ne pas regarder vers le lit.

Lorsque Shane revint, elle était en train de se brosser les dents.

— Il dort ?

— Non, mais ça ne va pas tarder. Vous devriez aller le border.

Elle en rêvait, mais n'osait pas.

— Vous croyez qu'il me laissera faire ?

— C'est votre enfant, Eden. Il est temps que vous retrouviez votre rôle de mère.

Il avait raison. Si elle voulait rétablir un lien avec Nathan, elle devait surmonter ses craintes.

Luttant contre sa nervosité, elle traversa le couloir et poussa la porte de la petite chambre d'enfant.

— Je suis venue te dire bonsoir, Patrick.

Le nom ne lui venait pas facilement. Pourrait-elle un jour lui dire comment il s'appelait réellement ? L'accepterait-il ?

— 'Soir, répondit-il.

Devait-elle l'embrasser ? Elle en avait envie. Non, il ne valait mieux pas.

— Tu veux que je laisse une lampe allumée ?

Il secoua la tête.

— D'accord. Mais si tu te réveilles et que tu as besoin de quelque chose, appelle-moi.

— Oui.

Il attendait qu'elle s'en aille. Elle n'en avait aucune envie, mais n'avait pas de raisons de s'attarder.

Elle commença à reculer vers la porte et remarqua quelques livres sur une étagère, dont certains étaient des livres pour enfants.

— Je pourrais te lire une histoire. Enfin, si tu as envie.

Il considéra sa proposition.

— D'accord.

Elle choisit une anthologie de contes classiques.

— Celui-ci a l'air bien.

Elle s'assit sur le rebord du matelas et commença à lire l'histoire de Dick Whittington et de son chat. Il s'endormit bien avant qu'elle n'ait pu finir le conte.

Ce n'était pas grave. Ils avaient pu partager un moment privilégié. C'était un début.

Craignant de le réveiller si elle se risquait à déposer un baiser sur son front, elle éteignit et se glissa hors de la pièce.

Elle refermait la porte derrière elle, l'esprit tout à son bonheur, quand elle écrasa quelque chose sous son pied nu.

Surprise, elle baissa les yeux et resta médusée.

Des fleurs. Des fleurs artificielles de toutes les couleurs, qu'elle se rappelait avoir vues dans un panier sur la table de salle à manger, dessinaient un chemin vers l'autre chambre.

C'était une invitation sur laquelle il n'y avait pas à se tromper.

Elle suivit la piste ainsi tracée et retrouva Shane qui l'attendait avec une impatience non dissimulée.

Il était assis au milieu du lit, les jambes croisées, ne portant rien d'autre que son caleçon.

Elle retint son souffle en le voyant ainsi. Les muscles sculptés de ses bras, de son torse, de ses longues jambes étaient soulignés par la douce lueur d'une unique lampe de chevet.

— Je t'ai laissé un message, dit-il.

— Oui, je l'ai trouvé. Et je crois que je l'ai compris.

Leur étreinte fut à la hauteur des rêves les plus fous d'Eden, tendre et sauvage à la fois, et ce fut ensemble qu'ils perdirent pied, se consumant dans un mutuel éblouissement des sens.

A sa grande surprise, Shane ne tarda pas à rouler sur le côté et à attraper son jean.

— Que fais-tu ?

— Je vais rester un peu avec Nathan.

Il avait dit cela d'un ton détaché, comme s'il voulait éviter de l'inquiéter, mais elle était soudain angoissée.

— Tu as l'intention de monter la garde, n'est-ce pas ? Pourquoi, si tu es aussi sûr que les Jamison ne savent pas où nous sommes et n'ont pas pu traverser cette nuit ?

— Ça me semble une bonne idée, c'est tout.

— Très bien, mais tu ne vas pas veiller toute la nuit. Tu prends le premier tour, et je viens te relever dans deux heures.

— D'accord. Essaie de te reposer, en attendant.

Il remonta la couverture sur elle et déposa un baiser sur ses lèvres. Puis il sortit et ferma sans un bruit la porte derrière lui.

Elle resta étendue, les yeux ouverts, en songeant à ce qu'ils avaient partagé dans ce lit.

Sur le plan physique, elle avait été comblée, mais à aucun moment il ne lui avait dit qu'il l'aimait. Il n'avait exprimé aucun engagement.

Elle essaya d'endiguer sa déception, de ne pas désirer ce qu'il n'était peut-être pas capable de donner.

Après un moment, elle tendit la main et éteignit la lampe de chevet.

Elle avait retrouvé son fils. N'était-ce pas le plus important ?

Eden fut réveillée par un rayon de lune qui filtrait à travers les rideaux. Elle alluma. Il était plus de minuit. Le moment était venu de relever Shane.

Elle se glissa hors du lit, récupéra ses vêtements là où ils avaient volé au sol et les enfila. La température avait baissé dans le cottage, et elle ajouta un gilet avant de quitter la pièce.

Elle croisa Shane dans le couloir, de retour du salon.

— Je vérifiais les portes et les fenêtres, expliqua-t-il. Tout est normal. Réveille-moi à 2 heures, et je te remplacerai. Surtout, si tu entends quelque chose, appelle-moi.

Mais elle n'entendit rien que le vent dans les pins et les vagues qui roulaient sur la plage.

Confortablement pelotonnée dans le fauteuil installé près du lit de son fils, elle finit par s'endormir sans s'en rendre compte.

14

— Ne bouge pas, ne parle pas.

La voix rocailleuse était si proche derrière elle qu'elle pouvait sentir l'haleine chaude de l'homme dans son oreille.

— Pas un geste, c'est compris ? Sinon, c'est le gamin qui paiera.

Eden resta parfaitement immobile. Ou tout au moins, aussi immobile que le lui permettait son corps tremblant.

L'homme fut apparemment satisfait.

Même si le pistolet restait pressé contre son dos, elle ne sentit plus sa respiration lorsqu'il parla de nouveau. La direction de sa voix indiquait qu'il avait tourné la tête.

— C'est bon. Je l'ai neutralisée.

Elle n'entendit pas de mouvement derrière elle, mais quelqu'un les avait rejoints dans la pièce.

Le sillage d'un parfum de luxe était dans l'air, lui rappelant la fragrance qu'elle avait détectée dans un appartement de Charleston, et ravivant le souvenir cruel de ce qui était arrivé à Harriet Krause.

Elle perçut le bruit de la porte qui se refermait derrière la nouvelle arrivante, et l'homme de main lui adressa un nouvel ordre.

— Tourne-toi. Lentement, et en gardant les mains devant toi, que je puisse les voir.

Elle lui obéit. Quel choix avait-elle avec cette arme pointée sur elle, et alors que son fils était menacé ?

Elle n'eut pas de mal à les reconnaître dès qu'elle leur fit face. La lune éclairait suffisamment la pièce à travers la fenêtre pour qu'elle puisse identifier le brutal Bryant Dennis et sa mère, Claire Jamison.

Depuis combien de temps se dissimulaient-ils dans l'obscurité du hall ? Et comment avaient-ils pu entrer dans la maison sans que ni Shane ni elle ne les entendent ?

Mais était-ce vraiment important de le savoir quand Claire la toisait avec une expression meurtrière sur son élégant visage ?

— Ecoutez-moi, dit-elle d'une voix agréablement modulée. Je veux que vous réveilliez l'enfant le plus doucement possible. Il ne faut surtout pas qu'il pleure.

Ils ne voulaient pas attirer l'attention de Shane, comprit-elle.

Pourquoi ? Redoutaient-ils qu'il possède une arme ? Ou avaient-ils d'autres motivations ?

— C'est bien compris ? demanda Claire.

Eden eut un hochement de menton et se tourna vers le lit. Elle était malade de peur, avant tout pour son fils. Mais elle était furieuse aussi qu'ils l'obligent à réveiller Nathan. Il serait terrifié.

Penchée au-dessus du lit, prête à poser la main sur la bouche de son fils, même si cette idée la dérangeait, elle lui parla le plus doucement possible.

— Patrick, il faut te réveiller. Tu m'entends, mon poussin ?

Au début, il ne réagit pas. Elle dut l'appeler deux fois encore, puis le secouer doucement.

Une expression craintive apparut sur son petit visage quand il ouvrit les yeux.

— Chut, tout va bien mon petit cœur.

C'était loin d'être le cas, et Claire empira les choses quand elle murmura dans l'ombre.

— Hello, Patrick. Je t'ai manqué ?

Alarmé par cette voix doucereuse qu'il avait probablement souhaité ne plus jamais entendre, Nathan se redressa contre la tête de lit, les yeux écarquillés.

Eden tourna la tête, et murmura férocement.

— Vous lui faites peur !

— Ça suffit. Il a intérêt à faire ce qu'on lui demande sans dire un mot. Enfilez-lui son peignoir et ses chaussons.

Ils avaient l'intention de l'emmener. Mais où ?

Elle avait peur de connaître la réponse.

Nathan s'agrippa à elle avec confiance tandis qu'elle l'aidait à sortir du lit. En d'autres circonstances, elle aurait accueilli avec une grande joie cette réaction, mais pas cette fois.

Si seulement elle avait pu appeler Shane à l'aide…

La seule chose qui était en son pouvoir, c'était de les retarder, en espérant que Shane se réveillerait de lui-même, comprendrait qu'il se passait quelque chose d'anormal et tenterait quelque chose qui ne les mettrait pas tous en danger.

— Pourquoi ? demanda-t-elle. Pouvez-vous au moins me dire pourquoi ?

Claire eut un rire fluté.

— L'argent, évidemment. C'est absolument merveilleux. Si vous en avez assez, vous pouvez tout acheter. Comme les services d'un pêcheur local prêt à braver des eaux déchaînées pour vous transporter depuis le continent. Et vous pouvez obtenir qu'il vous dise où se trouve l'enfant que vous cherchez. Il n'est d'ailleurs pas surprenant qu'il ait remarqué un enfant blanc hébergé par un couple afro-américain sur une île aussi petite. Il va sans dire que nous avons également pu acheter le silence de cet homme.

— Mais pas de voiture, se lamenta son fils. S'il n'avait pas fallu marcher depuis le débarcadère, nous serions arrivés bien plus tôt.

— Nous aurions alors manqué le panneau indiquant le cottage des Dubois, et la Toyota immatriculée en Caroline du Sud garée devant, rétorqua Claire.

Son humeur changea de nouveau.

— Ça suffit. Avancez tous les deux. On va sortir. Et pas un bruit.

Eden comprit alors leur intention.

Ils n'avaient aucune envie d'être obligés à tirer car ils ne voulaient pas que cela ait l'air d'un meurtre. Mais ils n'hésiteraient pas à les tuer, en faisant en sorte que cela puisse passer pour un accident.

— Tu as entendu, aboya Bryant. Bouge-toi.

Un bras protecteur passé autour des épaules de son fils, elle guida l'enfant dans le couloir.

Elle le sentait frissonner contre elle, et la peur de Nathan ne faisait qu'attiser sa propre colère. Mais que pouvait-elle faire, sinon espérer que Shane viendrait à leur secours ?

Cette possibilité devenait toutefois de plus en plus improbable, alors que rien ne bougeait derrière la porte fermée de sa chambre. Il devait être profondément endormi et inconscient de ce qui se passait.

Elle s'arrêta devant la porte d'entrée, surprise de la voir entrebâillée. Bryant lui enfonça le canon du pistolet dans le dos, et elle ne put s'empêcher de protester.

— Arrêtez ça !

— Alors, avance.

— Patience, Bryant, murmura sa mère. Elle est simplement en train de se demander comment nous avons pu entrer sans qu'elle entende.

Claire se pencha alors vers elle et lui parla sur le ton de la confidence, comme elle l'aurait fait avec une amie.

— Il faut excuser mon fils. Il n'est pas aussi intelligent que je l'aurais souhaité, mais il est doué pour forcer les serrures. Je dois dire que cela me désolait quand son frère et lui étaient adolescents et s'attiraient sans cesse des ennuis. Mais aujourd'hui, je trouve cela très utile.

Elle ouvrit le battant en grand.

— Je vous en prie, ma chère.

Eden hésita. Une fois hors de la maison, ils auraient peu de chances de survivre à ce que Claire et son fils avaient prévu pour eux.

— Maintenant, insista Claire.

Le pistolet était de nouveau dans le dos d'Eden. Elle n'avait pas le choix.

Prenant la main de Nathan dans la sienne, elle le conduisit à l'extérieur. Il faisait nuit, et le vent qui faisait ployer la cime des sapins laissait entendre un hurlement lugubre.

Leurs ravisseurs les poussèrent le long du chemin, puis les firent tourner en direction du vieux fort, dont la masse sombre se distinguait sous le clair de lune.

— C'est beau, n'est-ce pas ? dit Claire d'une voix moqueuse. Tout le monde comprendra qu'un petit garçon qui se réveille au milieu de la nuit et voit ce spectacle depuis la fenêtre de sa chambre soit incapable de résister à la fascination. Et personne ne sera surpris que, s'apercevant qu'il a disparu et courant après lui, la femme chargée de s'occuper de lui perde pied en essayant de le rattraper au bord de la falaise, et les entraîne tous deux dans le vide.

Ils ne survivraient pas aux eaux glacées et déchaînées, songea Eden avec effroi. Cela ressemblerait à un tragique accident, et personne ne pourrait prouver que

Claire Jamison et son fils se trouvaient sur les lieux. C'était pour cette raison qu'ils avaient pris tant de soin à ne pas réveiller Shane.

Les deux faisaient bien la paire, et ils étaient absolument sans pitié.

Nathan tira sur sa main.

— Oncle Mike va venir nous chercher, hein ? murmura-t-il.

— Oui, mon chéri, dit-elle, en espérant que ce soit vrai.

En continuant à croire contre toute raison qu'ils pouvaient encore être sauvés.

Etait-ce encore ce cauchemar ?

A part lors de sa récente séance d'hypnose, cela faisait un moment qu'il ne s'était pas retrouvé dans cette épouvantable jungle, à se battre pour essayer de sauver ses hommes.

Mais non, il était sûr qu'il ne rêvait pas cette fois.

Mais alors qu'est-ce qui l'avait soudain réveillé d'un profond sommeil ? Il n'en avait pas la moindre idée.

Peut-être y avait-il eu du bruit dans le cottage. Un avertissement qui avait pénétré son inconscient.

Il leva la tête de son oreiller et tendit l'oreille. Rien La seule chose qui le chiffonnait, c'était que le cottage était trop silencieux. Comme une marque de désertion.

Etait-il possible que ce genre de calme parvienne à mettre mal à l'aise un homme dans son sommeil ?

Shane n'aimait pas cela du tout.

Repoussant la couverture, il fit basculer ses jambes par-dessus le matelas et se leva pour aller vérifier que tout allait bien du côté de Nathan et Eden dans l'autre chambre.

Il n'alla pas jusqu'à la porte.

Le mouvement qui s'était enregistré dans sa vision périphérique l'arrêta à mi-chemin.

Cela venait de l'extérieur.

Il se dirigea vers la fenêtre et regarda dehors.

Ce qu'il vit lui noua l'estomac d'effroi.

Ils avançaient sur le chemin menant à la route, quatre silhouettes découpées par le clair de lune. Eden et Nathan ouvraient la marche. Leurs ravisseurs, immédiatement derrière, les pressaient d'avancer en les menaçant d'une arme.

Oui, il les reconnaissait parfaitement bien, ce salaud de Bryant Dennis et sa mère, dont les cheveux blonds se détachaient nettement dans le halo dessiné par la lune.

Non ! Ce n'était pas possible !

Une fureur incontrôlable explosa dans sa tête, en même temps qu'une détermination qui galvanisa son action.

Il n'avait pas le temps de se demander comment ils étaient entrés dans le cottage et s'étaient emparés d'Eden et de l'enfant. Pas le temps non plus pour se reprocher de ne pas les avoir entendus arriver, et d'être retourné se coucher alors qu'il aurait dû monter la garde toute la nuit.

Tout ce qui comptait, c'était son irrépressible besoin de retrouver Eden et son fils. Ils étaient tout pour lui ; la famille qu'il n'avait plus.

Sans eux, plus rien n'avait d'importance. Pourquoi n'avait-il pas compris cela plus tôt ?

L'adrénaline lui donnait des ailes. Il enfila rapidement un jean noir, un T-shirt et des chaussures sombres et se faufila dans la nuit.

Sans s'en rendre compte, il était automatiquement passé en mode commando. Le souvenir de son entraînement chez les Rangers était profondément ancré en lui, et ce fut par automatisme qu'il se pencha pour ramasser une poignée de terre fraîche dans un massif de fleurs.

Se barbouillant le visage et les mains de terre pour un meilleur camouflage, il évalua ses cibles.

Ils avaient atteint la route principale et bifurquaient en direction du vieux fort.

Il coupa en diagonale à travers les pelouses qu'il avait autrefois tondues quand il était adolescent et s'élança derrière eux.

Se fondant dans les ténèbres, courant d'arbre en arbre, s'accroupissant derrière des buissons, il réduisit rapidement la distance qui les séparait.

Mais que n'aurait-il donné pour un fusil d'assaut ! Ou en l'occurrence, n'importe quelle arme.

Tant pis. Il trouverait un moyen de venir en aide à Eden et son fils.

A peu près certain maintenant que leur destination était le fort, avec ses eaux meurtrières en contrebas des falaises vertigineuses, il commençait à deviner ce que Dennis et sa mère avaient prévu.

Aurait-il le temps d'intervenir ?

Même en prenant un raccourci, ils étaient encore à une centaine de mètres devant lui. Et avec cette fichue jambe qui le ralentissait…

Eden avait brusquement marqué une halte à l'approche du fort et s'était retournée pour affronter ses ennemis.

Dissimulé par un buisson de rhododendrons humides et affaissés par l'orage, il regarda à travers une ouverture dans le feuillage et la vit discuter âprement avec eux, refusant de continuer à avancer.

Ils étaient trop loin pour qu'il puisse entendre ce qu'ils disaient, mais cela n'avait pas d'importance. L'important, c'était qu'Eden cherchait à gagner du temps.

Le délai lui permit de progresser rapidement, en s'accroupissant derrière les fragments de roche qui hérissaient le parcours.

Le hululement du vent et le fracas des vagues en contrebas jouaient en sa faveur, masquant les sons qui auraient pu avertir de sa présence.

C'était par la seule force de sa volonté qu'il parvenait à avancer malgré les embuches et la douleur dans sa jambe, obnubilé par une seule pensée, celle de sauver Eden et l'enfant.

Il devait à tout prix les ramener et dire à Eden ce qu'il aurait déjà dû lui dire depuis longtemps : qu'il l'aimait, qu'elle était tout pour lui, et que sans elle…

Tu ne vas pas la perdre. Ce n'est pas envisageable. Tu entends, soldat ? Ce n'est PAS envisageable.

Ce qui lui était apparu comme une longue et frustrante expédition ne lui avait finalement demandé que quelques minutes. Mais c'était des minutes vitales, et il redoutait ce qu'elles pourraient lui avoir coûté quand il arriva enfin à proximité de l'ancien escalier du fort, à demi éboulé.

Il allait avoir besoin d'une diversion pour désarmer Dennis. Avec les vestiges de construction tout autour de lui, ce ne serait pas un problème.

Armé d'une brique qu'il avait silencieusement ramassée dans les gravats à ses pieds, il lança son projectile, qui frappa sa cible en pleine tête.

Dennis tomba à genoux, et Shane se rua pour le plaquer au sol.

Il y eut des cris. Provenaient-ils d'Eden, de Nathan ou de Claire ? Il était incapable de le déterminer. Il était trop occupé à mettre en œuvre toutes les techniques qu'il avait apprises pour désarmer Dennis.

Il ne se permit aucune distraction, sauf celle de crier :

— Eden, va-t'en. Prends l'enfant, cours.

Il n'eut pas le loisir de vérifier si elle lui avait obéi. Bryant Dennis se révélait un adversaire coriace, et la bataille pour le pistolet n'était pas aussi facile qu'il l'aurait cru.

Il redoubla d'efforts, assénant quelques coups dans des zones sensibles, mais ce fut finalement un bon vieil uppercut à la mâchoire qui eut raison de son opposant.

Sonné, Dennis relâcha sa prise sur le pistolet. Shane s'en empara. Mais lorsqu'il se releva, il se retrouva en équilibre précaire au bord de la falaise.

Dennis s'était relevé aussi et, avant que Shane ait pu pointer son arme sur lui, il se rua en avant, avec un hurlement féroce. Shane fit un écart pour éviter la charge. Dennis n'eut pas le temps de dévier sa trajectoire et bascula dans le vide.

Shane entendit un cri, suivi d'un bruit sourd. S'approchant du bord, il vit Dennis étendu plusieurs mètres en contrebas, sur une plate-forme suspendue au-dessus du vide. L'angle de sa tête indiquait qu'il s'était brisé le cou.

Mais où étaient passés Eden et Nathan ? D'un regard anxieux, il balaya la zone. Là-bas ! De l'autre côté !

Il apercevait Eden, mais Nathan n'était nulle part en vue. Elle avait dû le cacher dans les vestiges du fort et s'apprêtait maintenant à venir courageusement lui porter secours.

— Non, Eden ! cria-t-il. Retourne à l'abri.

Elle n'était pas seule. Aveuglée par sa haine, Claire Jamison avait abandonné son fils à son triste sort pour continuer à traquer sa proie. De là où il se trouvait, il pouvait la voir se faufiler le long d'un muret, invisible aux yeux d'Eden.

Et dans le clair de lune, il voyait scintiller quelque chose que ni Eden ni lui n'avait anticipé.

Claire avait sorti une arme de son sac.

Même à cette distance, il aurait pu jurer voir l'expression vicieuse sur son visage quand, alertée par son cri, elle se tourna vers lui et fit feu.

Il riposta. Puis il se mit à vaciller et s'effondra à terre.

Ce fut seulement à cet instant qu'il ressentit la brûlure dans son torse. Il avait été touché.

Il porta la main à sa poitrine. C'était la gauche, celle qui portait l'alliance. Mais il ne pouvait pas voir la bague. Elle était noyée de sang.

Et puis, il ne vit plus rien du tout. La lune était devenue noire.

15

L'expectative était insupportable. Si elle devait rester assise plus longtemps dans cette salle d'attente, sans avoir la moindre nouvelle de Shane, elle allait devenir folle.

Si au moins elle avait pu le voir, constater par elle-même s'il y avait eu un changement, un signe d'amélioration… Mais les visites étaient strictement interdites.

Elle avait beau s'informer périodiquement au poste des infirmières, tout ce que l'on consentait à lui dir, c'était qu'il était toujours inconscient, toujours sous respirateur et intraveineuses à l'unité de soins intensifs, où il avait été transféré la veille après des heures de chirurgie.

Et s'il ne s'en sortait pas ?

Elle aurait préféré ne pas avoir à l'envisager, mais le risque était réel, le chirurgien lui ayant brossé un tableau alarmant de la situation. La balle avait traversé le bas de son poumon droit, tandis qu'un fragment de côte avait perforé son foie en se brisant.

Elle n'oublierait jamais l'effroi qu'elle avait ressenti en découvrant la quantité de sang que Shane avait déjà perdue lorsqu'elle s'était précipitée vers lui.

Heureusement, les secours étaient intervenus rapidement, et il avait pu être transporté par hélicoptère sur le continent. Elle devait une fière chandelle aux Dubois. Victor avait entendu les coups de feu en sortant son chien et, tandis qu'Estelle appelait le 911, il s'était rué vers le fort. Il était resté auprès de Shane, faisant ce qu'il pouvait pour aider.

— Des nouvelles ?

Eden releva la tête et vit son père traverser la salle d'attente.

Ses parents avaient fait le voyage depuis Chicago pour lui apporter leur soutien et leur amour. Et il ne se passait pas une heure sans que sa sœur ou l'un de ses trois frères n'appellent pour prendre des nouvelles de Shane.

En cas de crise familiale, les Hawke avaient pour habitude de se serrer les coudes, et Eden ne manquait pas de l'apprécier.

Elle secoua la tête.

— Rien. Tu as déposé maman ?

— A l'embarcadère du ferry. Victor Dubois l'attendait de l'autre côté avec sa voiture. A l'heure qu'il est, je suppose que ta mère est avec son petit-fils.

Nathan était de nouveau sous la garde de Victor et Estelle. Eden ne s'inquiétait plus pour la sécurité de son fils. Shane avait éliminé la menace qui pesait sur lui. Mais à quel prix ?

Son père l'observait, ses yeux bleus assombris par l'inquiétude. Contrairement à ses trois fils, c'était un homme de petite taille, aux traits épais, avec une masse désordonnée de cheveux gris et un sourire bon enfant auquel il ne fallait pas se fier. C'était un détective au caractère bien trempé et, quand il le fallait, un père sans concession.

— Ma petite fille, tu as une mine épouvantable.

— Je vis un enfer.

— Allons faire un tour. Ça te fera du bien de marcher.

— Non. Il n'est pas question que je mette un pied hors de l'hôpital avant…

— Qui a dit que nous devions sortir ? Il y a des kilomètres de couloirs dans cet endroit. Restons à l'étage. Ils te trouveront bien s'ils ont quelque chose à te dire.

Son père avait raison. Elle commençait à suffoquer dans la salle d'attente.

— Et si on en profitait pour faire le point ? lui demanda-t-il. Tu nous as déjà dit l'essentiel à ta mère et à moi, mais je veux tout savoir. Par exemple, comment cette Lissie Reardon s'est retrouvée à Savannah avec Nathan, se faisant passer pour sa mère auprès des Jamison.

Elle soupira.

— En étant la plus discrète possible. Elle n'a jamais voulu que Nathan soit photographié, ni qu'on parle de lui dans les médias. Nathan étant le petit-fils d'un homme riche, toute publicité pouvait selon elle l'exposer à un enlèvement. C'est l'argument qu'elle avait avancé, et Sebastian ne pouvait que tomber d'accord avec elle. Evidemment, ce n'était qu'un prétexte. Ce qu'elle redoutait vraiment, c'était d'être exposée.

— Je suppose que c'est la police qui t'a appris cela en venant ici t'interroger ?

Elle hocha la tête.

— Charlie, sa femme Irène et le frère survivant ont été arrêtés. Ils faisaient tous partie du complot. Charlie et Hugh Dennis n'ont pas encore parlé, mais Irene a tout avoué, en espérant que cela jouerait en sa faveur lors du procès.

Ils s'écartèrent pour laisser le passage à une civière qu'on poussait hors de l'ascenseur.

— Et alors, quelle est la suite de l'histoire ?

Elle se força à lui sourire. L'intérêt de son père était réel, mais il s'efforçait également de lui occuper l'esprit afin qu'elle cesse, pour quelques minutes au moins, de s'angoisser pour Shane.

Comme si quoi que ce soit pouvait l'en distraire.

Elle fit toutefois de son mieux pour satisfaire la curiosité de son père.

— Beth, ou plutôt Lissie, a menti à Shane en lui disant que Sebastian avait fait de Nathan son principal héritier. J'imagine qu'elle pensait avoir ainsi plus de chances de convaincre son frère de la soutenir. Sans preuve, Shane risquait en effet de douter que Nathan puisse courir un danger.

— Ainsi, le vieil homme n'avait pas…

— Non, mais il allait le faire. Il ne supportait plus l'avidité de sa famille, à commencer par sa femme. S'il réécrivait son testament, Nathan n'aurait plus uniquement une part de sa fortune, mais la quasi-totalité. Claire devait empêcher que cela se produise. Et les autres étaient prêts à la suivre.

— Un meurtre ?

— Oui, mais intelligemment maquillé en accident. Claire s'est arrangée pour que chaque membre de la famille ait un alibi. Elle a choisi une nuit où le personnel avait congé, et où il n'y avait plus sur place que Sebastian, Nathan et sa nounou.

Elle s'interrompit pour écouter une annonce diffusée par haut-parleur, qui s'adressait à un membre du personnel ne répondant pas à son bip, et reprit son récit.

— Ce n'était un secret pour personne que les deux fils de Claire avaient la passion du jeu. Elle les avait envoyés à Atlantic City, avec pour instruction de passer toute la soirée dans l'un des casinos et de s'y faire remarquer. Charlie était à Brunswick pour une enquête et Irene l'accompagnait. Claire devait assister à un bal costumé à plusieurs pâtés de maison du manoir.

— Et Lissie Reardon était à l'hôpital, se souvint son père. Dans ce cas, qui a tué Sebastian ?

— Claire, bien sûr. Personne d'autre n'avait assez de

cran pour ça. Elle a préparé le dîner ce soir-là, ce qu'elle faisait les soirs où la cuisinière avait congé. Même si elle ne prenait jamais de dessert elle-même, sa mousse au chocolat remportait tous les suffrages. Sauf que cette fois-ci, elle y a ajouté un ingrédient garantissant à Sebastian, Nathan et la nounou un sommeil de plomb, sans qu'on puisse retrouver aucune trace qu'ils aient été drogués.

Son père hocha la tête.

— Ce qui n'était pas un problème pour un médecin ayant accès à toutes sortes de médicaments. Donc, si je comprends bien, elle s'est assurée que tout le monde dormait, et elle s'est rendue à sa soirée.

— Oui.

— Ce qui veut dire qu'elle a dû revenir plus tard pour tuer Sebastian. Mais, comment a-t-elle fait pour quitter la soirée sans que personne ne s'en aperçoive ?

— Elle s'est servie d'Irene.

— Qui était supposée se trouver ailleurs avec son mari.

— A Brunswick, avec Charlie.

Ils étaient arrivés au bout du long couloir, et marquèrent une pause devant la fenêtre surplombant le parking deux étages plus bas.

Il faisait déjà sombre à l'extérieur. La chaussée mouillée par la pluie incessante luisait dans les phares des voitures qui arrivaient et s'en allaient. Elle essaya de ne pas se laisser gagner par l'aspect déprimant de cette vision, et de ne pas penser à Shane qui, à l'autre bout du couloir, luttait pour rester en vie.

— Lorsque Charlie et Irene sont arrivés à l'hôtel à Brunswick, continua Eden, elle s'est plainte d'un terrible mal de tête. Ils ont demandé qu'on lui fasse monter de l'aspirine. Après quoi, elle est allée se coucher. Quand Charlie a fait monter son repas, il s'est assuré que l'employé qui lui apportait son plateau aperçoive la silhouette de sa femme endormie. Même chose avec celui qui est venu débarrasser plus tard. Naturellement, ce qu'ils ont vu dans la pénombre n'était qu'un assemblage d'oreillers sous les couvertures, surmontés d'une perruque identique aux flamboyants cheveux blond-roux d'Irene.

— Et pendant ce temps, Irene…

— Se hâtait de revenir à Savannah par l'autoroute. Claire et elle ont changé de place à la soirée. Ça n'a pas été difficile. Au préalable, Irene avait enfilé le même déguisement que Claire. Il ne restait plus à celle-ci qu'à revenir au manoir, dissimulée sous une longue cape noire.

— Et, en arrivant, que découvre-t-elle ?

— Nathan dans son lit, sa nounou endormie près de lui dans un fauteuil, un livre à la main, et Sebastian dans sa propre chambre, toujours installé dans son fauteuil roulant. Il ne restait plus à Claire qu'à le pousser dans l'escalier, à s'assurer qu'il était mort, et à retourner prendre sa place à la soirée.

— Et Irene est retournée à l'hôtel, ni vu ni connu. Mais il y avait apparemment une faille dans ce plan tellement bien pensé.

Eden et son père remontaient à présent le long couloir, soudain encombré par le va-et-vient des plateaux-repas servis aux patients. Ils dépassèrent les chariots de service et Eden reprit son récit.

— Claire était tellement occupée à jouer les veuves éplorées le lendemain matin, et à convaincre la police qu'il s'agissait d'un tragique accident, qu'elle s'est totalement désintéressée de Nathan. Ce n'est que dans l'après-midi, quand la nounou est venue la voir en pleurs, qu'elle a compris le problème.

— Qui était ?

— Nathan et Lissie Reardon avaient disparu. En questionnant la nounou, Claire a appris que Nathan s'était couché en ayant mal au ventre, après avoir vomi son dîner. Ceci, ajouté à la mort de son grand-père, l'avait tellement perturbé que, pour le calmer, la nounou a décidé de l'emmener voir sa mère à l'hôpital. Lissie lui a demandé de la laisser seule avec Nathan. Quand elle est venue chercher l'enfant un peu plus tard, mère et fils avaient disparu.

— Et Claire a compris qu'il y avait un problème.

— Eh oui, car si Nathan avait vomi la mousse au chocolat avant que le somnifère ait eu le temps de faire effet, cela voulait dire qu'il était peut-être éveillé quand elle était venue jeter un œil sur lui. Et il était possible qu'il ait ouvert sa porte en entendant le bruit du fauteuil que Claire faisait rouler sur le palier. Auquel cas, il l'avait peut-être vue pousser Sebastian dans l'escalier. Et en effet, Nathan avait tout vu. A l'hôpital, il s'est confié à Lissie, qui a pris peur et s'est enfuie avec lui. Pour Claire, cette réaction était la preuve que Nathan était bien un témoin. Il fallait le retrouver et le faire taire.

— Elle a failli réussir, intervint son père avec colère. Mais Claire Jamison ne sera plus jamais une menace pour mon petit-fils.

En effet, songea Eden. Son fils et elle étaient morts sur le site du vieux fort battu par les vents, victimes de leur avarice. Mais si Shane n'avait pas été là…

Si seulement elle pouvait le voir, le toucher, lui dire combien il comptait pour elle.

Sa frustration devait être évidente pour son père, car il la retint sur le trajet de retour vers la salle d'attente et renouvela ses efforts pour occuper son esprit à autre chose.

— Et cette Harriet Krause ? La police a-t-elle fourni des explications sur sa mort ?

— Oui. Irene leur a également donné des détails à ce sujet. Charlie avait payé Harriet pour qu'elle lui dise tout ce qu'elle savait sur Lissie, y compris l'existence d'un frère. C'est pour cette raison que Bryant et Hugh Dennis voulaient transférer Shane de la chambre du motel à l'appartement d'Harriet cette nuit-là. Il voulait qu'elle dise à Shane ce que sa sœur avait fait, en espérant que le choc accomplirait ce que la force n'avait pas obtenu et que Shane leur dirait ce qu'il avait fait de Nathan.

— Mais ils n'ont pas pu assassiner cette femme alors qu'ils étaient à vos trousses !

— Non, c'est Claire qui s'en est chargée. Elle est arrivée à Charleston furieuse contre ses fils après qu'ils l'eurent appelée pour lui dire qu'ils avaient perdu Shane. Quand Harriet a menacé de tout raconter à la police, Claire est allée chez elle pour lui offrir plus d'argent. Mais Harriet n'a rien voulu savoir.

— Claire s'est donc assurée qu'elle ne parlerait plus.

— En l'assommant avec un serre-livres en laiton...

Eden s'interrompit, alertée par la vision d'une jeune femme qui se dirigeait vers eux avec un air d'urgence.

C'était une des infirmières de l'unité de soins intensifs et elle se figea d'angoisse, tandis que son père lui prenait le bras pour la soutenir.

Ce ne fut qu'une fois l'infirmière devant elle qu'elle prit conscience du large sourire qu'affichait la jeune femme.

— Bonne nouvelle, madame Hawke. M. Reardon est réveillé et vous demande. Vous avez droit à quinze minutes avec lui.

Elle était tellement submergée de joie et de soulagement qu'elle fut incapable de bouger, jusqu'à ce que son père lui presse le bras.

— Il t'attend, ma chérie. Vas-y.

*
* *

Eden entra prudemment dans la pièce et eut un sursaut d'appréhension en découvrant Shane dans le lit surélevé. Il n'était plus sous respirateur, mais la vision des appareils de monitoring, des intraveineuses et du bandage autour de son torse nu était impressionnante.

Il avait une mine affreuse avec ses cheveux tout poisseux, ses cernes violacés sous les yeux et cette barbe qui ombrait ses joues creuses et faisait paraître son teint encore plus livide.

Il était affreux, et en même temps merveilleux. Elle ne l'avait jamais autant aimé qu'à cet instant.

Ses yeux bruns étaient alertes, cependant. Ils se tournèrent vers elle et suivirent chacun de ses mouvements tandis qu'elle se glissait sur une chaise près du lit.

— Alors, tu t'es inquiétée pour moi ? demanda-t-il, d'une voix éraillée par l'anesthésie et l'assistance respiratoire.

— Peut-être un peu.

— Tant que ça ?

Il avait malgré tout la force d'esquisser un sourire moqueur.

— Il ne fallait pas. Mon pauvre corps en a vu d'autres.

Elle lui prit la main et la serra amoureusement, tout en le dévorant des yeux.

— C'est tout ce à quoi j'ai droit ? demanda-t-il.

— Jusqu'à ce que tu aies repris des forces. Ensuite, nous verrons ce que nous pouvons faire.

— Bon, écoute…

Il grimaça, preuve qu'il souffrait toujours, tandis qu'il se relevait en position assise. Elle bondit immédiatement sur ses pieds pour l'aider, mais il la renvoya à sa chaise d'un revers de main.

— Il faut que nous parlions. Nous avons très peu de temps.

— Tu devrais plutôt te reposer.

— Non, ce que j'ai à dire est trop important. Il s'agit de mon avenir. Je vais quitter l'armée. Grâce à mon entraînement, je pourrais faire un bon spécialiste de la protection. Tu sais, un consultant en sécurité pour les entreprises et les particuliers. Et j'ai pensé que nous pourrions nous associer. Qu'est-ce que tu en dis ?

— Il faudrait que tu t'installes à Charleston.

— Evidemment. Mais le problème n'est pas là.

— Ah, non ?

— Ce que je voudrais, c'est que ce ne soit pas uniquement un partenariat d'affaires.

— C'est-à-dire ?

— Eh bien, au lieu d'un mariage de façade, j'espérais un véritable mariage. A moins…

— A moins que quoi ?

— Qu'être marié au frère de la femme qui a volé ton enfant soit au-dessus de tes forces, même s'il est fou amoureux de toi.

— Ce n'est pas un problème. Je lui ai déjà pardonné. Alors, comme ça, tu es amoureux de moi ?

— Absolument.

Il lui lança un regard ardent.

— Donc, reprit-il, si tu es prête à te lancer, et si tu ressens pour moi la moitié de ce que je ressens pour toi, alors, peut-être…

Il la fixa avec un mélange d'anxiété et d'espoir tandis qu'elle restait assise à étudier sa proposition.

— Je vais faire un malaise si tu ne dis rien, essaya-t-il de plaisanter.

— J'étais en train de me rappeler quelque chose, dit-elle d'une voix douce. Ce que tu m'as dit cette nuit où tu es arrivé chez moi en plein orage : « Est-ce que je suis chez moi ? » Eh bien, j'ai la réponse pour toi aujourd'hui. Tu es chez toi.

— C'est vrai ? demanda-t-il joyeusement.

— Oui, c'est vrai. Cette fois, il n'est plus question de faire semblant. Mais je ne te laisserai pas te contenter d'une moitié. Parce que mon amour pour toi est plein et entier.

Il lui adressa un clin d'œil.

— Je crois que je suis complètement guéri tout à coup.

L'infirmière choisit ce moment pour les interrompre en passant la tête dans l'embrasure de la porte.

— Le délai est écoulé.

— Ne fais pas cette mine désappointée, dit-elle en se levant. Nous avons toute la vie devant nous pour nous embrasser.

Epilogue

Il t'est interdit d'éprouver autre chose qu'une immense gratitude.

Debout dans le vestibule de Saint Michael, Eden ne cessait de se répéter cette mise en garde qui sonnait presque comme un reproche.

Dans quelques instants, les portes de l'église s'ouvriraient, l'orgue jouerait la marche nuptiale, et elle s'avancerait vers l'autel au bras de son père. En attendant, les demoiselles d'honneur, dont faisait partie sa meilleure amie, Tia, s'affairaient autour d'elle à régler les derniers détails.

Sa sœur, Christy, recula d'un pas pour mieux la regarder.

— Magnifique, annonça-t-elle avec satisfaction.

Eden avait conscience que sa robe bustier en satin ivoire rebrodé de perles était spectaculaire. Déjà petite fille, elle rêvait d'un mariage de conte de fées. Aujourd'hui, ce rêve allait devenir réalité.

Il t'est interdit d'éprouver autre chose qu'une immense gratitude.

Mais que lui arrivait-il ? Elle avait tout pour être heureuse. Elle allait épouser l'homme qu'elle aimait. Elle avait Nathan, ses amis et sa famille autour d'elle. Même le bouquet de lis blancs qu'elle tenait entre ses doigts crispés était parfait.

Il t'est interdit…

La litanie cessa quand son regard se posa sur son fils, qui tenait compagnie à la fille de son frère, Devlin. Livie était chargée de répandre des pétales de rose au passage des mariés. Nathan avait la responsabilité de porter les alliances. Adorable dans son smoking miniature, il se dandinait d'énervement.

Tandis qu'elle observait son fils avec tendresse, elle comprit ce qui n'allait pas. Durant ces six semaines, alors que Michael était en convalescence, un lien particulier s'était tissé entre Nathan et elle. Avec du temps et de la patience, il s'était habitué à sa véritable identité. Il acceptait maintenant son nom et sa relation avec elle. Mais jamais il ne l'avait appelée « maman », et elle doutait qu'il y parvienne un jour.

Elle était ridicule, bien sûr. Elle n'avait aucun droit de se plaindre, surtout un jour comme celui-ci. Elle avait retrouvé son fils, et c'était tout ce qui comptait.

— Nous sommes prêts ? demanda son père avec impatience. Ma chérie, ton fiancé va être l'homme le plus envié de Charleston quand on te verra dans cette robe. Bon, si tout le monde est en place, allons-y.

— Attendez ! Attendez ! cria Nathan en quittant le cortège pour la rejoindre. J'ai oublié de faire quelque chose.

— Quoi donc, mon cœur ? demanda-t-elle, en se penchant vers lui.

Jetant les bras autour de son cou, il lui donna une brève accolade.

— Bon mariage, maman, s'écria-t-il avec enthousiasme, avant d'aller reprendre sa place dans le cortège.

Elle sentit des larmes de joie monter en elle. Sa sœur la regarda, d'un air attendri.

— Je t'interdis de pleurer, ma belle. Tu ne vas pas gâcher quarante-cinq minutes de maquillage. Oh ! zut !

Quelqu'un peut aller les prévenir qu'il y aura un peu de retard, pendant que je répare les dégâts sur la mariée ?

— On n'a plus le temps pour ça, décida leur père.

Les larmes qui embuaient ses yeux n'avaient pas d'importance, décida Eden, tandis qu'elle avançait dans la travée centrale au bras de son père. Elles étaient la preuve de son bonheur. A travers elles, elle aperçut les visages familiers et souriants de sa mère, de ses trois frères accompagnés de leurs épouses et enfants, et de ses amis, au rang desquels comptaient Estelle et Victor Dubois.

Puis ils furent éclipsés par Michael, incroyablement séduisant dans son uniforme d'apparat. Son visage était le seul qu'elle voyait à présent, un visage qui reflétait la fierté et l'admiration qu'il ressentait pour elle.

Lorsqu'elle rejoignit l'homme qui serait toujours « Shane » pour elle, ils échangèrent un long regard dans lequel passa tout l'amour qu'ils se vouaient l'un à l'autre.

Puis il lui adressa un clin d'œil à la fois insolent et complice. Un clin d'œil qui contenait la promesse d'une vie entière de bonheur.

BETH CORNELISON

L'amour en otage

BLACK *ROSE*

éditions HARLEQUIN

Titre original : THE REUNION MISSION

Traduction française de HERVE PERNETTE

83-85, boulevard Vincent-Auriol, 75646 PARIS CEDEX 13.

Service Lectrices — Tél. : 01 45 82 47 47
www.harlequin.fr

Prologue

— Périmètre sécurisé.

Daniel ajusta ses lunettes de vision nocturne et fouilla l'obscurité de la jungle colombienne, prêt à passer à l'action. Il fixa son attention sur la grande tente située tout au fond du camp rebelle. Il n'y avait aucun signe de mouvement : tous les hommes devaient y dormir à poings fermés. Il abaissa ses lunettes et jeta un regard à son équipier qui filmait le camp à l'aide d'une caméra infrarouge.

— Qu'est-ce que tu vois ?

Cela faisait plusieurs mois qu'il se préparait à ce moment fatidique. Il était hors de question de laisser, si près du but, le moindre détail au hasard.

— Rien, aucun mouvement, lui confirma Alec Kincaid. On dirait que les seuls soldats éveillés sont ceux chargés de veiller sur le stock de munitions.

Alec coupa sa caméra, la rangea dans son sac et la troqua contre ses lunettes de vision nocturne. Il se tourna vers Daniel.

— Bien, tu es prêt à bouger ?

Une décharge d'adrénaline parcourut le corps de Daniel. Il était plus que prêt.

— Oh ! ça oui, allons-y.

En silence, Alec et lui descendirent de l'arbre dans lequel ils étaient perchés depuis des heures pour observer les rebelles. Ceux-ci détenaient plusieurs otages en captivité dans le camp retranché. Mais il n'y avait qu'une seule prisonnière qui intéressât Daniel : Nicole White.

Nicole White était la fille d'un sénateur américain enlevée au cours d'une mission humanitaire pour laquelle elle travaillait. Depuis maintenant un an, elle était retenue comme otage politique.

Daniel et son équipier n'avaient qu'une seule et unique mission : la délivrer et la ramener saine et sauve aux Etats-Unis. Le moindre faux pas, la moindre erreur leur étaient interdits. Le pays ne le leur pardonnerait pas…

Daniel passa le premier et se fraya un chemin dans la très dense végétation pour atteindre le camp où Nicole était retenue.

Allait-elle le reconnaître, se souviendrait-elle de lui ?

L'idée de se retrouver de nouveau face à elle, de pouvoir la toucher, l'agitait profondément, mais il devait repousser ces pensées. Il était impératif de rester concentré, car la moindre inattention risquait de leur coûter très cher.

Ils atteignirent les barbelés grossièrement dressés qui encerclaient le camp et Alec sortit une paire de pinces coupantes. Il pratiqua une ouverture suffisamment large pour qu'ils puissent tous deux s'introduire en rampant. De nouveau, Daniel passa le premier, rapidement suivi d'Alec. Une fois qu'ils se furent relevés, il fit signe à Alec de se diriger vers la droite. Son équipier acquiesça et avança, penché en avant. Daniel le suivit en marchant à reculons pour couvrir leurs arrières. Au bout de quelques minutes, ils approchèrent du fond du camp.

Ils contournèrent une grande tente qui devait abriter les vivres. Soudain, Alec s'immobilisa et désigna un garde posté à l'entrée de la tente.

D'un geste, son équipier lui fit comprendre qu'il s'occupait de le neutraliser. Il sortit son arme et visa le garde, qui s'effondra sous l'effet d'une fléchette paralysante avant d'avoir compris ce qui lui arrivait.

Derrière eux, un grincement attira l'attention de Daniel. Un soldat sortait des toilettes de fortune installées à hauteur des barbelés et balaya le camp de sa lampe de poche. Au moment où le faisceau passa sur Alec et alors que l'homme allait alerter ses comparses de l'intrusion, Daniel fit feu et le soldat s'effondra.

Cela n'avait presque pas fait de bruit. Mais Daniel tiqua. C'était peut-être déjà trop ! Ils devaient faire encore plus vite.

Alec l'avait également compris et ils reprirent tous deux leur progression d'un pas plus rapide. Devant la tente où étaient stockées les armes et les munitions, ils repérèrent deux autres gardes qui jouaient aux dés. Ils s'approchèrent sans bruit, tapis dans l'ombre, telles des panthères, et assommèrent les deux gardes.

La voie était dégagée.

Tandis qu'Alec faisait le guet, Daniel se dirigea vers la zone où les rebelles retenaient les otages. Devant lui se dressait une grande cage de grillage et de bambou couverte de larges feuilles, protection dérisoire contre les éléments. Découvrir dans quelles conditions Nicole avait été forcée de vivre tous ces longs mois le mit dans une colère noire. Cependant, il serra les dents et s'attaqua au grillage. Il créa une ouverture, s'introduisit dans la cage et repéra l'endroit où dormait Nicole.

Elle n'était pas seule. Surpris, il fronça les sourcils mais ne se préoccupa pas de la petite forme blottie contre elle. Sa mission était claire : délivrer Nicole et personne d'autre.

Il se pencha sur elle en retenant son souffle. Cela faisait cinq ans qu'il ne l'avait pas vue. Elle était pieds nus et il distingua ses longues jambes. Elle n'avait pour tout vêtement qu'un short crasseux et un T-shirt sans manches qui épousait ses formes toujours féminines, malgré ses mois de détention. Elle était recroquevillée en position fœtale, paraissant d'autant plus vulnérable. Elle avait la tête posée sur ses deux mains et ses longs cheveux blonds tombaient en désordre sur sa joue. Même ébouriffée et sale, elle était aussi belle que dans son souvenir. Il sentit son cœur battre plus fort et s'autorisa l'espace de quelques secondes à la regarder. Par chance, elle ne semblait pas blessée. Mais ces quelques secondes étaient déjà de trop, il n'y avait pas un instant à perdre. Il inspira à fond et se concentra sur sa tâche. Ils devaient partir, et vite.

1

Cinq ans plus tôt

Daniel se tenait droit, attentif, et observait le défilé des officiels habillés sur leur trente et un pour venir assister au bal de Mardi gras du gouverneur. Ses copains de la base navale de La Nouvelle-Orléans lui avaient bien dit qu'il fallait être fou pour se porter volontaire afin d'assurer la sécurité à cette soirée. Mais, quand Daniel avait appris qu'Alan White, le sénateur de la Louisiane, serait présent au bal, il avait décidé que, d'une manière ou d'une autre, il devrait y être lui aussi.

Pour l'occasion, il avait revêtu son uniforme blanc d'apparat. Si la rumeur disait vrai, le sénateur White, depuis le décès de son épouse l'année précédente, était accompagné de sa fille Nicole à chaque sortie officielle.

Tandis qu'il repensait à la dernière fois où il avait vu Nicole, une limousine parée de petits drapeaux américains s'arrêta devant la vaste propriété. Il retint son souffle lorsque le sénateur en sortit et se retourna pour tendre la main à la personne qui l'accompagnait. Daniel fut parcouru d'un frisson, mais ce n'était pas la fraîche température de cette journée de février qui en était la cause. Une belle blonde élancée, vêtue d'une élégante robe bleue moulante, sortit de la voiture, afficha un petit sourire et s'avança au bras du sénateur. Ses cheveux étaient remontés en chignon, exposant sa nuque étroite et délicate.

Tandis qu'elle approchait, Daniel ne la quittait pas des yeux. Il était tellement ému qu'il en avait la bouche sèche et l'estomac noué. Nicole observa l'ensemble des convives déjà réunis et adressa à tous un petit salut formel de la tête. Elle se comportait en bonne fille d'homme politique, rompue aux usages des relations publiques.

Daniel soupira intérieurement. Elle vivait dans un monde très éloigné du sien. Pour être là ce soir et avoir une chance de la croiser, il avait dû user de subterfuges.

Mais soudain, son regard insistant finit par capter l'attention de Nicole au moment où elle passait près de lui. Il parvint tout juste à lui adresser un sourire crispé.

— Bonsoir, Nicole.

Elle ralentit l'allure et fronça les sourcils.

— Est-ce que je…

Il déglutit. Quel idiot il avait été de croire qu'elle le reconnaîtrait après toutes ces années !

Mais alors, le visage de Nicole s'éclaira et elle s'écarta de son père pour s'approcher davantage de lui.

— Boudreaux !

Elle prit sa main entre les siennes et la serra. Il sentit alors son cœur s'emballer.

— Boudreaux ? C'est bien toi ?

Intérieurement, Daniel grimaça. Certes, il s'était accroché à l'espoir qu'elle se souviendrait de lui, mais l'entendre l'appeler par le surnom que ses amis lui avaient donné lui fit un peu mal. Boudreaux, c'était un vieux prénom très répandu dans la communauté cajun de Louisiane, et c'était devenu un surnom légèrement péjoratif dont on affublait souvent les gens issus de cette communauté. Que Nicole se souvienne précisément de son origine le gênait un peu. Néanmoins, il esquissa de nouveau un sourire maladroit et répondit :

— Oui, c'est bien moi.

Son sourire s'élargit davantage et son regard s'illumina, comme si elle était sincèrement heureuse de le revoir. Il se sentit immédiatement mieux.

— Oh ! mon Dieu, je n'arrive pas à y croire !

Elle le prit dans ses bras et lui déposa un baiser sur la joue.

Il fut totalement pris au dépourvu et n'eut pas le réflexe de lui rendre son accolade. Il lui fallut même un instant pour réagir physiquement à sa proximité et au parfum de ses cheveux. Il éprouva alors un sentiment d'ivresse.

Elle recula légèrement mais continua de tenir ses poignets entre ses mains et l'observa de la tête aux pieds.

— J'ai failli ne pas te reconnaître dans cette tenue !

Elle lui adressa un sourire malicieux, prit le revers de sa veste entre deux doigts et ajouta :

— Ce qu'on dit habituellement sur un homme en uniforme n'a jamais été aussi vrai.

Il s'efforça de garder la tête froide pour préserver un semblant de dignité et ne pas se retrouver rouge comme une tomate.

— Toi aussi tu es superbe.

C'était un euphémisme. A vrai dire, sa beauté lui coupait le souffle. Cinq ans plus tôt, lors de la soirée de remise des diplômes à l'université, à laquelle elle accompagnait son cousin et où il l'avait vue pour la première fois, il l'avait déjà pensé.

— Nicole !

Le sénateur White était revenu sur ses pas pour s'enquérir de ce que faisait sa fille et ne parvint pas à masquer son irritation.

— Que se passe-t-il ?

Si elle s'était arrêtée pour embrasser un de ses partenaires de golf et non un membre du service de sécurité, le sénateur aurait été certainement moins contrarié, songea Daniel.

Mais Nicole se retourna et tendit la main pour inviter son père à s'approcher.

— Papa, j'aimerais te présenter quelqu'un. Voici…

Elle eut une hésitation et lui adressa un regard embarrassé.

— Daniel LeCroix, finit-il pour elle en tendant la main au sénateur avant qu'elle ne le désigne par le sobriquet qui trahissait ses origines.

Nicole eut un sourire confus.

— Daniel, oui, bien sûr. Désolée, je n'ai jamais été douée pour retenir les noms.

Son père haussa les sourcils et soupira.

— A mon grand dam, d'ailleurs. Un jour, elle a appelé le ministre de la Défense par le nom de son prédécesseur.

Nicole partit d'un petit rire puis reprit :

— C'est Daniel qui m'avait raccompagnée le soir du bal de ma première année à l'université.

Comme cette précision n'éveillait rien chez son père, elle ajouta :

— C'est lui qui a sauvé Boudreaux quand il était coincé dans la gouttière.

Daniel fut interloqué et tourna vivement la tête vers elle. Boudreaux ? Elle avait appelé son chaton Boudreaux ?

Nicole croisa son regard interrogateur et lui fit un clin d'œil.

— Quel autre nom aurais-je pu lui donner ?

— Ah oui, ton petit chat, je me souviens, maintenant, intervint le sénateur. Eh bien, très heureux de faire votre connaissance, Daniel.

Il offrit son bras à sa fille et haussa de nouveau les

sourcils pour lui faire comprendre qu'il était temps d'aller à l'intérieur.

— Nicole, ce jeune homme est ici pour travailler et les autres invités nous attendent.

Elle lui serra encore une fois la main avec un petit sourire de regret.

— C'était génial de te revoir, Daniel.

Il lui retourna un sourire poli. « Ne pars pas », avait-il pourtant envie de lui crier.

— Moi aussi, j'ai été très heureux, Nicole.

Il se tourna vers son père.

— Bonsoir, monsieur le sénateur.

Celui-ci le dévisagea avec sévérité puis posa les yeux sur l'insigne de son uniforme.

— Bonsoir, lieutenant.

Le sénateur White s'était exprimé avec emphase, comme pour lui rappeler le fossé social entre sa fille et lui, qui avait grandi dans le bayou. Ce n'était pourtant pas nécessaire. Même s'il était fier de ses racines cajuns, il avait toujours dû se battre, que ce soit à l'école ou depuis qu'il avait rejoint l'armée, pour prouver sa valeur et tordre le coup aux préjugés.

Nicole finit par lâcher sa main en lui adressant un dernier sourire contrit quand son père la prit par le coude pour la tirer à sa suite.

Il poussa un soupir et se remit en position, épaules droites et mains dans le dos. Il était là pour veiller au bon déroulement de la soirée, il ne devait pas se montrer distrait. Mais il avait du mal à garder son calme.

Il avait atteint son objectif. Il avait revu Nicole, il lui avait parlé. Cependant, à en juger par les émotions qu'il ressentait, venir à ce bal était peut-être une erreur…

*
* *

Nicole avait besoin de prendre l'air. Elle se fraya un chemin parmi la foule et, une fois sortie, s'appuya contre la rampe du porche, inspirant longuement. Elle avait supporté toute la soirée les regards lubriques que tel ou tel invité lui avait adressés en faisant mine de ne pas y prêter attention mais, quand le président de la chambre de commerce était passé près d'elle avec des mains baladeuses, ç'avait été la goutte d'eau qui avait fait déborder le vase. Jamais les amis de son père n'auraient osé se comporter ainsi avec sa mère.

Penser à elle la rendit soudain extrêmement mélancolique. Sa mère était décédée des suites d'une longue maladie quelques mois auparavant. Depuis, il fallait la remplacer pour toutes ces mondanités.

Nicole leva les yeux vers le parking. Elle aurait vraiment aimé pouvoir s'en aller, sans avoir à rendre de comptes à quiconque. Soudain, elle repéra la silhouette de l'homme aux larges épaules vêtu d'un uniforme blanc très seyant qui, quand elle l'avait vu quelques heures plus tôt, avait fait chavirer son cœur.

Un petit sourire s'esquissa sur ses lèvres. Daniel LeCroix. Elle n'était pas étonnée qu'il ait rejoint l'armée. Déjà, le soir où elle avait fait sa connaissance, quelques années plus tôt, elle avait pu apprécier son sens du dévouement, son intégrité, et aussi sa gentillesse. Ce soir-là, c'est lui qui s'était porté volontaire pour aller récupérer son chaton pris au piège dans la gouttière de la maison de ses parents, alors que tous ses autres amis avaient refusé de risquer de salir leurs beaux vêtements et d'arriver en retard au bal de fin d'année pour un animal. Daniel, lui, avait ruiné son smoking de location en grimpant sur le toit et en rampant pour lui ramener son petit chat sain et sauf. Jamais elle n'avait oublié ce geste chevaleresque.

Comment se serait déroulée cette soirée si elle avait

eu Daniel pour escorte, et non son père ? Le président de la chambre de commerce aurait-il fait preuve de la même grossièreté ?

Mais la soirée n'est pas finie. A cette réflexion, elle se mordit la lèvre inférieure. Passer le reste de la soirée avec Daniel, ce serait pour ainsi dire agiter un chiffon rouge sous le nez paternel. Jamais il ne lui pardonnerait cet affront, jamais il n'accepterait qu'elle écorne son image publique.

Mais, quand elle s'était plainte de l'attitude déplacée de ses amis, comment son père avait-il réagi ? Par le mépris. Elle sentit la colère l'emporter. Combien de temps devrait-elle encore mettre sa vie personnelle entre parenthèses pour lui servir de faire-valoir ? Elle avait déjà perdu un an à l'accompagner à des meetings et à toutes sortes d'événements mondains pour assurer sa réélection alors qu'elle n'avait pas terminé sa formation d'infirmière humanitaire. Et, même si elle adorait son père, elle commençait à en avoir plus qu'assez de le suivre partout.

A l'intérieur, elle entendit l'orchestre démarrer un air d'une célèbre comédie musicale d'Andrew Lloyd Webber. Elle soupira, leva les yeux et se dirigea vers Daniel.

— Tu danses avec moi ?

Il sursauta et tourna vivement la tête dans sa direction.

— Nicole, dit-il en regardant derrière elle pour vérifier si elle était seule. Pourquoi n'es-tu pas à l'intérieur ?

— J'avais besoin d'air frais, il fait beaucoup trop chaud dans la salle, répondit-elle avec un sourire.

Elle avança d'un pas supplémentaire et lui tendit la main.

— Alors, tu viens danser avec moi ? J'adore ce morceau.

Il la fixa d'un air désolé.

— Je ne peux pas, je suis en service.

Elle tendit la main pour la poser sur la boutonnière de sa veste. Sous ses doigts, elle sentit ses muscles vigoureux, mais aussi les battements de son cœur. C'était extrêmement viril et sexy.

— Une seule petite danse. Personne ne remarquera que tu as délaissé ton poste quelques minutes.

Elle posa les mains sur ses épaules et croisa les doigts derrière sa nuque.

— S'il te plaît.

Son expression trahissait son conflit intérieur, il était déchiré entre son envie d'accepter sa proposition et son sens du devoir.

— Nicole… commença-t-il en fermant les yeux avant de poser les mains sur sa taille pour tenter de la repousser doucement, mais sans conviction.

Soudain, l'idée de ne pas pouvoir danser avec lui à cause des règles, du code de conduite édicté par son père ou toute autre convention sociale lui fut insupportable. Elle se cramponna plus fort à lui. Quand elle leva la tête pour croiser son regard, elle en avait presque les larmes aux yeux.

— Au diable les règles, Daniel. Je veux danser avec toi.

Il la contempla de ses yeux noirs. Il avait toujours les mains sur sa taille mais ne cherchait plus à la repousser. Malgré le tissu de sa robe, elle sentait la chaleur de son toucher, et c'était délicieux. Il poussa un petit grognement de dépit et passa une main dans son dos pour la tenir contre lui.

Elle plaqua son corps contre le sien. Un frisson la parcourut de la tête aux pieds. C'était comme s'ils n'avaient tous deux rien porté. La sensation de son torse musclé tout contre elle l'envoûtait. Elle posa la tête sur son épaule et se laissa aller dans ses bras, bougeant en rythme avec lui en balançant doucement des hanches.

La tension qui l'avait habitée toute la soirée s'évapora comme par magie, elle oublia complètement le contexte, ils étaient seuls au monde.

Daniel fit lentement remonter sa main le long de son dos. Les sensations étaient extrêmement fortes et, quand il atteignit sa nuque, caressant sa peau par de petits mouvements du pouce, elle fut subjuguée par sa sensualité.

— Tu sais, murmura-t-il d'une voix grave et sexy, j'ai toujours regretté que, le soir où nous nous sommes rencontrés à ce bal, nous n'ayons pas dansé ensemble, et j'ai toujours espéré qu'un jour ou l'autre, une nouvelle occasion se présenterait.

Cet aveu la fit sourire.

— Alors cette danse ne s'est que trop longtemps fait attendre.

Il poussa un long soupir, mais c'était un soupir de plaisir.

— Ça valait le coup d'attendre.

— Je suis d'accord.

Elle se serra davantage contre lui, humant le parfum de sa peau. Elle ferma les yeux pour profiter de ce moment. Hélas, le morceau prit fin presque aussitôt et une chanson plus rapide lui succéda. Daniel s'arrêta de danser mais sans la lâcher. Il pensait certainement à son devoir, au fait qu'il avait déjà outrepassé les règles pour elle et qu'il ne pourrait pas continuer plus longtemps.

Elle chercha une façon de prolonger les merveilleux instants qu'elle venait de passer dans ses bras. Elle n'était pas du tout prête à dire au revoir au jeune homme dévoué qu'elle avait connu quelques années plus tôt, au soldat scrupuleux rencontré ce soir, à l'homme terriblement sexy qui, par sa présence et quelques caresses légères, avait éveillé son désir et sa féminité.

— Je devrais…

— … être mon cavalier ce soir, le coupa-t-elle en levant la tête pour le fixer droit dans les yeux.

Elle lui saisit immédiatement les bras pour éviter qu'il ne s'écarte et s'efforça de prendre un ton doux et séducteur pour lui faire comprendre que sa demande n'avait rien d'un caprice de petite fille gâtée.

— Viens avec moi à l'intérieur et nous pourrons continuer à danser ensemble toute la nuit.

Le visage de Daniel s'assombrit.

— Je ne peux pas quitter mon poste, pas avant qu'on vienne me relever à minuit.

Une idée lui vint alors à l'esprit.

— Et si quelqu'un te remplaçait avant ? Robert, notre chauffeur, pourrait très bien le faire. Il s'y connaît en sécurité rapprochée, parfois, il se charge lui-même de servir de garde du corps à mon père.

Sans attendre, elle glissa la main dans la poche de veste de Daniel, en sortit le portable qu'elle avait senti à travers le tissu et composa un numéro.

Daniel ouvrit la bouche pour l'arrêter, mais, à ce moment-là, elle lui tourna le dos pour s'entretenir avec Robert, qui venait de décrocher. Quelques minutes plus tard, celui-ci, avec une mine contrariée et sceptique, était posté à la place de Daniel, qui n'avait plus d'excuse pour refuser de l'accompagner à l'intérieur.

Quand il céda et la suivit, elle eut l'impression d'avoir remporté une victoire. Une victoire qui serait encore plus savoureuse lorsqu'elle remarquerait l'effet que la présence de Daniel à son côté aurait sur son père et ses amis.

Au moment de pénétrer dans la salle de réception, il lui offrit son bras.

— Tu es sûre que cela ne va pas te causer d'ennuis avec ton père ?

Elle repensa à l'attitude de ce dernier quand elle s'était plainte auprès de lui du comportement déplacé de ses amis.

— Peut-être que si, mais je m'en moque. Ça lui servira de leçon.

Cette réponse parut contrarier son cavalier.

— Tu sais, je n'ai pas envie de me retrouver au centre d'un conflit familial…

— Ne t'inquiète pas, le coupa-t-elle en s'accrochant fermement à son bras tandis qu'ils se dirigeaient vers le centre de la salle, j'en fais mon affaire.

Alors que Nicole et lui retournaient danser, Daniel sentit le regard noir du sénateur White rivé sur lui. Quand Nicole lui avait expliqué pourquoi il était avec elle, le sénateur n'avait pas cherché à dissimuler sa contrariété. D'ailleurs, l'attitude de Nicole l'avait également gêné. Cependant, lorsqu'il la tint de nouveau contre lui sur la piste de danse, il ne mit pas longtemps à oublier tout le reste. Il était totalement sous son charme et plus rien d'autre ne comptait.

Chaque fois qu'elle passait délicatement la main sur sa nuque ou qu'elle inclinait la tête pour lui adresser un sourire tendre et terriblement séducteur, ses sens s'échauffaient et son désir pour elle se faisait plus fort. Il avait si souvent rêvé de vivre un tel moment.

Cela faisait cinq ans qu'il pensait à elle et qu'il se maudissait de l'avoir laissée filer le soir où il avait secouru son chat puis, plus tard, l'avait raccompagnée chez elle. Mais son sens de l'honneur, et surtout sa conviction qu'une fille comme elle lui était inaccessible, l'avaient poussé à ne pas tenter sa chance. Depuis ce soir-là, il s'était promis de ne plus jamais laisser passer une quelconque occasion d'aucune sorte quand elle se présenterait. D'autant que, quand on avait grandi dans le bayou, la vie n'offrait pas énormément d'occasions de s'émanciper de son milieu d'origine, et encore plus rarement de seconde chance.

Pendant qu'ils dansaient, elle lui fit la conversation et évoqua ses années de formation à l'école d'infirmières, la maladie et le décès de sa mère, son envie de travailler pour une association humanitaire qui lui permette de voyager et surtout de venir en aide à des populations défavorisées. Elle lui posa également une multitude de questions sur ses plans de carrière dans l'armée et se montra étonnée quand il lui apprit qu'il était spécialisé en maniement des armes à feu et explosifs.

— Pourquoi les armes à feu ? lui demanda-t-elle en fronçant les sourcils.

Il haussa les épaules.

— Eh bien… parce que je suis un garçon, et que les garçons aiment bien les armes et tout ce qui fait du bruit.

L'expression troublée de Nicole se transforma en une moue dubitative, et il éprouva une irrépressible envie de déposer un baiser sur ses lèvres pulpeuses et bien dessinées. Il déglutit pour se retenir et se concentrer sur ce qu'il disait.

— Parce que… reprit-il en évitant de s'attarder sur son beau visage, l'armée manque de spécialistes en maniement des armes et qu'il s'est avéré que je n'étais pas mauvais dans ce domaine.

Cette fois-ci, elle lui retourna un regard chaleureux.

— Je suis persuadée qu'il y a de nombreux domaines dans lesquels tu es très bon.

Il baissa les yeux, touché par son compliment, mais ne put résister à l'envie de caresser son visage de la paume de la main.

— Je suis meilleur dans certains domaines que d’autres.

Le regard de Nicole brilla d’un éclat nouveau. Elle approcha ses lèvres de son oreille et lui chuchota :

— Dis-moi lesquels.

Il était dans tous ses états, excité comme jamais. Mais, alors qu’il se demandait comment répondre, il sentit une main ferme se poser sur son épaule.

— Désolé de vous interrompre, mais j’aimerais que tu viennes un peu faire la conversation à mes amis, Nicole.

C’était le sénateur White et Daniel eut la sensation de recevoir un seau d’eau froide sur la tête.

Nicole adressa un regard irrité à son père et répliqua :

— Non, je n’en ai pas envie.

Elle se tourna vers lui, sourit puis reprit :

— En fait, Daniel allait me raccompagner. Mes chaussures me font mal aux pieds et je sens ma migraine du début de soirée revenir.

— Ne dis pas de bêtises, répliqua le sénateur en la prenant par le coude. Si tu souhaites rentrer, je peux moi aussi prendre congé maintenant, ou alors, Robert te reconduira à l’hôtel.

— Non, papa, je… commença-t-elle en adressant une supplication muette à Daniel.

Il prit une longue inspiration et intervint alors à son tour :

L’hôtel est sur ma route, monsieur. Ce serait un honneur pour moi de raccompagner votre fille.

Nicole sourit largement, libéra son coude de l’étreinte de son père et déclara :

— Tu vois, tu n’as pas à te soucier de moi. Bonne nuit, papa.

Elle se dirigea vers la sortie et il ne tarda pas à lui emboîter le pas sans se retourner. Sinon, le regard assassin du sénateur White aurait probablement fait des trous dans sa veste.

Dès qu'ils furent dehors, elle prit son bras et marcha gaiement à côté de lui pour traverser la pelouse et rejoindre le parking.

— Merci beaucoup. S'il avait fallu que je danse avec un des amis de mon père aux mains baladeuses, je crois que…

— Aux mains baladeuses ? l'interrompit-il, interloqué.

Elle renifla de dédain.

— Mais oui, juste avant que je vienne te retrouver, le président de la chambre de commerce m'a mis la main aux fesses.

Il sentit une bouffée de colère s'emparer de lui. Il serra les poings et s'arrêta net.

— Montre-moi ce type.

Elle s'arrêta à son tour et en profita pour ôter ses talons hauts.

— Pour quoi faire ? Aller défendre mon honneur bafoué en lui envoyant ton poing dans la figure ?

Elle se posta devant lui, leva la tête pour capter son regard et lui sourit.

— Je suis extrêmement touchée par ton esprit chevaleresque, mais je préférerais que tu économises ton énergie pour autre chose.

Cette déclaration explicite fit s'emballer le pouls de Daniel. Il lui fallut plusieurs secondes avant de se reprendre.

— Désolé, mais c'est juste que, quand je pense qu'un type ose te toucher, je…

Elle éclata de rire, posa la main sur son bras et répliqua :

— Tu regrettes de ne pas y avoir pensé ?

Il manqua s'étouffer.

— Oh ! crois-moi, j'y ai pensé bien des fois, dit-il en prenant sa main.

Elle entrelaça ses doigts aux siens.

— Alors pourquoi ne l'as-tu pas fait ?

Elle lui prit les deux mains et les plaqua en bas de son dos.

— Je crois que ça me plairait de sentir tes mains sur moi.

Totalement sous son emprise, il ne put s'empêcher de faire descendre ses mains un peu plus bas pour sentir ses formes parfaites.

Elle poussa un petit gémissement de plaisir, leva la tête et fixa sa bouche. Sans hésiter, il captura ses lèvres et l'embrassa langoureusement. Elle se serra tout contre lui et lui retourna son baiser avec la même passion. Il sentait le désir courir dans ses veines, telle de la lave en fusion. Il avait terriblement envie d'elle.

— Nicole, parvint-il à articuler d'une voix rauque, laisse-moi te raccompagner.

— Seulement si tu me promets de ne pas m'abandonner à la porte.

Elle lui déposa de petits baisers sur la joue puis lui chuchota à l'oreille :

— La dernière fois, quand tu m'as raccompagnée, tu es parti… et tu m'as laissée seule avec mon désir pour toi.

Elle croisa les bras autour de son cou et ajouta :

— Et j'ai toujours envie de toi.

— Le sentiment est réciproque.

Il glissa les mains sous sa robe, impatient de sentir sa peau.

— Daniel…

Un claquement de portière lui rappela où ils se trouvaient. S'il n'avait pas été soucieux de la réputation de Nicole, il l'aurait prise là, sur la pelouse. Mais, évidemment, il était hors de question qu'il risque de provoquer un scandale. Il lui déposa un baiser sur le front et déclara :

— Viens, ne restons pas là. A quel hôtel résides-tu ?

Elle lui donna le nom d'un hôtel chic sur Canal Street. Avant qu'ils ne rejoignent sa voiture, il se pencha pour ramasser les chaussures à talons aiguilles dont elle s'était débarrassée et les observa d'un air dubitatif.

— Comment fais-tu pour marcher avec ça ?

Elle sourit.

— En faisant très attention à chaque pas.

Il lui donna encore un petit baiser puis ils rejoignirent sa voiture. Il ouvrit sa portière puis monta également. Les vingt minutes de trajet jusqu'à l'hôtel lui furent une torture. A tout moment, il était tenté de se garer pour l'attirer sur la banquette arrière ou bien de s'arrêter dans un des nombreux motels devant lesquels ils passaient. Mais Nicole White n'était pas une fille qu'on emmenait dans un motel de second ordre. Il devait prendre son mal en patience, même si c'était un supplice.

Pour Nicole, il était prêt à tout.

2

Colombie, de nos jours

Nicole se réveilla en sursaut. Une main puissante la bâillonnait et une voix masculine lui murmura à l'oreille :

— Ne faites pas de bruit.

Prise de panique, elle leva les yeux dans l'obscurité pour observer la silhouette penchée sur elle. Son agresseur était grand et large d'épaules. Et il était très fort. Lorsqu'elle se tortilla pour chercher Tia, terrifiée à l'idée que cet homme ait pu s'en prendre à la fillette, il resserra son étreinte et l'immobilisa.

— Du calme, Nicole, je ne vous ferai pas de mal, chuchota-t-il.

Il était si près qu'elle sentit ses lèvres effleurer son oreille et sa respiration caresser son cou. Elle était terrifiée. Il lui fallut un petit moment pour prendre conscience que cet homme parlait anglais et l'avait appelée par son prénom.

Elle lui jeta un nouveau regard pour essayer de distinguer ses traits, le cœur battant. Mais il faisait trop noir.

— Je suis un agent américain. Je suis venu vous délivrer. Vous comprenez ?

La *délivrer*. Ce mot résonna dans sa tête et elle ne put réprimer un gémissement de soulagement.

Son agresseur — ou plutôt son sauveur — relâcha son étreinte.

— Vous me promettez de ne pas faire de bruit ?

Elle acquiesça. Elle allait rentrer chez elle. Enfin. Et un médecin pourrait examiner Tia et la soigner. Elle était émue aux larmes, même si la perspective de devoir traverser le camp à l'insu des soldats était effrayante.

Après avoir ôté sa main de sa bouche, l'agent caressa son visage et écarta une mèche de cheveux de ses yeux. Ce geste la déstabilisa et la mit mal à l'aise. Dans de telles circonstances, ce n'était pas un comportement normal. Alors, il se pencha davantage au-dessus d'elle, et elle essaya encore une fois de voir son visage. A ce moment-là, il baissa la tête.

Et il l'embrassa.

Elle en arrêta de respirer, la panique revint. Lui avait-il menti sur ses intentions ? Une fois la surprise passée, elle songea à résister, à se débattre. Mais une petite voix intérieure lui conseillait de n'en rien faire.

Ses lèvres étaient douces, il n'y avait aucune brutalité dans son baiser, au contraire, il était tellement tendre qu'une agréable chaleur s'empara d'elle. En même temps, elle continuait d'avoir peur.

L'homme poussa alors un grognement, releva la tête et jura.

— Pardon, je n'aurais pas dû faire cela.

— Je ne vous le fais pas dire. Qui êtes-vous ? répliqua-t-elle tout bas, mais d'un ton ferme.

Il hésita une seconde avant de répondre.

— Je suis votre meilleure chance de filer d'ici. Allez, levez-vous.

Il s'exprimait désormais d'un ton sec, autoritaire, qui n'avait plus rien à voir avec le doux baiser qu'il venait de lui donner.

— J'ai des chaussures pour vous. Vous faites du trente-six, n'est-ce pas ? reprit-il.

— Je… Oui. Comment le savez-vous ?

— Tout savoir, c'est mon boulot.

Il sortit une paire de chaussures de marche de son sac à dos.

— Vous pouvez marcher ? Nous allons devoir parcourir plusieurs kilomètres à pied dans la jungle.

— Oui, moi je peux marcher, mais Tia est très faible.

Elle tourna la tête vers la fillette qui partageait sa cellule depuis plusieurs mois. Elle l'avait prise sous son aile pour l'aider à surmonter l'épreuve de la captivité.

— Elle a eu de la fièvre et cela fait plusieurs jours qu'elle n'a rien mangé.

L'agent regarda également la fillette et secoua la tête.

— Laissez tomber, elle ne part pas avec nous. Tenez, enfilez-ça, ajouta-t-il en lui tendant les chaussures.

Elle en resta bouche bée.

— Quoi ? Mais elle doit nous accompagner. Si nous la laissons ici, elle mourra.

Elle tourna la tête de tous côtés, regardant les autres cellules, et reprit :

— Et les autres otages ? Nous sommes douze personnes retenues ici !

De nouveau, il la bâillonna de la main.

— Ne parlez pas si fort, lui ordonna-t-il à l'oreille.

Il lui saisit une cheville pour lui faire enfiler les chaussures plus rapidement.

— Notre objectif, c'est de vous délivrer, *vous*, et personne d'autre. Nous ne pouvons pas emmener d'autres otages.

Elle libéra son pied de son étreinte d'un mouvement sec.

— Pourquoi ? Parce qu'ils ne sont pas américains ? rétorqua-t-elle avec colère. Ma vie ne vaut pas plus que la leur. Nous ne pouvons pas les laisser…

— Non, vous êtes la seule à partir, et de toute façon

nous n'avons pas suffisamment de provisions, la coupa-t-il avant de poser la seconde chaussure sur ses genoux. Dépêchez-vous.

— Dans ce cas… emmenez Tia et laissez-moi ici. Je vous en supplie. Ce n'est qu'une enfant. Une gamine de huit ans n'a rien à faire ici.

De nouveau, il jeta un regard à Tia et se passa nerveusement la main sur les cheveux. Nicole reprit espoir : l'idée d'abandonner une petite fille le mettait manifestement mal à l'aise.

Il poussa un soupir agacé et lui posa une main sur la nuque.

— Ne me faites pas cela. Ça fait des mois que je prépare cette mission de sauvetage. Je suis ici pour *vous* délivrer, Nicole. Vous.

Il continuait à parler tout bas, mais la colère et la frustration s'immisçaient dans sa voix.

Elle éprouva un étrange sentiment de familiarité. Son intonation…

— Je ne ferai rien qui risque de mettre mon objectif en péril. Compris ?

Elle se sentait tout autant en colère.

— Vous ai-je demandé de venir me sauver ?

Il était de plus en plus tendu, elle sentit ses doigts se resserrer sur sa nuque.

— Bougez-vous, sinon je vous emmène de force.

Nicole sentit un frisson lui parcourir l'échine. L'espace d'une seconde, elle ne sut que faire. Son angoisse était de plus en plus intense.

— Je ne la laisserai pas, finit-elle par répliquer. Si vous refusez de partir avec elle, je ne pars pas non plus.

Pour appuyer ses propos, elle prit la chaussure qu'il lui avait posée sur les genoux, la lui plaqua contre le torse et la laissa tomber.

Même si elle ne voyait pas son visage, elle devina son regard embrasé de fureur.

— Qu'est-ce que tu fiches ? intervint alors une seconde voix, de l'extérieur des cages. Pourquoi est-ce si long ? Dépêche-toi !

Son sauveur poussa alors un nouveau juron et se tourna vers Tia. Il se pencha en avant et la prit dans ses bras.

Nicole éprouva un immense sentiment de soulagement et de gratitude.

Mais Tia se réveilla et sursauta de frayeur. Aussitôt, l'agent lui plaqua une main sur la bouche pour l'empêcher de crier. Cela ne fit qu'effrayer davantage la fillette.

Nicole s'approcha d'elle, lui caressa le visage puis lui prit la main pour la rassurer.

— Tout va bien, petite. *Es un amigo.*

Elle repoussa la main de l'agent et posa doucement un doigt sur les lèvres de Tia.

— Chut.

C'était étrange d'intimer le silence à une petite fille qui, traumatisée par ce qui lui était arrivé, n'avait pas prononcé le moindre mot depuis son arrivée au camp, songea Nicole. Tia tourna son visage vers elle, dans une attitude pleine de confiance. Elle en fut bouleversée et pria de tout cœur ne pas commettre une erreur fatale en s'en remettant à ces hommes et en tentant de fuir avec eux.

Une fois que Tia eut recouvré son calme, elle enfila à la hâte les chaussures de marche puis, à quatre pattes, suivit son sauveur, qui sortait de la cage avec Tia dans les bras.

— Qu'est-ce que ça signifie ? demanda le second homme quand il vit son collègue avec la fillette.

— Changement de plan, répliqua l'autre en invitant son acolyte à prendre Tia.

Puis, il se retourna.

— Vous êtes prête ? lui demanda-t-il.

Il lui tendit la main pour l'aider à se lever. Elle s'accrocha à son bras musclé pendant quelques secondes pour trouver son équilibre.

— Nous devons avancer vite, reprit-il. Si vous ne parvenez pas à courir, je vous porterai.

A en juger par sa musculature et sa vigueur, cela ne faisait aucun doute : il pourrait la porter sans problèmes sur une longue distance. Mais cette perspective la gêna.

— Non, ne vous inquiétez pas, je peux courir.

— Tant mieux. Gardez la tête baissée et faites exactement ce que je vous dis, d'accord ? reprit-il d'un ton ferme et implacable.

Elle n'appréciait pas trop sa façon de lui parler, mais compte tenu des circonstances, il eût été malvenu de se plaindre.

— Oui, entendu.

Il lui prit la main et la tira derrière lui. Son collègue, qui portait Tia, était quelques mètres devant eux et se dirigeait vers la clôture. Le cœur battant, elle traversa le camp en regardant de tous côtés.

Elle aperçut alors deux silhouettes immobiles, étendues devant la tente qui abritait les armes. Ses sauveurs avaient dû neutraliser ces deux soldats. Etaient-ils encore en vie ? Cette pensée la troubla. Qu'on ait pu tuer des hommes pour la sauver était extrêmement dérangeant.

L'agent qui la tenait par la main avait mis de grosses lunettes et sorti son arme, ce qui lui donnait une allure effrayante. Elle avait tellement peur qu'elle respirait à peine.

Du mieux qu'elle pouvait, elle soutenait l'allure imposée, mais elle butait contre le moindre obstacle, d'autant qu'elle avait les jambes engourdies et n'avait fait aucun exercice ces derniers mois. Néanmoins, elle serra les dents et ne ralentit pas.

Quand ils atteignirent les barbelés qui entouraient le camp, où une brèche avait été créée, elle profita de quelques secondes pour récupérer, le temps que le premier agent passe sous les barbelés en rampant puis qu'il aide Tia à passer à son tour. Au-delà s'étendait la jungle, et une nouvelle vague d'appréhension l'envahit. Les barbelés n'avaient pas seulement été dressés pour empêcher l'évasion des otages, mais également pour prévenir l'intrusion d'animaux sauvages. Pour s'enfuir, ils allaient devoir traverser la végétation et tous les dangers qu'elle dissimulait.

— Allez, à votre tour, Nicole, lui lança l'agent en l'invitant à passer sous les barbelés.

En l'entendant, elle comprit pourquoi sa voix lui avait paru si familière. Cet homme avait un léger accent typique de la Louisiane.

— Vous êtes de Louisiane, lui dit-elle tandis qu'elle se baissait pour se préparer à ramper.

L'agent se figea un instant, comme si sa déduction l'avait troublé.

— Oui, répondit-il sèchement.

Avant qu'elle ne puisse répliquer, il lui posa une main sur le dos pour l'inciter à avancer.

— Allez, vite.

Elle s'exécuta et franchit la clôture. Le second homme avait déjà disparu dans la végétation avec Tia. Une fois qu'il eut lui aussi franchi la clôture, l'agent fouilla dans son sac et lui tendit des lunettes semblables à celles que son collègue et lui portaient déjà.

— Mettez-les.

Elle obéit et, immédiatement, malgré l'obscurité, vit la végétation autour d'elle apparaître dans une lumière verte. Des lunettes de vision nocturne, évidemment ! Elle se tourna vers son sauveur pour l'observer mais les lunettes lui cachaient la majeure partie du visage. Elle distingua seulement qu'il avait les cheveux noirs et qu'une barbe de trois jours lui couvrait les joues et le menton. A peine eut-elle le temps de se familiariser avec ses lunettes qu'il la prit de nouveau par la main pour repartir.

Derrière eux, dans le camp, un cri retentit. Puis un autre, un cri d'alerte, cette fois. Quelqu'un avait certainement découvert les deux gardes inanimés.

L'agent lui serra la main plus fort.

— Bon sang ! Allez, vite, vite !

Alors qu'ils se frayaient un passage dans la végétation, elle entendit le camp s'animer. Les éclats de voix se multipliaient, puis il y eut des bruits de moteurs. Ils se mirent à avancer de plus en plus vite, et c'est l'adrénaline qui lui permit de soutenir la cadence.

Soudain, ils se retrouvèrent face à une pente très raide, et l'effort commença à lui tétaniser les muscles des jambes. De sa main libre, elle s'accrochait à des branches, à des racines, à tout ce qui pouvait lui permettre de gravir la pente sans ralentir. Elle n'avait pas le droit d'abandonner, elle devait à tout prix trouver la force de continuer. Si par malheur les rebelles la rattrapaient, sans doute ne survivrait-elle pas.

Des feuilles et des branches lui fouettaient le visage et les bras, ses lunettes lui permettaient de distinguer par moments les yeux d'animaux sauvages nocturnes, mais elle devait surmonter sa peur pour continuer à avancer, à mettre un pied devant l'autre.

Enfin, ils atteignirent le sommet de la colline et le terrain devint plus plat. Mais l'agent ne ralentit pas pour autant. Heureusement, la végétation se fit moins dense et leur progression plus facile.

Quelques minutes plus tard, alors qu'elle était à bout de souffle, il finit par la tirer à l'abri d'un grand arbre où son collègue s'était lui aussi arrêté avec Tia.

Elle respira bouche ouverte et se laissa tomber à côté de la fillette. Celle-ci vint immédiatement se blottir contre elle.

— Où sommes-nous ? demanda l'agent à son associé, qui avait sorti de son sac un petit appareil qu'elle ne parvint pas à identifier.

— L'hélicoptère va se poser à un peu moins d'un kilomètre d'ici en direction du nord, répondit le second agent.

Elle écoutait leur conversation, mais son cœur battait si fort que ses oreilles bourdonnaient et qu'elle avait du mal à se concentrer.

L'agent qui l'avait sauvée se retourna, s'agenouilla devant elle et lui posa une main sur l'épaule.

— Vous tenez le coup ?

Elle acquiesça de la tête, le souffle trop court pour répondre de vive voix.

— Et la petite ? demanda-t-il en désignant Tia de la tête.

— Effrayée, parvint-elle à articuler, mais… ça va, je crois.

Malgré ses lunettes de vision nocturne, elle n'avait toujours qu'une vague idée de l'apparence de ses sauveurs. Elle mit de côté sa frustration. Tant qu'ils les sortaient, Tia et elle, de cet enfer, à quoi bon savoir à quoi ils ressemblaient ? Pourtant, l'intonation familière de la voix de l'homme qui l'avait délivrée continuait de l'intriguer.

Celui-ci lui tendit alors une gourde.

— Tenez, buvez.

Elle la refusa d'un geste.

— Non, merci, ça va.

— Buvez, insista-t-il en lui mettant la gourde dans la main. Je n'ai pas envie que vous fassiez un malaise alors qu'il va sans doute nous falloir encore courir.

Elle obtempéra, ôta le bouchon de la gourde et la porta à ses lèvres. Le goût sucré et fruité du breuvage lui fit un bien fou. C'était une boisson énergétique. Depuis combien de temps n'avait-elle pas bu autre chose que de l'eau saumâtre ?

Elle repoussa doucement une mèche de cheveux du visage de Tia, lui tendit la gourde et l'aida à boire une gorgée. Le goût sucré plut également à la fillette qui saisit la gourde à deux mains pour boire une seconde gorgée plus importante.

— Hé ! intervint l'agent qui s'empara de la gourde. Il faut que nous en ayons jusqu'à ce que nous soyons partis d'ici, et c'est en priorité ceux qui avancent par leurs propres moyens qui doivent boire.

Apeurée, Tia poussa un gémissement et se serra contre Nicole.

Cette dernière se retint de rétorquer à chaud. Elle ne devait pas oublier que cet homme risquait sa vie pour la sauver et qu'il avait accepté d'emmener Tia malgré leurs provisions limitées. Elle déclara donc d'un ton de voix le plus mesuré possible :

— Pourriez-vous essayer de ne pas lui faire peur ? Ce n'est qu'une enfant et elle a déjà vécu une terrible épreuve.

Tandis qu'il rangeait la gourde dans son sac, l'agent interrompit un instant son geste et poussa un soupir d'agacement avant de se lever.

— Allez, nous nous sommes suffisamment reposés, en avant. Alec, tu es prêt ? demanda-t-il à son partenaire.

Celui-ci acquiesça et tendit la main à Nicole pour l'aider à se lever. L'autre agent prit Tia dans ses bras et partit le premier. Nicole le suivit et le second agent — le dénommé Alec — ferma la marche pour couvrir leurs arrières. Ils ne couraient plus mais progressaient d'un pas très soutenu et elle avait du mal à suivre. Au bout d'un long moment, Alec mit les mains autour de sa bouche et émit un sifflement semblable à celui d'un oiseau. L'autre homme s'arrêta et posa Tia au sol.

— Nous n'avançons pas assez vite, déclara-t-il, visiblement agité.

Puis, il se tourna vers Alec.

— Passe devant, lui ordonna-t-il. Prends la petite et dis à Jake de tenir l'hélico prêt à décoller. Moi, je reste avec Nicole et nous arriverons… le plus tôt possible.

— Entendu.

Sans rien ajouter, Alec prit Tia dans ses bras et s'éloigna avec elle. Nicole était inquiète. Le fait qu'ils se séparent lui semblait dangereux.

— Etes-vous sûr que c'est une bonne idée ? demanda-t-elle en massant le point de côté qui la gênait depuis un moment.

— Normalement, non.

Il marqua une pause, comme pour éviter de trop s'épancher.

— Mais… dans ces conditions…

Vexée, Nicole poussa un grognement d'exaspération.

— Je suis désolée de vous ralentir mais, après tous ces mois en captivité, je ne suis pas au meilleur de ma forme physique.

Il la regarda en silence pendant plusieurs secondes. Avec ses lunettes, il ressemblait à un insecte sorti tout droit d'un film de science-fiction.

— Je sais bien.

Il s'exprimait d'un ton plus doux, plus compatissant. Elle se laissa tomber au pied d'un arbre, ôta ses lunettes, qui étaient très lourdes, et se massa les tempes. Elle était déstabilisée par les changements d'humeur de cet agent, tantôt d'une grande compréhension, tantôt dur et implacable.

— Ecoutez, je vous assure que j'ai conscience des risques que vous prenez pour me sortir de cet enfer et que je vous en suis reconnaissante, et je fais de mon mieux pour ne pas vous compliquer la tâche. Mais, par moments, on dirait que…

Elle fit un grand geste vague pour indiquer qu'elle ne trouvait pas ses mots.

— Je ne sais pas comment dire. On dirait que quelque chose vous contrarie, que vous êtes en colère. Est-ce à cause de moi ?

L'homme resta silencieux. Elle distinguait tout juste les contours de sa silhouette. Elle crut qu'il n'allait pas lui répondre, mais, finalement, il déclara :

— Non, ce n'est pas à cause de vous, mais de votre père.

Abasourdie, elle se redressa.

— Qu'est-ce que mon père vient faire dans cette histoire ?

— C'est compliqué, répliqua-t-il d'un ton exaspéré. Disons simplement que c'est une drôle d'ironie que ce soit moi qui aie été chargé de vous délivrer et de vous ramener à lui.

Elle fronça les sourcils, de plus en plus perdue.

— Une drôle d'ironie ? Pourquoi ?

Malgré l'obscurité, elle sentait son regard fixé sur elle et un frisson lui parcourut l'échine.

— Parce que votre père a essayé de me tuer.

3

L'affirmation de cet homme lui parut tellement énorme que Nicole éclata de rire.

— Qu'est-ce que vous racontez ? Mon père n'est pas un meurtrier.

Elle renifla de dédain et secoua la tête. Jamais elle n'aurait cru avoir une telle discussion au sujet de son père, en pleine jungle colombienne qui plus est.

— Je reconnais que, dans le passé, j'ai eu de nombreux différends avec lui, mais ça n'en reste pas moins un citoyen respectable. C'est un sénateur des Etats-Unis, quand même !

L'agent se pencha en avant pour placer son visage tout près du sien.

— Non, plus maintenant, il a dû faire face à une procédure de destitution et a préféré démissionner.

Nicole eut un coup au cœur.

— Quoi ? Mais pourquoi ?

— Parce qu'il a trahi son pays.

Elle fut scandalisée.

— Vous mentez. Jamais mon père ne…

— Oh que si, la coupa l'homme. Je peux prouver qu'il a négocié en sous-main avec un représentant des rebelles qui vous ont enlevée et qu'il lui a transmis des informations classées secret défense pour tenter d'obtenir votre libération.

Il marqua une pause pour reprendre son souffle puis reprit :

— Et même si je respecte son objectif, car vous êtes sa fille, je condamne totalement le procédé.

Elle tenta de digérer ces informations et d'y faire le tri. Cet homme lui parlait-il vraiment de son père ?

— Je… Je ne vous crois pas.

L'agent poussa un grognement de mépris.

— Je me moque que vous me croyiez ou pas, moi, je sais de quoi je parle.

Elle tenta de déglutir, car elle n'avait quasiment plus de salive. Elle chercha à tâtons ses lunettes pour les remettre et essaya encore une fois de déterminer qui diable était cet homme qui portait de telles accusations contre son père.

— Qui êtes-vous et que croyez-vous qu'il ait fait exactement ? Quoi que ce soit, je suis certaine qu'il y a une explication logique.

L'agent se redressa et écarta une branche devant lui.

— Il y a quelques mois de cela, il a trahi deux agents américains en mission secrète en territoire ennemi. Encore une fois, son but était d'obtenir votre libération, mais… ça n'a pas marché.

Nicole était de plus en plus mal à l'aise, elle en avait une boule à l'estomac.

— Et… qu'est-il arrivé à ces deux agents ?

Il ne répondit pas immédiatement, la laissant imaginer le pire.

— Eh bien, malgré la trahison de votre père, nous avons pris sur nous de poursuivre notre mission pour pouvoir enfin vous libérer.

Elle en resta bouche bée.

— Vous voulez dire que c'était… vous ?

Cette fois-ci, il ne répondit pas et lui fit signe de la main de se lever.

— Allez, venez, il est temps de se remettre en route.

Elle resta immobile à le fixer, trop ébahie pour bouger.

— Alors, je suis quoi, moi, un pion dans la petite vendetta personnelle que vous menez contre mon père ?

— On pourrait dire cela. Mais ça solde également les comptes entre vous et moi, vous ne croyez pas ?

Elle agita la tête, complètement perdue par ses propos cryptés.

— Suis-je censée vous connaître ?

Il eut un petit rire amer.

— Que vous ne me reconnaissiez pas en dit beaucoup.

— Ecoutez, cessez de parler par énigmes et expliquez-moi une bonne fois pour toutes ce qui se passe. Qui êtes-vous ?

Elle avait beau s'efforcer de parler tout bas, la colère lui faisait hausser le ton.

— Ne parlez pas…

Soudain, un bruit sourd retentit, suivi d'une série de coups de feu. L'agent poussa un juron et la tira par le bras pour qu'elle se relève.

— Des tireurs embusqués. Courez, vite !

Terrorisée, elle prit ses jambes à son cou. L'agent répliqua aux tirs puis se mit lui aussi à courir. Autour d'elle, elle entendait les balles fuser, des morceaux d'écorce éclataient. Elle ne se retourna pas et suivit aveuglément son sauveur, qui était repassé devant elle. Soudain, il poussa un cri de douleur et s'effondra.

Elle s'arrêta et, pour se protéger, plongea à plat ventre derrière un tronc d'arbre couché au sol. L'agent la rejoignit en rampant. Il se tenait la jambe gauche.

— Vous êtes blessé ?

Il la repoussa d'un geste.

— Ne vous occupez pas de moi et filez, dit-il d'une voix déformée par la douleur. Droit devant. Alec vous attend avec l'hélico pour…

— Je ne vous laisserai pas ici ! le coupa-t-elle avec véhémence.

Elle s'approcha davantage et, grâce à ses lunettes, vit qu'il avait été touché au niveau du genou.

— Oh ! mon Dieu !

Elle était infirmière, habituée à la vue du sang, et pourtant, elle manqua défaillir. Il devait souffrir le martyre. Tout en restant le plus possible à l'abri du tronc d'arbre pour ne pas s'exposer, elle ôta son T-shirt. En dessous, elle ne portait qu'un soutien-gorge, mais elle s'en fichait. Elle déchira le vêtement au niveau de la couture.

— Nous n'avons pas le temps ! geignit l'agent en la repoussant quand elle voulut poser un garrot autour de sa blessure. Filez !

Elle en eut les larmes aux yeux.

— Pour que je vous laisse mourir ici ? Pour qui me prenez-vous ?

Il bascula la tête en arrière. Un rictus de douleur lui déformait les traits.

— Nicole !

Sans l'écouter, avec l'énergie du désespoir, elle noua son T-shirt serré autour de son genou puis le prit par le col.

— Levez-vous ! lui ordonna-t-elle. Vous partez avec moi. Allez !

Elle lui prit le bras gauche pour le passer autour de ses épaules, mais elle devait veiller à ce qu'ils ne se retrouvent pas à découvert.

Elle ne savait comment s'y prendre. L'homme faisait deux fois son poids et ils étaient entourés de tireurs embusqués. Comment parviendrait-elle à leur faire rejoindre l'hélicoptère sains et saufs ?

L'agent comprit son dilemme et libéra son bras.

— Laissez-moi, bon sang, nous ne pouvons pas partir ensemble. Allez, courez !

Elle ne voulait pas le laisser, mais que pouvait-elle faire d'autre ?

— Promettez-moi que vous allez me suivre.

Il acquiesça d'un signe de tête qui fut loin de la convaincre. Mais les tirs continuaient de fuser et semblaient même devenir plus précis. Elle se pencha au-dessus de l'agent et lui cria :

— Je vais revenir avec Alec.

— Non ! l'entendit-elle rétorquer au moment où elle se retournait pour s'élancer.

Elle courut de toutes ses forces. L'humidité commençait à se déposer sur ses lunettes et à brouiller sa vision. Elle les enleva et les jeta sans s'arrêter. A l'horizon, les tout premiers rayons du soleil commençaient à apparaître et elle fonça droit sur ce qui, dans la faible lumière naissante, ressemblait à une clairière. Soudain, elle distingua un bruit de moteur.

Faites que ce soit l'hélicoptère et qu'Alec soit là.

— Alec ! cria-t-elle.

Elle n'avait plus de souffle, si bien que sa voix ne porta pas autant qu'elle l'aurait souhaité. Mais sans doute avait-il entendu les coups de feu. Alors où…

Soudain, une main la saisit par le bras et la tira dans la végétation. Elle allait hurler quand elle reconnut le second agent, toujours équipé de ses lunettes de vision nocturne.

— Alec !

Il la poussa à l'abri derrière lui.

— Baissez la tête.

Il brandit un pistolet automatique à hauteur d'épaule et regarda de tous côtés, prêt à faire feu.

— Jake est prêt à faire décoller l'hélico, déclara-t-il. Par ici, ajouta-t-il en l'invitant à se diriger vers la clairière.

Mais elle resta où elle était.

— Où est Tia ?

— Dans l'hélicoptère, avec Jake.

Elle poussa un soupir de soulagement.

— Votre partenaire est blessé. Nous devons retourner le chercher, reprit-elle en repartant dans la direction d'où elle venait, certaine qu'Alec allait la suivre.

— Nicole, attendez ! s'exclama-t-il en tentant de la retenir, Nicole !

— Dépêchez-vous ! répliqua-t-elle sans s'arrêter.

Elle avait tellement peur qu'il soit arrivé malheur à l'agent blessé que son énergie était décuplée. Même si, pour une raison qu'elle n'avait pas encore éclaircie, cet homme lui en voulait, il avait risqué sa vie pour la sauver. Elle n'avait pas le droit de l'abandonner à son sort. Elle progressait en passant d'un arbre à l'autre pour ne pas être à découvert. Alec l'avait rejointe et restait tout près d'elle pour la couvrir, toujours prêt à faire feu.

Les coups de feu avaient cessé, mais les tireurs étaient certainement embusqués quelque part.

— Retournez à l'hélicoptère, je le trouverai, déclara Alec.

Ils avaient à peine parcouru la moitié du chemin qu'elle avait effectué après l'avoir laissé, mais elle était déterminée à ce que son libérateur quitte la jungle avec eux. Elle ouvrit donc la bouche pour protester quand une ombre émergea de derrière un arbre.

Elle resta un instant interdite. Malgré la douleur, l'agent avait trouvé la force de se relever pour rejoindre l'endroit d'où devait décoller l'hélicoptère. Il s'appuyait sur une branche pour avancer, traînant sa jambe blessée, et s'était lui aussi débarrassé de ses lunettes. Il grimaçait mais, au-delà de sa souffrance, il était manifestement animé d'une détermination à toute épreuve. Elle fut impressionnée. Cet homme était un vrai battant.

« Votre père a essayé de me tuer. »

Elle écarta cette accusation de ses pensées. Plus tard, elle aurait le temps d'éclaircir les allégations de cet homme. Mais d'abord, il fallait retourner à l'hélicoptère.

Suivie d'Alec, elle se dirigea vers l'agent blessé. Quand il les entendit approcher, il releva vivement la tête et pointa son arme sur eux.

Elle retint son souffle et s'immobilisa.

— Ne tirez pas, c'est nous !

L'agent poussa un long soupir.

— Bon sang, Nicole, je vous avais dit de ne pas…

— Je sais très bien ce que vous m'avez dit, l'interrompit-elle.

Alec s'empressa de passer le bras gauche de son équipier autour de ses épaules pour l'aider à avancer, et elle en fit de même avec le droit.

— J'ai tout simplement décidé de ne pas tenir compte de vos ordres, reprit-elle. Je devais revenir vous aider.

Elle serra les dents pour résister à son poids et parvenir à avancer puis jeta un regard à son visage grimaçant et ne put s'empêcher d'ajouter :

— On dira que ça solde les comptes entre vous et moi, non ?

Elle le sentit se crisper. Il tourna la tête et la fixa. Mais, au lieu de répliquer, il déclara :

— Avançons plus vite, je tiendrai le coup.

— Mais vous êtes…

Elle fut interrompue par des éclats de voix qui semblaient se rapprocher.

— Cessez de me dorloter ! insista-t-il. Il faut accélérer.

Elle serra son bras d'une main, passa l'autre autour

de sa taille pour bien le tenir et fit de son mieux pour marcher au même rythme qu'Alec, malgré le peu de forces qui lui restait. L'agent blessé se mit à geindre de douleur mais leur interdit de ralentir. Quand ils aperçurent enfin la clairière où était posé l'hélicoptère, elle ne sentait plus ses jambes et avait des crampes dans les bras.

Les derniers mètres devaient se faire à découvert. Alec sortit son arme et la lui tendit.

— Couvrez-nous, dit-il, je m'occupe de le porter jusqu'à l'hélico.

Elle saisit l'arme mais ne sut qu'en faire. Jamais de sa vie elle n'avait tenu un pistolet automatique.

Mais, alors qu'Alec courait avec son partenaire vers l'hélicoptère, de nouveaux tirs retentirent. Sans réfléchir, elle leva le bras, lâcha une rafale à l'aveuglette et se mit à courir elle aussi. Elle garda les yeux fixés sur la porte ouverte de l'appareil. A l'intérieur, elle voyait Tia recroquevillée dans un coin, les mains sur les oreilles.

Alec déposa sans ménagement son partenaire dans l'hélico puis se rua sur le siège du copilote.

— Décolle, Jake ! hurla-t-il au pilote.

A peine fut-elle à l'intérieur qu'elle se laissa tomber, à bout de souffle, et que l'appareil quitta le sol. Elle retint un haut-le-cœur quand il s'éleva au-dessus des arbres et décrivit un arc de cercle. Elle lâcha l'arme qu'elle avait encore en main comme si c'était une bête dangereuse, et inspira plusieurs fois à pleins poumons. Elle parvint à se calmer en positivant : elle était en un seul morceau, malgré les multiples égratignures sur ses bras et ses jambes.

Et Tia était elle aussi en sécurité, même si le tumulte et les coups de feu avaient sans doute ravivé dans son esprit de pénibles souvenirs. Maladroitement, elle crapahuta jusqu'à l'endroit où était recroquevillée la fillette.

Celle-ci poussa un petit gémissement, lui encercla la taille et posa la tête sur son épaule. Nicole sentit des larmes couler sur sa peau. Elle avait presque oublié qu'elle avait ôté son T-shirt pour panser la blessure de l'agent et ne portait plus qu'un soutien-gorge. Mais ce n'était vraiment pas le moment de faire dans la pudeur.

— Nicole…

La voix de l'homme blessé qui l'avait secourue n'était qu'un murmure à peine audible dans le bruit des rotors de l'hélicoptère.

Elle leva la tête pour croiser son regard. Il avait du mal à garder les yeux ouverts tant il semblait souffrir et, chaque fois que l'appareil était secoué par une poche d'air, il grimaçait. Elle ne supportait pas de le voir vivre un tel calvaire, même s'il avait proféré de très graves accusations contre son père. Quelles que soient ses motivations, il lui avait sauvé la vie, à elle et à Tia.

— Ni… cole, répéta-t-il péniblement en tendant la main pour lui demander de s'approcher.

Elle adressa un sourire rassurant à Tia et s'écarta doucement d'elle pour s'approcher de l'homme.

Elle lui prit la main avec douceur et regretta de ne pouvoir atténuer sa douleur. Le soleil était maintenant plus haut dans le ciel et commençait à éclairer l'intérieur de l'hélicoptère. Pour la première fois, elle put vraiment voir le visage de l'homme qui l'avait libérée. Malgré la barbe de trois jours qui couvrait ses joues et le noir de charbon qu'il s'était passé sur le front en guise de camouflage, il était très beau. De nouveau, elle eut une impression de familiarité.

— J'ai… besoin…

Il s'interrompit et serra les dents.

— S'il vous plaît… J'ai besoin…

Nicole fut émue aux larmes.

— De quoi avez-vous besoin ? Dites-le-moi.

Y avait-il dans l'hélicoptère une trousse de secours qui contenait des analgésiques ? En tout cas, une fois qu'ils seraient au sol, elle ferait tout son possible pour soulager ses souffrances. Elle se le promettait…

Il poussa de nouveaux soupirs saccadés et serra la mâchoire.

— J'ai besoin que… vous vous rappeliez.

Il déglutit avec difficulté, les yeux rivés sur elle.

— Dites-moi que… vous vous souvenez.

Elle fut bouleversée par sa requête et sa détresse. Le voir se tordre de douleur était déjà extrêmement pénible. Elle ouvrit la bouche pour lui demander ce qu'il voulait dire exactement, mais son regard implorant la rendit incapable de lui poser la question.

— Je me souviens, mentit-elle en se penchant sur lui pour s'assurer qu'il l'entendait.

Pendant quelques secondes, une lueur d'espoir illumina son regard, tandis que des gouttes de sueur perlaient à son front. Brusquement, son expression changea et il détourna les yeux. Il serra les dents et fit une nouvelle grimace de douleur.

Avant qu'elle ne puisse réagir, il lui prit le visage entre les mains et serra si fort qu'elle en eut mal. Il approcha son visage à quelques centimètres du sien.

— Alors dites mon nom !

Elle le regarda intensément, abasourdie. Dès le moment où il lui avait parlé, puis quand il l'avait embrassée en la délivrant et enfin quand elle avait vu son visage, elle avait senti un écho résonner en elle. Mais de quoi s'agissait-il ? De qui ?

— Dites mon nom, Nicole, répéta-t-il, avec plus de difficulté. Je veux vous entendre le prononcer.

Alors, tout lui revint. Elle fut propulsée cinq ans en arrière, dans une chambre d'hôtel de La Nouvelle-Orléans. Elle sentit son cœur se serrer et se mit à pleurer.

— Oh mon Dieu, dit-elle, tout contre lui. Daniel…

4

Cinq ans plus tôt

— Qu'en penses-tu ? demanda Nicole à Daniel en prenant la pose, coiffée de sa casquette de marin.

A part cette casquette, elle ne portait rien d'autre.

— Pourrais-je faire partie de la marine ?

Allongé sur le lit de la chambre d'hôtel, Daniel l'observa en se calant les mains derrière la tête, ce qui mettait en valeur ses larges épaules et les muscles bien dessinés de ses bras. Il lui adressa un sourire malicieux et séducteur.

— Ce que je pense, c'est que, désormais, chaque fois que je porterai mon uniforme blanc, je me dirai qu'il te va encore mieux qu'à moi.

Elle se mit à plat ventre sur le lit, rampa jusqu'à lui et caressa son large torse dénudé.

— Personnellement, je dois avouer que, même si avec ton uniforme, tu es hyper-sexy, je préfère quand tu ne portes rien du tout.

Il lui prit le visage entre les mains et l'attira à lui pour l'embrasser. Même si, au cours des heures précédentes, ils avaient déjà fait plusieurs fois l'amour, sentir ses lèvres sur les siennes et sa main remonter lentement le long de sa cuisse lui donna immédiatement envie de le sentir en elle et de vivre un nouveau moment intense.

Certes, avant lui, elle n'avait pas connu beaucoup

d'hommes, mais jamais elle n'aurait cru possible d'éprouver une telle attirance. C'était comme s'il avait su d'instinct où la caresser et l'embrasser.

Elle mit fin à leur baiser et le fixa droit dans les yeux, le souffle court.

— Alors, qu'en dis-tu, Boudreaux, tu crois que tu as encore quelques forces en réserve ?

Il soutint son regard quelques secondes.

— A ton avis ?

En un seul mouvement, il la fit rouler sur le dos et la couvrit de son corps. Elle poussa un petit gémissement de surprise puis éclata de rire quand il lui emprisonna les poignets d'une main et lui caressa le ventre du bout des doigts. Elle se mit à se tortiller dans tous les sens.

— Arrête, dit-elle entre deux éclats de rire, je t'ai dit que j'étais chatouilleuse.

Il haussa les sourcils avec malice.

— Et moi je t'avais prévenue de ce qui se passerait si tu m'appelais encore une fois Boudreaux.

Il recommença à la caresser du bout des doigts jusqu'à ce qu'elle n'en puisse plus.

— Pitié, arrête !

Il s'interrompit.

— Comment est-ce que je m'appelle ?

— Boudreaux !

Il agita négativement la tête et reprit ses chatouilles.

— Dis mon nom. Mon véritable nom.

Elle éclata de rire et lui retourna une moue moqueuse.

— Tu as peur que je l'aie oublié ?

Il inclina la tête.

— Est-ce le cas ?

— Non.

— Prouve-le.

Il bougea les hanches pour que son érection vienne frotter doucement contre son intimité.

Elle était tellement subjuguée, tellement impatiente… Elle voulait le sentir en elle et bougea les hanches pour l'attirer un peu plus encore.

— Viens, vite…

Toutefois, même quand elle enroula les jambes autour de sa taille, il ne bougea pas.

— Dis mon nom.

Sa voix était devenue solennelle, mais son regard était embrasé de désir. Il lui donna un petit baiser, fit glisser ses lèvres sur sa joue.

— J'ai envie de t'entendre prononcer mon nom quand je suis en toi.

La sincérité de sa déclaration la bouleversa et intensifia encore son désir. Elle passa les mains dans ses cheveux et se hissa de quelques centimètres pour approcher sa bouche tout près de son oreille.

— Daniel. Daniel LeCroix.

Nicole prononça son nom d'une voix sensuelle, en insistant sur chaque syllabe. Il poussa un long soupir de satisfaction et la pénétra doucement.

— Ah, Nicole… mon amour…

A son tour, elle gémit de plaisir et le saisit par les épaules. Il voulait ne plus faire qu'un avec elle, lui faire éprouver des sensations inédites, rendre ce moment inoubliable. Quand ils avaient fait l'amour la première fois, il avait cru qu'il assouvirait enfin son fantasme, qu'il serait apaisé. Au contraire, plus ils faisaient l'amour, plus il la désirait.

Les gémissements de Nicole se transformèrent en

petits cris, elle bascula la tête en arrière, complètement sous l'emprise de ses sensations.

— Daniel !

L'entendre crier son nom fit voler en éclats ses dernières inhibitions. Il se joignit à elle pour laisser s'exprimer l'intense plaisir qu'il éprouvait.

Mais de nouveau, elle prononça son prénom d'une voix chaude et langoureuse.

— Daniel !

C'était comme une invite à plus de fougue, à ce qu'il la transporte encore un peu plus haut. Il la sentit prête à jouir et il se donna tout entier pour qu'ils atteignent l'orgasme ensemble, complètement l'un à l'autre, épuisés mais tellement heureux.

Après de longues minutes, ils reprirent progressivement leurs esprits. Daniel sentait sa vie basculer. Nicole faisait désormais partie de son existence, il ne pourrait plus se passer d'elle. Pendant plusieurs années, elle avait occupé son esprit. Désormais, elle avait investi son corps et son cœur.

Il voulut s'écarter légèrement, mais elle le retint en croisant les bras autour de son cou.

— Serre-moi, Daniel. S'il te plaît, serre-moi fort.

Il la tint tout contre lui, et ils restèrent ainsi longuement, s'endormant dans les bras l'un de l'autre.

Le lendemain matin, aux premiers rayons du soleil, ils se réveillèrent tendrement enlacés.

Le téléphone portable de Nicole sonna, et elle roula de côté pour répondre.

Daniel resta allongé sur le dos et l'observa tandis que, entièrement nue et appareil en main, elle traversait la chambre. Elle consulta l'écran pour connaître l'identité de son correspondant et poussa un soupir d'exaspération.

— Bonjour, papa, dit-elle après avoir décroché.

Il se crispa immédiatement.

— Oui, je dormais, pourquoi ?

Elle poussa un petit soupir puis reprit :

— Oh ! j'avais complètement oublié.

Elle jeta un regard en arrière et fit la grimace.

— Oui, je sais que c'est très important pour toi.

Il se dressa sur un coude et la regarda. « Désolée », la vit-il articuler silencieusement. Puis elle se retourna et entra dans la salle de bains.

— Ecoute, je me dépêche de prendre une douche puis je te rejoins directement sur place.

A ces mots, il fut déçu. Il avait espéré qu'ils pourraient au moins prendre le petit déjeuner ensemble avant qu'elle ne s'en aille.

Il l'entendit ouvrir la douche et se laissa retomber sur l'oreiller avec un soupir fataliste. Puis il repoussa les draps, se leva et se dirigea vers la porte de la salle de bains pour lui demander si elle souhaitait qu'il appelle le room service. Mais la porte était verrouillée.

Il leva la main pour frapper, mais entendit alors la voix de Nicole. Elle avait ouvert la douche mais n'avait pas raccroché.

— Oui, j'ai passé la nuit avec ce type du bayou, l'entendit-il déclarer, d'une voix hautaine et avec un certain dédain. A vrai dire, j'ai même fait l'amour avec lui. Oui, plusieurs fois.

Son ton et ses déclarations provocatrices lui firent une étrange impression. Il baissa la main et écouta, le cœur battant.

— Oui, je sais parfaitement ce que tu penses de lui,

continua-t-elle. Mais justement, ce n'est peut-être pas un hasard.

Il eut la sensation de prendre un coup et revit la soirée de la veille avec un nouveau regard. Il repensa au petit sourire satisfait de Nicole quand elle avait annoncé à son père qu'elle allait passer le reste de la soirée avec lui, au plaisir qu'elle prenait à l'appeler Boudreaux, ce sobriquet qu'il détestait, aux regards hostiles que lui avait adressés le sénateur.

Il avait alors vaguement eu la sensation de se retrouver au centre d'un conflit familial, mais il ne s'était pas douté à quel point.

— Parce que c'est mon droit, papa. J'ai le droit de coucher avec un Cajun, avec un garçon de bonne famille ou même l'ensemble de la marine si ça me chante ! Je ne suis plus une enfant, ce n'est pas à toi de me dire ce que je dois faire ou pas !

Il recula d'un pas, le souffle court.

Ce qui s'était passé cette nuit entre eux n'avait-il rien signifié pour elle ? N'était-ce qu'une façon de se rebeller contre son père ?

— Qui a dit qu'il y aurait une prochaine fois ? Et si moi je préfère retourner à Houston pour terminer ma formation d'infirmière humanitaire ? Après tout, c'est exactement ce que maman aurait souhaité !

Tandis que la querelle entre Nicole et son père se faisait de plus en plus vive, il se passa la main dans les cheveux et tenta d'apaiser sa colère et le sentiment de trahison qui s'était emparé de lui.

Elle s'était servie de lui. Elle avait profité de sa présence pour provoquer son père en se montrant devant lui avec un homme qu'il ne jugeait pas digne d'elle. Il se sentait trompé. Sans attendre, il rassembla ses vêtements.

Au moment où il laça ses chaussures, la voix de Nicole

n'était plus qu'un son étouffé qui lui parvenait de loin. Il récupéra sa casquette et son téléphone. Il était écœuré, il en voulait à Nicole, mais il était encore plus en colère contre lui-même de s'être laissé berner.

Lorsqu'il jeta un dernier regard à la chambre pour vérifier qu'il n'avait rien oublié, le seul bruit qu'il entendit fut celui de l'eau qui coulait. Le lit en désordre lui rappela une dernière fois la nuit passée. Il avait fait l'amour avec Nicole, mais il s'était surtout fait avoir.

Nicole resta prostrée sur le sol de la salle de bains, en larmes. Elle devait se reprendre pour ne pas montrer à Daniel que l'attitude de son père la blessait au plus profond d'elle-même. Pendant la nuit, elle s'était dit que, si elle voulait reprendre le contrôle de son existence, elle ne devait plus accepter ses diktats. De toute façon, même en faisant de son mieux, elle ne serait jamais la fille qu'il espérait. Alors, tant pis. Elle n'en pouvait plus de jouer à la petite fille docile !

Sur de nombreux sujets, ils avaient des conceptions trop éloignées. Il lui avait suffi d'entendre les termes péjoratifs qu'il avait utilisés pour parler de Daniel. Elle lui avait répondu en utilisant le même ton que lui, les mêmes termes, espérant lui faire prendre conscience qu'il était odieux, snob et élitiste. Mais son père n'avait pas suffisamment de recul pour se rendre compte de tout cela et ça la rendait très malheureuse.

D'autant plus malheureuse qu'elle avait perdu sa mère quelques mois plus tôt. Se couper de son père, c'était ne plus avoir de parents. N'était-ce pas trop difficile à prendre comme décision ? Tiendrait-elle le choc ?

*
* *

Elle se leva en soupirant et ferma l'eau de la douche. Que devait-elle dire à Daniel de la dispute qu'elle venait d'avoir avec son père ? Il en avait sans doute entendu des bribes. Bien sûr, il était hors de question qu'elle lui mente, mais devait-elle tout lui avouer ?

Finalement, elle s'enveloppa dans un peignoir et sortit de la salle de bains avec la ferme intention de ne rien laisser de côté et d'affronter l'avenir avec courage. Mais elle ne trouva personne dans la chambre.

5

De nos jours à La Nouvelle-Orléans

Daniel s'éveilla lentement et resta immobile, les yeux fermés. Où était-il ? Y avait-il un danger ? Il avait été entraîné à agir ainsi. Il était d'autant plus méfiant que son genou lui faisait mal et qu'il n'avait aucun souvenir de ce qui s'était passé après avoir rejoint l'hélicoptère.

Il perçut un petit bruit électronique régulier ainsi que des voix, trop éloignées pour qu'il puisse distinguer dans quelle langue elles s'exprimaient. Il était allongé sur un matelas et sentait un drap tiré sur lui. Un lit. Son genou le faisait souffrir, et il avait également une aiguille dans le bras droit. Il avait la sensation de flotter légèrement, sans doute sous l'effet d'analgésiques. Une odeur de javel et d'antiseptique flottait autour de lui.

Il était donc dans une chambre d'hôpital. Mais où ?

Il y avait quelqu'un qui lui tenait la main. Son cœur s'emballa. Qui…

Il entrouvrit les yeux, tout doucement pour que la personne à côté de lui ne s'aperçoive pas qu'il s'était réveillé, au cas où…

Nicole était assise dans un fauteuil roulant. Sa tête tombait de côté, elle avait les yeux clos, les lèvres entrouvertes. Elle dormait. Elle portait une blouse bleue d'hôpital et avait elle aussi le bras droit relié à une perfusion. Une fois encore, comme lorsqu'il l'avait découverte assoupie dans le camp où elle était retenue prisonnière, il fut frappé par sa beauté et bouleversé par sa vulnérabilité.

Mais alors, il repensa à ce qui s'était passé dans la jungle : il la revit déterminée à ne pas s'arrêter malgré sa fatigue, refusant de l'abandonner quand il avait été blessé, dévouée pour protéger la fillette qu'ils avaient finalement emmenée.

Non, Nicole White pouvait paraître vulnérable mais, intérieurement, elle avait une force prodigieuse.

Il tourna la tête pour regarder leurs mains jointes. Dans son souvenir, elle avait des mains douces et délicates, très féminines. Mais après avoir passé plusieurs mois dans des conditions très difficiles, elle avait des ongles cassés, de petites égratignures un peu partout. Imaginer le calvaire qu'elle avait dû endurer lui serra le cœur.

« Oh ! mon Dieu, Daniel… » Il s'était évanoui peu après le moment où elle l'avait reconnu. Enfin.

Cette pensée le rendit triste.

Certes, quand il était venu la délivrer, il faisait nuit noire, il était grimé, ils avaient dû traverser la jungle sous les coups de feu. Et puis, cela faisait cinq ans qu'ils ne s'étaient pas vus. Son apparence avait quelque peu changé depuis cette époque.

Néanmoins, ça lui avait fait mal qu'elle ne le reconnaisse pas immédiatement. Surtout après leur dernière — et seule — nuit ensemble.

Il soupira.

Il avait passé une seule nuit avec elle cinq ans auparavant, et une soirée dix ans plus tôt. C'était peut-être trop exiger qu'elle se souvienne de lui sur-le-champ. Et puis, même si elle se souvenait précisément de leur nuit dans cet hôtel de La Nouvelle-Orléans, qu'est-ce que cela changeait ?

Il ne devait pas oublier qui était son père ni pourquoi ils n'avaient passé qu'une seule et unique nuit ensemble. Elle s'était servie de lui…

Chaque fois qu'il se faisait cette réflexion, le même sentiment d'amertume revenait, les années n'y avaient rien changé. Jamais ils n'avaient réglé leurs comptes. Il serra les dents, libéra doucement sa main pour ne pas la réveiller et lui tourna le dos.

Puis, il ferma les yeux pour se rendormir et chasser ses idées noires. Un petit coup fut alors frappé à la porte, qui s'entrebâilla. Un visage familier apparut.

— Daniel, tu es réveillé ? Nous pouvons entrer ?

Alec, son partenaire, était accompagné de sa femme. Celle-ci allait bientôt donner naissance à leur premier enfant. A cette idée, Daniel sentit son moral remonter.

Il leur sourit et leur fit signe d'approcher puis désigna Nicole des yeux pour leur indiquer de ne pas faire de bruit.

— Salut Erin, murmura-t-il à l'épouse d'Alec quand elle se pencha sur lui pour le serrer dans ses bras. Merci de m'avoir prêté ton mari pour cette mission. Tu vois, je l'ai ramené en un seul morceau, comme je te l'avais promis.

Erin se redressa et jeta un regard sur sa jambe blessée.

— Tu m'avais promis que vous rentreriez tous indemnes, je te rappelle.

— Oups, fit Daniel d'un air contrit.

Erin lui adressa un regard faussement sévère puis s'écarta pour laisser Alec le saluer. Tous deux se serrèrent la main sans un mot. Toute parole était inutile. Ensemble, ils avaient traversé de nombreuses épreuves.

— Comment va ton genou ? lui demanda Alec à voix basse après quelques secondes.

— A toi de me le dire. Je n'ai aucune idée de ce qui s'est passé une fois que l'hélicoptère a décollé.

— Oh ! c'est assez simple. Nous avons quitté la jungle sans attendre. Quant aux tireurs qui nous ont pris pour cibles, ce n'étaient même pas des rebelles.

Daniel fronça les sourcils.

— Comment ça ?

— Eh bien, en fait, c'étaient des types postés là pour surveiller un champ de coca. J'ai vu les plantations quand l'hélico a survolé la zone.

— C'est dingue, commenta Daniel en agitant la tête. Et ensuite ?

— Ensuite, nous avons atterri à Bogota pour prendre l'avion qui nous attendait là-bas et nous sommes rentrés aux Etats-Unis au plus vite.

Alec, qui avait visiblement eu le temps de prendre une douche, de se raser et se changer, tira un fauteuil pour que son épouse puisse s'asseoir puis reprit :

— Nous avons atterri à La Nouvelle-Orléans en début d'après-midi, soit dix heures après avoir exfiltré Nicole White. Mission accomplie.

Alec croisa les bras et lui adressa un sourire satisfait.

Erin leva la tête pour observer son mari avec un air inquiet.

— C'était ta dernière mission. Tu me l'as promis.

Alec s'assit sur l'accoudoir du fauteuil et déposa un baiser sur les cheveux de son épouse.

— Oui, c'est promis.

Daniel les regarda avec regret. Même s'il appréciait énormément Erin et était heureux pour eux deux, il ne pouvait s'empêcher de s'interroger sur l'avenir. Il faisait équipe avec Alec quasiment depuis le jour où il avait intégré le service des opérations spéciales. Qu'allait-il devenir sans son partenaire ?

Il posa la main juste au-dessus du genou. Sa blessure aurait-elle des conséquences sur sa carrière à lui aussi ?

— En fait, j'espérais que tu me donnerais des détails plus précis. Je suppose que tu as parlé avec les médecins de l'hôpital ?

Il désigna brièvement Nicole du regard.

— Comment va-t-elle ? Qu'est devenue la fillette ? Nicole t'a-t-elle parlé de sa captivité pendant le vol de retour ?

Alec fronça les sourcils. Il n'avait pas échappé à son collègue qu'il avait volontairement laissé une question de côté.

— Nicole va bien. Elle est un peu affaiblie car elle était légèrement déshydratée à son arrivée ici, mais tout rentrera rapidement dans l'ordre. Quant à Tia, elle est dans le service de pédiatrie. Elle est aussi sous perfusion et va subir un examen psychologique. Pour le moment, le personnel de l'hôpital et les autorités pensent que c'est ta fille.

Daniel écarquilla les yeux.

— *Ma* fille ? Mais…

— Réfléchis, Daniel. Nicole est blonde aux yeux bleus et, ici aux Etats-Unis, on la connaît bien. Personne n'aurait cru que la fillette était à elle. Quant à toi, avec ton teint mat, tes yeux et tes cheveux noirs, tu as davantage le type hispanique que Jake ou moi.

Perplexe, Daniel se prit la mâchoire entre deux doigts.

— Mais ça ne va pas poser de problèmes ?

Alec leva les mains en signe d'apaisement.

— Ne t'inquiète pas, Nicole s'occupera de faire jouer ses relations pour qu'on ne te blâme pas d'avoir fait entrer Tia sur le territoire sans visa, sans savoir qui sont ses véritables parents et sans l'assentiment du gouvernement colombien.

Daniel poussa un soupir d'exaspération.

— Je ne pouvais pas la laisser là-bas. Nicole refusait

de partir sans elle et nous n'avions vraiment pas le temps de discuter.

— Et quand elle t'a imploré en te regardant avec de grands yeux tristes, ton petit cœur a fondu, pas vrai ? commenta Alec avec ironie.

Daniel n'apprécia que modérément la plaisanterie.

— Qu'aurais-tu fait à ma place ? Il faudrait avoir un cœur de pierre pour rester insensible au sort d'une petite fille apeurée. Ce camp rebelle n'est pas franchement un endroit approprié pour une enfant.

Le sourire d'Alec s'agrandit.

— C'est des grands yeux de Nicole que je parlais, mais c'est toujours bon de savoir que tu as également un faible pour les enfants.

Daniel jeta un bref regard à Nicole puis revint sur Alec.

— Abruti !

Erin et Alec échangèrent un sourire entendu.

Daniel posa les yeux sur sa jambe blessée, cachée par le drap. Ils n'avaient pas encore abordé le sujet, mais il fallait qu'il sache à quoi s'en tenir, même s'il redoutait ce qu'on allait lui dire.

— On t'a opéré du genou, intervint alors Alec qui avait sans doute suivi son regard. Pour le moment, tu as encore des fils, mais on devrait te les enlever dans peu de temps.

Alec était légèrement sur la défensive, comme s'il s'excusait.

— La balle a traversé la jambe de part en part, reprit-il, ce qui t'a épargné de trop saigner. Et comme Nicole est infirmière, elle a su comment stopper l'hémorragie. Elle a trouvé dans la trousse de secours des calmants qui t'ont tenu endormi jusqu'à notre retour ici.

Daniel jeta un nouveau regard à Nicole. L'imaginer

s'occuper de lui le troubla. Il déglutit puis reporta de nouveau son attention sur son équipier.

— Mais…

Alec ne fit pas semblant de ne pas comprendre. Son expression se fit compatissante.

— Mais une intervention chirurgicale au genou, ça laisse des traces, reprit-il. Bien sûr, selon les médecins, tu seras capable de remarcher normalement dans un délai relativement bref.

Il hésita une seconde puis ajouta :

— En revanche, les missions sur le terrain, pour toi, c'est terminé. Je suis désolé.

Daniel avait tellement redouté ces paroles que sa réaction ne se fit pas attendre.

— Ce n'est pas certain. Peut-être qu'avec une rééducation très poussée, je…

— Ton retrait de l'équipe est déjà entériné, Daniel, je suis sincèrement désolé de te l'apprendre. Tout à l'heure, j'ai parlé au chef, j'ai tenté de le convaincre d'attendre le diagnostic postopératoire pour prendre cette décision, mais il n'a rien voulu savoir. Pour lui, un agent actif doit être à cent pour cent de ses capacités physiques, on ne peut pas se permettre de confier une mission à un homme qui risque de se ressentir des séquelles d'une blessure, même très bien soignée.

De dépit, Daniel serra les draps dans ses poings.

— Il n'a pas le droit de faire cela sans même m'en avoir parlé ! Comment…

Nicole prit une brève inspiration, se réveilla en sursaut et, désorientée, regarda autour d'elle en battant des paupières. Daniel se maudit. De colère, il avait élevé la voix, et c'est à cause de lui qu'elle s'était réveillée.

Elle reprit son souffle, parut comprendre qu'elle ne risquait rien et se laissa retomber au fond de son fauteuil. Puis, elle remarqua les regards tournés vers elle, se redressa, en se passant la main sur le visage, et les observa tour à tour.

— Je m'étais endormie.

— On dirait, oui, répliqua Daniel en la regardant tendrement.

Quand on a passé une longue période en état de stress permanent, il faut du temps pour recouvrer la sérénité, songea-t-il. Nicole n'en était pas encore là.

Erin se présenta et Nicole lui serra poliment la main. Puis elle se retourna vers lui.

— Comment te sens-tu ?

— Eh bien, voyons… j'ai un genou explosé, une migraine carabinée et je viens d'apprendre qu'à cause de ma blessure, je n'ai plus de boulot.

Il lui adressa un sourire ironique.

— Bref, j'ai une pêche d'enfer.

Elle se carra dans son fauteuil avec une expression blessée.

— Daniel…, intervint Erin en le fixant d'un air de reproche.

Il se sentit coupable et baissa les yeux.

— Allons, Daniel, intervint à son tour Alec, je comprends que tu vives mal ta mise à l'écart de l'équipe, mais n'en rends pas Nicole responsable.

— Tu te prends pour ma mère, maintenant ? rétorqua Daniel avec mauvaise humeur.

Alec poussa un soupir agacé.

— Bien, visiblement, tu as besoin de temps pour digérer tout cela. Et je le comprends parfaitement…

Il se leva et tendit la main à Erin pour l'aider à en faire de même.

— Quand tu auras les idées plus claires, préviens-moi. Tu sais où me trouver.

Daniel releva la tête en direction de son partenaire et de son épouse. Il se sentait fautif et abattu.

— Je suis désolé, marmonna-t-il.

— C'est à elle que tu dois présenter tes excuses, répliqua Alec en désignant Nicole d'un geste du pouce avant d'inviter Erin à se diriger vers la porte. Demain, nous repartons pour le Colorado, mais nous passerons te dire au revoir avant de prendre la route. Ah, j'allais oublier, Jake m'a dit qu'il passerait te rendre visite dans la journée.

Daniel acquiesça puis tourna la tête vers Nicole avec une expression contrite.

Elle posa les mains sur les roues de son fauteuil pour l'orienter vers la porte.

— Je ferais mieux d'y aller moi aussi. Je n'avais pas l'intention de quitter ma chambre si longtemps et je préfère être présente quand Tia se réveillera.

Elle contourna le lit. Il la suivit du regard. Il ne devait pas la laisser partir sans avoir mis les choses au point.

— Nicole, attends.

Elle s'arrêta mais ne le regarda pas.

Il serra les dents, furieux contre lui-même d'avoir déversé son dépit sur elle. Il ne savait comment commencer pour lui dire ce qu'il avait sur le cœur.

— Je n'aurais pas dû te parler comme je l'ai fait. Ce…

Il fit un geste de la main pour désigner son genou.

— Ce n'est pas ta faute.

Quand elle leva la tête, elle avait les yeux brillants. Il se sentit encore plus mal.

— J'étais descendue ici, commença-t-elle doucement, pour te remercier. De m'avoir libérée. D'avoir pris Tia avec nous.

Elle secoua la tête et essuya une larme qui avait roulé sur sa joue.

— Je ne crois pas te l'avoir déjà dit, mais je ne te remercierai jamais assez d'avoir…

— N'en parlons plus, la coupa-t-il, je n'ai fait que mon boulot.

— Non, ça va bien au-delà de…

— As-tu vu ton père ? l'interrompit-il de nouveau, mal à l'aise de l'entendre le remercier.

Nicole pinça les lèvres.

— Pas encore. Quand je l'ai appelé, il était à Washington. Il est en route.

— Que vas-tu lui dire ?

Elle fronça les sourcils.

La vérité, bien sûr. Je n'ai rien à lui cacher.

Elle inclina la tête avec un regard interrogateur.

— Et toi ?

Il haussa les épaules avec désinvolture.

— Je m'inquiète davantage de ce qu'il pourrait te dissimuler, car tu mérites l'honnêteté.

— Oh ! vraiment ? Et toi, as-tu été honnête avec moi ?

— Toujours.

Alors réponds à cette question : pourquoi es-tu parti brutalement ?

Daniel fronça les sourcils et serra les draps dans ses poings.

— Quoi ?

Nicole fit rouler son fauteuil pour se rapprocher de lui. Son regard bleu azur le transperça.

— Ne fais pas semblant de ne pas savoir de quoi je parle. Dans l'hélicoptère, tu voulais absolument que je me souvienne de notre nuit ensemble. Et, en effet, je m'en souviens comme si c'était hier. Et je me souviens également du matin suivant.

Daniel fut embarrassé. Qu'avait-il bien pu dire dans cet hélicoptère juste avant de perdre connaissance ?

— Si tu t'en souviens si bien, alors à quoi bon me demander pourquoi je suis parti ?

Elle parut abasourdie.

— Pardon ? Nous nous étions à peine dit bonjour. Ensuite, je suis allée prendre une douche et, quand je suis sortie de la salle de bains, tu n'étais plus là !

Il poussa un petit soupir ironique.

— Vraiment ? Ça s'est passé ainsi ?

— Absolument. Je suis sortie de la salle de bains et il n'y avait plus personne. La lumière était allumée, le lit défait, mais toi, tu n'étais plus là, insista-t-elle en pointant un doigt accusateur dans sa direction. Tu avais passé une nuit torride, tu étais satisfait, et tu t'en es donc allé sans même dire merci. Les prostituées se font payer, elles, au moins !

Il sentit sa rancœur rejaillir comme une montée d'acide.

— Est-ce ce que tu as raconté à ton père ? Car ça expliquerait beaucoup de choses.

Nicole battit plusieurs fois des paupières. Visiblement, elle ne comprenait pas son allusion.

— Mon *père* ? Mais qu'est-ce qu'il a à…

Elle ne termina pas sa phrase et leva la main. Elle soupira et agita la tête.

— Laisse tomber. Ce ni le moment ni le lieu d'avoir cette conversation.

— A quoi bon ressasser cela, de toute façon ? répliqua-t-il. C'est de l'histoire ancienne.

Elle lui retourna un regard sceptique.

— Si tu le pensais vraiment, ça n'aurait pas été aussi important pour toi que je te reconnaisse.

Elle avait mis en plein dans le mille. Il détourna la tête pour éviter qu'elle ne s'en rende compte.

— Pour toi, c'était capital, reprit-elle. Tu avais besoin de savoir que je me souvenais de toi.

Il continua à éviter son regard.

— Je souffrais le martyre à cause de mon genou. Je n'étais plus maître de mes propos.

Elle n'insista pas et eut un petit geste résigné.

— Je veux bien croire que c'est la douleur qui t'a fait parler. Mais ce n'est pas ton genou qui te faisait mal.

Cette fois-ci, il la regarda droit dans les yeux, prêt à protester, mais elle avait déjà tourné son fauteuil vers la porte.

— Je dois y aller. Tia a besoin de moi.

La porte se referma derrière elle et il se retrouva tout seul dans sa chambre silencieuse. Il ferma les yeux et se laissa envahir par les souvenirs et tous les regrets qui y étaient liés.

Quand elle arriva à la chambre de Tia, à l'étage du service pédiatrique, Nicole tremblait encore de tous ses membres. Elle s'arrêta quelques secondes à la porte, le temps de recouvrer son aplomb pour ne pas inquiéter la fillette. Lorsqu'elle s'était réveillée dans la chambre de Daniel après s'être assoupie, elle avait été désorientée et, un bref instant, avait senti la panique s'emparer d'elle. Elle était encore à cran, sur ses gardes. C'était sans doute la conséquence de sa captivité, au cours de laquelle elle n'avait jamais connu la tranquillité, craignant à n'importe quel moment que le pire arrive. D'ailleurs, à son réveil, elle avait d'abord cru qu'elle était encore en Colombie.

Elle inspira longuement plusieurs fois, se massa les tempes pour se détendre.

En plus des souvenirs éprouvants de sa captivité dans la jungle, il avait fallu que réapparaisse l'homme pour qui elle avait été prête à bouleverser son existence.

Elle avait sincèrement cru que la blessure causée par

sa brutale disparition après la nuit qu'ils avaient passée ensemble était refermée, qu'elle en avait terminé avec l'énigme Daniel LeCroix. La conversation qu'ils venaient d'avoir lui prouvait le contraire. Elle avait les larmes aux yeux et ses émotions étaient à vif.

Daniel avait traversé la jungle colombienne, au péril de sa vie, pour venir la sauver. Daniel avait proféré de terribles accusations à l'encontre de son père. Et, à en juger par ce qu'elle éprouvait à l'instant, il tenait encore une place importante dans son cœur.

Un gémissement en provenance de la chambre de Tia la tira de ses pensées et elle poussa la porte pour entrer, laissant de côté ses sentiments compliqués pour Daniel, oubliant ses traumatismes liés à sa captivité. Pour le bien de Tia, elle devait faire front. Il était hors de question qu'elle craque alors que cette petite fille avait besoin d'elle.

Une infirmière vêtue d'une blouse rose était assise à côté de Tia et tentait de la rassurer pour prendre sa température. Mais la fillette était trop apeurée et se roulait en boule.

— Bonjour, dit l'infirmière en souriant quand elle la vit. Je suis Sophie, c'est moi qui suis chargée de veiller sur Tia aujourd'hui.

— Bonjour, Sophie, répondit-elle en s'efforçant de lui retourner son sourire. Moi, c'est Nicole.

Elle s'approcha le plus près possible de Tia et se pencha sur elle.

— Tout va bien, *mija*, elle ne te fera pas de mal.

Tia leva les yeux et vint se pelotonner au bord du lit.

— J'ai essayé de lui expliquer que ça ne ferait pas mal, déclara l'infirmière.

Nicole acquiesça.

— Elle ne parle pas anglais. Enfin, pas que je sache. A vrai dire, elle n'a pas prononcé le moindre mot depuis…

Elle eut une hésitation. Elle n'était pas certaine que tout raconter à cette infirmière soit très sage. Elle n'avait aucune envie que ses propos soient colportés et finissent dans la presse avant qu'elle ne soit parvenue à déterminer qui étaient les véritables parents de l'enfant.

— Depuis qu'on me l'a confiée, déclara-t-elle prudemment.

— A-t-on prévu de lui faire passer un examen psychologique ? s'enquit Sophie en consultant le dossier médical de la fillette.

— Oui, on m'a dit qu'un expert viendrait la voir prochainement.

— Que lui est-il arrivé ? demanda l'infirmière en adressant un regard attendri à la fillette.

Nicole s'allongea sur le lit à côté de Tia. Elle lui caressa les cheveux pour l'apaiser.

— Je ne sais pas. Elle était déjà en état de choc quand j'ai… commencé à m'occuper d'elle.

Sophie l'observa quelques secondes.

J'ai entendu dire que vous faisiez du camping sauvage et que vous vous étiez perdus. Les hommes qui vous ont amenés ici ont affirmé vous avoir retrouvés, vous deux et le père de la fillette, alors qu'ils étaient à la chasse.

Elle resta interdite un instant puis se souvint de la version qu'ils avaient décidé de donner à leur arrivée à l'hôpital. Alec et Jake, le pilote, avaient affirmé que Tia était la fille de Daniel. Elle se contenta d'acquiescer pour ne pas ajouter de nouveaux mensonges et s'empressa de changer de sujet :

— Elle s'est calmée, maintenant. Si vous voulez prendre sa température, c'est le moment. Peut-être pourriez-vous d'abord prendre la mienne pour lui prouver que ça ne fait pas mal, non ?

L'infirmière fit le tour du lit, se pencha sur elle et lui appliqua son appareil sur l'oreille.

— Tu vois, ce n'est rien du tout, dit-elle à Tia en souriant.

Nicole serra ensuite la fillette contre elle et lui caressa le bras tandis que l'infirmière prenait sa température.

— Tout va bien, *mija*, tout va bien.

— Sa température redevient normale, commenta Sophie en consultant son thermomètre. Grâce aux antibiotiques, elle n'aura bientôt plus de fièvre du tout.

Nicole fut extrêmement soulagée. Apparemment, Tia n'avait souffert que d'un virus bénin alors qu'elle avait redouté que ce soit la dengue ou la malaria.

Sophie se dirigea vers la porte.

— Bien, je serai de service jusqu'à ce soir, donc si vous avez besoin de quoi que ce soit, n'hésitez pas à m'appeler.

Nicole lui sourit pour la remercier puis s'allongea de nouveau à côté de l'enfant et la serra contre elle. Quand elles étaient en captivité, elles avaient passé d'innombrables moments ainsi. Elle avait tout fait pour protéger et rassurer la fillette traumatisée et, au fil du temps, un lien très fort s'était tissé entre elles. Désormais, elle l'aimait comme sa propre fille.

Mais elle n'est pas à toi, lui rappela sa voix intérieure. Elle ferma les yeux et songea à la tâche qui l'attendait : identifier et retrouver les véritables parents de Tia et leur rendre leur fille.

*
* *

Une heure plus tard, un bruit de pas dans le couloir attira son attention. Elle leva la tête et vit une silhouette entrer dans la chambre.

— Nicole ?

Entendre cette voix familière la bouleversa.

— Papa !

Elle se leva pour aller à la rencontre de son père, mais à peine avait-elle fait deux pas qu'il était déjà là et la serrait dans ses bras.

— Nicole, ma chérie… oh, mon Dieu !

Ils s'étreignirent de longues minutes, trop émus pour pouvoir parler. Enfin, son père sortit un mouchoir de sa poche pour s'essuyer les yeux tandis qu'elle se passait le revers de la main sur les joues pour sécher ses larmes.

— Je me suis fait tellement de souci pour toi, ma chérie. Il ne s'est pas passé un seul jour sans que j'implore ton retour.

Il recula d'un pas et la détailla de la tête aux pieds.

— Tu as maigri mais tu sembles en bonne santé. T'a-t-on fait du mal ? Comment te sens-tu ?

Nicole fut traversée par quelques images de sa captivité et sentit ses poils se hérisser, mais elle tint bon. Elle ne voulait pas craquer.

— Je ne dirais pas que c'était une partie de plaisir, mais physiquement, je vais bien.

Son père la fixa avec une lueur d'inquiétude dans le regard.

— Et sur le plan émotionnel ?

Elle se demanda ce qu'il pouvait déceler dans ses yeux, mais refusa de se dérober.

— Eh bien… disons que certains souvenirs mettront du temps à s'effacer, mais je m'en remettrai, répondit-elle en s'efforçant de lui offrir un sourire rassurant.

Son père ne parut pas complètement convaincu mais n'insista pas. Il la serra de nouveau contre lui.

— Oh ! Nicole, j'ai tout essayé pour te faire libérer, tu sais.

Elle ferma les yeux et repensa aux accusations de Daniel : « Il a trahi deux agents américains… »

— Mais, malgré mes réseaux, je n'ai pas pu…

Il ne termina pas sa phrase et elle le sentit se raidir.

— Que s'est-il passé ? lui demanda-t-il en la dévisageant. Comment t'es-tu échappée ?

Nicole sentit le trac la gagner. Elle venait tout juste de retrouver son père et ne se sentait pas prête à le confronter aux accusations de Daniel.

— Je… On m'a secourue.

Elle se retourna et désigna le lit.

— On *nous* a secourues.

Son père leva la tête et observa Tia en fronçant les sourcils.

— Qui est-ce ?

— Je ne connais pas son véritable nom, je l'appelle Tia. Elle a été kidnappée par les hommes qui m'ont enlevée et nous partagions la même cellule depuis des mois.

Le visage de son père s'assombrit. Il s'avança vers le lit pour mieux voir la fillette.

— Ce n'est qu'une enfant !

Son père avait élevé la voix. Tia se réveilla en sursaut et se redressa. Quand elle vit Nicole, elle tendit la main dans sa direction.

Nicole fut bouleversée par la détresse de la fillette. Elle s'assit au bord du lit et lui caressa affectueusement le dos.

— Je pense qu'elle ne doit pas avoir plus de huit ans, mais je ne sais rien sur elle. Depuis son enlèvement, elle est en état de choc et n'a pas dit un mot.

— Pas un seul ?

Elle fit non de la tête.

Son père observa la fillette d'un air inquiet et se passa une main sur la mâchoire.

— Je suppose qu'elle est entrée sur le sol américain sans papiers, n'est-ce pas ?

Nicole fit la grimace.

— Eh bien… oui.

Son père prit une mine exaspérée.

— Nicole, je comprends que tu veuilles l'aider, mais tu ne peux pas te comporter avec elle comme avec les chatons que tu recueillais. C'est une personne et…

— Chut ! fit Nicole à son père, qui avait encore élevé la voix et commençait à effrayer l'enfant. Je le sais bien.

— Il y a des lois, reprit son père d'un ton plus calme, aux Etats-Unis et au niveau international, qui régissent le…

— Je *sais* ! Mais je ne pouvais pas l'abandonner et la laisser entre les mains des hommes qui l'ont enlevée !

Son père se passa les mains sur le visage et acquiesça.

— As-tu la moindre idée de qui sont ses parents ?

Elle fit encore une fois non de la tête. Elle baissa les yeux et croisa le regard de la fillette.

— Je suppose que c'est la fille de quelqu'un d'important, mais ce pourrait aussi bien être un policier ou un militaire qu'un chef de cartel.

Elle releva les yeux vers son père et ajouta :

— J'espérais que tu pourrais te servir de tes relations pour m'aider à découvrir l'identité de ses parents.

Son père émit un grognement et se laissa tomber dans un fauteuil à côté du lit.

— Je doute que mes relations soient encore d'une grande utilité. Je…

Il baissa les yeux au sol.

— J'ai démissionné de mon poste de sénateur il y a deux mois.

Nicole ne sut comment se comporter. Devait-elle lui faire part des accusations de Daniel pour entendre sa version des faits ou prétendre tout ignorer ? Cinq ans plus tôt, elle n'aurait même pas songé à mettre en question les propos de son père. Mais, en Colombie, elle avait mûri. Après ce qu'elle avait vécu, elle ne pouvait plus redevenir une petite fille docile et conciliante. Elle déglutit et prit une longue inspiration pour se donner du courage.

— J'ai entendu dire que tu avais été obligé de démissionner pour éviter de faire face à une procédure de destitution.

Son père releva brusquement la tête, complètement pris au dépourvu.

— Qui t'a dit cela ?

La surprise de son père signifiait certainement qu'on lui avait menti. Il allait lui prouver que tout était faux.

— Daniel LeCroix, l'homme qui a risqué sa vie pour me libérer, déclara-t-elle.

Le visage de son père se décomposa, et elle perdit tout espoir. Il était inutile qu'il lui réponde. Ce que lui avait affirmé Daniel dans la jungle était la vérité. La terrible vérité.

6

— Que t'a dit ce LeCroix exactement ? lui demanda son père, le visage sombre.

— Guère plus que ce je viens de te répéter. Traverser la jungle au milieu des coups de feu, ce n'est pas précisément une situation propice pour avoir une conversation approfondie.

— Au milieu des coups de feu ? répéta son père, de plus en plus livide.

— Comme je te l'ai dit, il a risqué sa vie pour me libérer. Tout comme Alec et Jake, ses équipiers, d'ailleurs. Daniel a été blessé au genou, ajouta-t-elle avec un pincement au cœur. Sa carrière est terminée.

Parce qu'il était venu à son secours.

Son père resta à la fixer de longues secondes. Il semblait en état de choc.

— Pourquoi… Pourquoi n'ai-je pas été averti du lancement de cette mission de sauvetage ?

Nicole eut un petit rire amer.

— Je doute qu'ils aient jugé opportun de t'avertir et, s'ils sont venus me libérer, ce n'est certainement pas pour te faire une faveur.

Elle reprit son sérieux et ajouta :

— Selon Daniel, tu l'as trahi et tu as divulgué des informations classées secret défense pendant que j'étais en captivité.

Elle fixa son père. Il était certainement de plus en plus mal à l'aise mais gardait une expression résolue.

— J'ai fait ce que je pensais être le mieux pour obtenir ta libération.

— Et pour cela tu n'as pas hésité à vendre des hommes infiltrés ? Ils auraient pu se faire tuer ! Que fais-tu du travail qu'ils effectuaient ? Cela fait des années que ces agents tentent de démanteler les filières de la drogue et…

— Tu es ma fille ! la coupa son père avec véhémence. Je ne pouvais pas te laisser mourir là-bas !

Tia fut effrayée par ses exclamations et se blottit tout contre Nicole. Celle-ci lui chuchota de petits mots d'apaisement. Mais, intérieurement, elle était très agitée.

A cause d'elle, son père avait mis la vie de Daniel en danger et perdu son poste de sénateur. Cela lui était insupportable.

Elle soupira et se massa les tempes. C'était insupportable et incohérent. Malgré l'attitude de son père, Daniel avait décidé de la délivrer. Son comportement était étrange. Tenait-il encore à elle à ce point ? Mais, quand elle était passée le voir dans sa chambre, il s'était montré froid et cassant.

Rien à voir avec son comportement dans la jungle colombienne et le baiser qu'il lui avait donné quand il l'avait retrouvée. Il l'avait embrassée tendrement, comme il l'avait fait cinq ans plus tôt… Tout cela était incompréhensible.

Elle secoua la tête pour se reprendre. Déterminer ce que Daniel éprouvait pour elle n'était pas la priorité du moment.

— Que t'ont dit tes avocats ? De quoi as-tu été inculpé ?

— De rien de très grave, en tout cas rien qui soit en

rapport avec… l'accord que j'avais passé avec Ramirez. Pour le moment, je crois que ni LeCroix ni Kincaid n'ont révélé que je les avais vendus.

Nicole en resta bouche bée.

— Pardon ?

— Ne me demande pas pourquoi.

Il poussa un soupir puis reprit :

— Un soir de janvier, je me suis retrouvé au milieu d'un sac de nœuds. Le général Ramirez, un des leaders des rebelles et trafiquant de drogue notoire, a été interpellé. Mes avocats travaillent actuellement à ma défense pour justifier ma présence sur place. J'ignore ce que LeCroix et Kincaid ont dit aux autorités au sujet de ce soir-là, mais…

— Tu veux dire que Daniel et Alec étaient là aussi ?

— Tu n'en savais rien ? LeCroix ne te l'a pas dit ?

Elle leva les yeux au plafond.

— Je commence à croire qu'il y a bien des choses qu'on ne m'a pas dites.

Son père se tortilla dans son fauteuil et changea de sujet.

— Je passerai quelques coups de fil pour essayer d'en savoir plus sur cette petite fille. Es tu sûre qu'elle est colombienne ? Elle n'est pas originaire d'Equateur ou du Pérou ?

— Papa, désormais, je ne suis plus sûre de rien, répliqua-t-elle en le fixant droit dans les yeux.

Son père reprit une expression plus douce et se pencha en avant.

— Je t'aime plus que tout, Nicole. Ça, tu peux en être certaine.

Elle sentit des larmes lui piquer les yeux mais les retint.

— Je te serai très reconnaissante de l'aide que tu pourras m'apporter. Si les autorités apprennent la vérité sur Tia, on me la retirera. Je veux à tout prix éviter que ça se produise. Elle est toute seule, elle a peur et elle a besoin de moi. Tant que nous n'aurons pas retrouvé sa famille, je dois la protéger.

Le matin suivant, Daniel était assis sur le bord du lit et massait sa jambe blessée. Malgré les analgésiques, il avait encore mal. La nuit précédente, il n'avait pas beaucoup dormi, et sa conversation avec Nicole n'avait cessé de lui repasser en tête.

« Je veux bien croire que c'est la douleur qui t'a fait parler. Mais ce n'est pas ton genou qui te faisait mal. »

Ce n'était peut-être pas faux. La douleur lui avait fait baisser la garde et il avait laissé remonter des émotions qu'il s'était efforcé de tenir enfouies depuis plusieurs années. Il lui faudrait encore quelques semaines pour ne plus avoir mal du tout et mieux valait qu'il trouve un moyen de contenir ses sentiments pour Nicole. Sa mission était terminée. Il l'avait ramenée saine et sauve de Colombie. Fin de l'histoire.

— Si vous êtes prêt, nous pouvons commencer, intervint l'infirmière postée à côté du lit avec une paire de béquilles.

Elle lui tendit la main pour l'aider à se lever puis attendit qu'il ait trouvé son équilibre.

Le médecin avait laissé des instructions : pour éviter que son genou ne s'ankylose, il devait faire de l'exercice et s'appuyer sur sa jambe blessée quotidiennement. Il fit un pas qui lui arracha une grimace. L'infirmière lui posa une main sur le bras.

— Ça va, je peux le faire, déclara-t-il.

— Allez-y tout doucement. Avancez votre jambe puis appuyez-vous progressivement dessus en vous aidant des béquilles.

Daniel suivit ses consignes et fit quelques pas supplémentaires en serrant les dents.

Il tint fermement les poignées de ses béquilles et jeta un regard sévère à l'infirmière : il voulait absolument se débrouiller tout seul. Une goutte de sueur perla à son front, il respira bouche ouverte et continua à avancer pas à pas.

L'infirmière lui lança quelques mots d'encouragement et, petit à petit, il parvint à enchaîner des pas plus rapides.

Quand il était en pleine possession de ses moyens, il pouvait parcourir un demi-kilomètre en cinq minutes avec un poids de quarante kilos sur le dos. Maintenant, il se retrouvait en compagnie d'une infirmière qui le félicitait chaque fois qu'il réussissait à mettre un pied devant l'autre sans tomber, comme si elle s'adressait à un bébé qui faisait ses premiers pas. Il se tourna vers elle, l'œil noir.

— Ecoutez, gardez vos encouragements pour le jour où je serai de nouveau capable de courir un marathon parce que là, je m'en passerais volontiers.

L'infirmière resta interdite et eut une expression blessée. Il regretta immédiatement ses paroles mais, avant qu'il ne puisse s'excuser, une voix enjouée déclara depuis la porte :

— Toujours de bonne humeur à ce que je vois.

Il se retourna et fit de son mieux pour ne pas laisser paraître son émotion quand il détailla l'allure de Nicole. Elle avait repris des couleurs et était habillée en civil. Même si elle semblait encore un peu frêle, elle était superbe.

— On t'a autorisée à sortir, on dirait.

— Oui, en effet.

Il s'appuya sur sa jambe valide et retourna à cloche-pied à son lit.

Nicole sembla hésiter quelques secondes puis s'approcha de lui. L'infirmière prit ses béquilles, les posa en équilibre contre le mur à côté du lit puis quitta la pièce.

Il se passa la main sur le visage et essuya discrètement la sueur de son front.

— Comment va la petite ?

— C'est gentil à toi de t'en soucier. Tia doit sortir en fin de journée, alors, d'ici là, il faut que je m'active pour qu'on me confie sa garde le temps que les ambassades se mettent en relation pour faire rechercher sa famille.

Elle joua nerveusement avec la lanière de son sac à main passé en bandoulière sur son épaule.

— Mon père a appelé quelques juges de sa connaissance pour faire aboutir ma démarche rapidement.

Il émit un grognement et se retint de répliquer. S'il s'exprimait à voix haute, il tiendrait des propos désobligeants qui ne feraient que les éloigner. Elle était sans doute venue lui dire au revoir, il ignorait s'il la reverrait. Mieux valait qu'elle garde un bon souvenir de leur dernière entrevue. Il inspira à fond et se passa la main sur le genou.

— Eh bien bonne chance, alors. J'espère que tout ira bien pour toi.

Elle lui sourit timidement.

— Merci. Quand tu reverras Alec et Jake…

— Alec et Erin sont repartis pour le Colorado.

Même s'il était sincèrement heureux pour eux, il avait du mal à ne pas penser à leur nouvelle vie avec un brin d'envie.

— Le médecin d'Erin ne souhaitait pas qu'elle reste loin de chez elle alors qu'elle doit bientôt accoucher.

— Ah, d'accord, répliqua Nicole, visiblement déçue. C'est bête que je les ai ratés. Je voulais encore une fois remercier Alec. Quand tu leur reparleras, à lui et à Jake, dis-leur bien que je leur suis infiniment reconnaissante de tout ce qu'ils ont fait pour Tia et moi.

— Oui, bien sûr, je n'y manquerai pas.

Elle détourna le regard, se mordit la lèvre inférieure et joua nerveusement avec une boucle d'oreille. Ce n'était pas difficile de deviner qu'elle souhaitait aborder un sujet délicat, sans doute lié à leur passé commun. Mais c'était la dernière chose dont il souhaitait parler.

Elle releva la tête et ouvrit la bouche.

— As-tu un portable ? intervint-il avant qu'elle ait le temps de prononcer le moindre mot.

— Euh… oui, répondit-elle en battant des paupières, prise de court par sa question. En fait, mon père m'en a donné un nouveau ce matin même.

Il tendit la main.

— Passe-le-moi un instant, s'il te plaît.

Elle l'observa d'un air suspicieux puis sortit l'appareil de son sac et le lui donna.

Il ouvrit le répertoire, y ajouta son propre numéro et lui rendit le téléphone.

— Ton père n'est pas le seul à avoir des relations. Si jamais tu as des soucis avec les services de l'immigration ou la sécurité intérieure à cause de Tia, appelle-moi. Je t'aiderai du mieux possible.

Il désigna le téléphone de la tête et ajouta :

— Ce numéro, c'est la meilleure façon de me joindre.

Nicole s'activa sur les touches de son téléphone et, quelques secondes plus tard, son propre portable, posé sur la table de chevet, sonna. Il haussa les sourcils.

— Simple vérification, se justifia-t-elle.

— Tu crois que je t'aurais donné un faux numéro ?

— Non, je… s'empressa-t-elle de répliquer, troublée. Je voulais m'assurer que *mon* téléphone marchait.

Elle inclina la tête et le rangea avec précaution dans son sac avec des gestes appuyés.

Il eut un petit rire.

— D'accord. Et au moins, comme ça, maintenant, moi aussi j'ai ton numéro.

Elle releva vivement la tête et le fixa de ses yeux bleus.

— Tu m'appelleras ?

Il se sentait mal à l'aise mais soutint son regard.

— Je ne suis pas certain que ce soit une bonne idée. La dernière fois, entre nous, ça ne s'est pas très bien terminé.

Contrariée, elle croisa les bras.

— A qui la faute ?

— Les griefs de chacun sont sans doute multiples.

Nicole soupira avec fatalisme.

— Tu as certainement raison.

Elle remit la lanière de son sac en place puis ajouta :

— Mais c'est vraiment dommage. Avant ce fameux matin, je croyais qu'il y avait une véritable alchimie entre nous.

Moi aussi, songea-t-il. Cette pensée resta muette. Refaire l'histoire n'avait aucun intérêt.

— Pour qu'une relation soit durable, une seule nuit ne suffit pas.

Elle lui retourna un regard vexé.

— Je ne l'ignore pas.

Elle continua à le dévisager d'un regard sévère, mais derrière cette expression, il perçut que, tout comme lui, elle repensait aux moments très forts qu'ils avaient partagés. Lui, il lui suffisait de convoquer une seule image de cette nuit magique pour sentir son corps vibrer.

Nicole se redressa et prit un air un peu hautain.

— Pour construire une relation, il faut du temps…

apprendre à connaître l'autre, ses goûts, ses centres d'intérêt…

— Il faut de la confiance. Du respect. De l'honnêteté, rétorqua-t-il.

Puis il poussa un grognement et fit un grand geste.

— Laisse tomber. De toute façon, c'est de l'histoire ancienne.

— Qu'est-ce qui te fait dire qu'entre nous il n'y avait pas de respect, de confiance ou…

— Laisse tomber, répéta-t-il en détachant chaque syllabe.

Elle leva les mains au ciel et secoua la tête.

— Entendu.

Elle tourna les talons, traversa la pièce à grands pas et ouvrit la porte.

Il sentit son pouls s'emballer. Elle allait partir et, au lieu de passer ces derniers instants à apaiser les tensions entre eux, il s'était encore une fois querellé avec elle à cause du passé. Mais, s'ils n'avaient pas d'avenir commun, pourquoi se préoccupait-il de savoir en quels termes ils allaient se quitter ?

Il serra le drap dans son poing.

— Bon sang, Nicole, attends.

Elle s'immobilisa et attendit qu'il s'exprime sans se retourner.

Il chercha désespérément quoi lui dire. Toute une série de formules, qui lui parurent plus plates les unes que les autres, lui passèrent en tête. Il se prit l'arête du nez entre deux doigts.

— C'était une nuit super mais… nous étions trop différents pour que ça marche entre nous, lâcha-t-il en désespoir de cause.

Elle lui jeta un regard attristé par-dessus son épaule.

— C'était une nuit *fantastique*, mais tu ne nous as pas laissé la moindre chance que ça marche entre nous.

Nicole disparut dans le couloir et, après que la porte se fut refermée, son amertume et sa déception continuèrent de flotter dans la pièce. Il se laissa retomber sur les oreillers, des interrogations plein la tête. Etait-il possible que, ce matin-là, il ait mal interprété les paroles qu'elle avait prononcées au téléphone ? Avait-il laissé filer la plus belle chance de sa vie, la chance d'être avec elle ?

Il ferma les yeux et poussa un juron. La vie était décidément compliquée. Alors qu'il pensait avoir rayé Nicole de son existence, elle venait de jeter une lumière nouvelle sur ses sombres souvenirs de ce fameux matin.

En poussant la porte de la maison de son père, Nicole ne put réprimer un long soupir. Bien qu'on lui ait assuré que Tia pourrait quitter l'hôpital dans la journée, les procédures en tous genres et les retards firent que la fillette ne put effectivement sortir que vingt-quatre heures plus tard. Toutefois, elle avait mis à profit ce temps supplémentaire pour obtenir des services sociaux de l'enfance qu'ils viennent en urgence procéder à l'inspection de la maison de son père, où elle comptait résider avec Tia, ainsi qu'à l'entretien qui lui permettrait d'être officiellement désignée comme tutrice légale temporaire de la fillette. Quand, enfin le moment fut arrivé, elle alla chercher Tia et la ramena à la maison.

— Il y a quelqu'un ? appela-t-elle tandis qu'elles entraient par la porte de la cuisine.

— Mademoiselle Nicole ! s'exclama une petite femme aux cheveux gris qui se précipita pour la serrer dans ses bras. Vous êtes de retour, et en bonne santé. Que je suis heureuse !

Nicole sourit et rendit son étreinte à la femme qui, aussi loin qu'elle se rappelle, avait toujours été la domestique de ses parents.

— Sarah Beth, que c'est bon de vous revoir.

Elle présenta Sarah Beth à Tia puis bavarda quelques minutes avec elle.

— J'ai pris grand soin de Boudreaux et Oreo, vos chats, vous savez. Ils doivent être quelque part par là, déclara Sarah Beth en se baissant pour inspecter le sol. Je parie qu'ils sont au soleil sous la véranda.

Cette nouvelle lui fit chaud au cœur.

— Alors, nous allons de ce pas à la véranda. Mes bébés m'ont tellement manqué. Tu veux faire la connaissance de mes chats ? demanda-t-elle à Tia en espagnol.

Le visage de la fillette s'éclaira et Nicole eut sa réponse. Sarah Beth les escorta à travers la maison et, quand elles arrivèrent sous la véranda, Nicole repéra Boudreaux les pattes en rond sur une chaise longue.

— Bonjour, mon beau, dit-elle avec une voix attendrie en se penchant sur la chaise et en invitant Tia à s'approcher.

— Bien, je vous laisse, je vais vous préparer à déjeuner, d'accord ? déclara Sarah Beth.

— Merci, Sarah Beth, répondit Nicole en grattant Boudreaux derrière les oreilles.

Le chat que, dix ans plus tôt, Daniel était allé sauver quand il s'était retrouvé coincé dans une gouttière sur le toit de la maison, roula de côté, s'étendit de tout son long pour s'offrir aux caresses et ronronna de contentement. Elle le trouva un peu plus maigre que dans son souvenir, mais il avait toujours son beau poil tigré, soyeux et brillant. Repenser à cette soirée, au cours de laquelle elle avait rencontré Daniel pour la première fois, lui fit monter les larmes aux yeux. Dès ce soir-là, elle avait été éprise de lui et le chat avait toujours été là pour lui rappeler sa gentillesse et sa galanterie.

« Laisse tomber. »

Pourquoi était-il aussi réticent à parler du passé ? Peut-être n'avait-elle jamais compté pour lui autant qu'elle l'avait cru. Après tout, il ne lui avait jamais fait de grands serments. Ses sentiments pour lui n'étaient pas forcément réciproques. Mais, dans ce cas, aurait-il risqué sa vie pour venir la libérer au cœur de la jungle colombienne ?

Le petit rire de Tia la sortit de ses pensées. Oreo, le chat noir et blanc qu'elle avait recueilli quand il n'avait que quelques semaines, était venu leur dire bonjour. Elle l'avait découvert dans les décombres d'une maison quand elle s'était portée volontaire pour aller nettoyer les dégâts d'une tempête tropicale qui avait ravagé La Nouvelle-Orléans.

Le chat faisait des ronds entre les jambes de Tia et, en retour, la fillette le caressait entre les oreilles. Elle éclatait de rire chaque fois qu'Oreo donnait un petit coup de tête pour réclamer des caresses supplémentaires quand elle s'interrompait. Intérieurement, Nicole bénit ses deux chats de redonner un peu de joie de vivre à la fillette.

Soudain, son téléphone sonna et elle chercha dans sa poche en proie à une vive agitation. C'était peut-être Daniel. Il aurait changé d'avis et souhaiterait avoir une conversation avec elle pour tout éclaircir et lui expliquer enfin pourquoi il l'avait abandonnée. Mais non ! L'appel provenait de Washington. Pourvu que ce soient de bonnes nouvelles concernant Tia, songea-t-elle.

Elle laissa la fillette jouer avec les chats et s'éloigna de quelques mètres pour répondre.

— Bonjour mademoiselle White, je suis Ramon Diaz, attaché à l'ambassade de Colombie. Je crois que nous avons une piste concernant l'identité de la jeune fille qui vous a été confiée.

Nicole fut tellement soulagée par cette annonce qu'elle se laissa tomber sur la chaise la plus proche.

— C'est formidable. Qu'avez-vous découvert ?

— Son signalement correspond à celui de Pilar Castillo, la fille de Mario Castillo, un juge de Bogota dont la famille a été attaquée en pleine rue il y a quelques mois. Une fusillade a éclaté dans laquelle la femme de Castillo et sa fille aînée ont perdu la vie. La cadette, elle, a été enlevée. Les rebelles ont fait parvenir plusieurs courriers à Castillo pour faire pression sur lui dans des affaires sensibles dont les procès doivent se tenir cette année.

Nicole eut la chair de poule. Tia — ou plutôt Pilar — avait dû être terrorisée en voyant sa sœur et sa mère se faire tuer sous ses yeux. Rien d'étonnant à ce qu'elle soit en état de choc.

— Etes-vous certain que Tia est bien Pilar ? Avez-vous une photo d'elle que vous pourriez me faxer ?

— Oui, j'en ai une et j'en ai également une de son père que vous pourrez montrer à la fillette. En retour, ce serait bien que vous puissiez vous aussi m'envoyer une photo de l'enfant pour que le juge Castillo puisse confirmer qu'il s'agit bien de sa fille.

Une photo de Tia ? Nicole réfléchit quelques secondes.

— Je peux la prendre en photo avec mon téléphone et vous transmettre le cliché par texto. Est-ce possible ?

— Oui, nous pouvons faire ainsi, confirma Diaz.

Elle alla chercher un stylo et griffonna sur un bout de papier le numéro du portable sur lequel elle devait envoyer la photo puis retourna à la véranda. Elle découvrit la fillette en train d'agiter une ficelle devant le nez d'Oreo, qui se dressait sur les pattes arrière pour essayer de l'attraper, ce qui la faisait éclater de rire.

Elle avait une idée en tête, mais, pendant quelques secondes, elle resta à regarder la fillette, attendrie.

— Pilar ? demanda-t-elle finalement d'une voix calme.

La fillette s'immobilisa puis tourna la tête vers elle avec des yeux écarquillés.

Nicole s'avança lentement vers elle.

— Est-ce bien ton nom ? *Ese es tu nombre ?* Tu t'appelles Pilar Castillo ?

De grosses larmes roulèrent sur les joues de la fillette qui acquiesça de la tête.

Elle la prit dans ses bras et la serra contre elle.

— Oh ! *mija* Nous avons retrouvé ton père. Tu vas bientôt rentrer chez toi.

Nicole sortit du fax la feuille qui venait de s'imprimer dans le bureau de son père. C'était le portrait d'un homme d'une quarantaine d'années au teint mat, vêtu d'une robe noire de juge d'instruction. Mario Castillo, le père de Pilar.

— Salade de poulet, ça vous dit ? intervint Sarah Beth depuis le pas de la porte, une assiette en main.

— Un peu que ça me dit. Je meurs de faim.

Durant sa captivité, elle avait maintes et maintes fois rêvé de la cuisine de Sarah Beth alors qu'elle était forcée d'avaler des conserves et des biscuits secs.

— Tia est-elle toujours sous la véranda ? demanda-t-elle à Sarah Beth.

Non, pas Tia, Pilar. Elle ne s'était pas encore habituée à son véritable prénom.

— Je crois, oui. J'ai mis un couvert pour elle dans la cuisine. Dois-je aller la chercher ? s'enquit Sarah Beth.

— Non, je vais y aller, merci.

Nicole plia en quatre la photo du juge Castillo, la

glissa dans sa poche et retourna à la véranda. Pour ne pas troubler la fillette et risquer de lui couper l'appétit, elle lui montrerait le portrait de son père présumé seulement après déjeuner.

Elle allait entrer sous la véranda quand elle vit soudain passer une silhouette. Le cœur battant, elle fit un pas supplémentaire et resta bouche bée. Deux hommes s'étaient introduits sous la véranda. L'un d'eux fonçait droit sur Pilar.

7

Pilar hurla.

Boudreaux et Oreo en furent tellement effrayés qu'ils détalèrent à toute vitesse. L'homme entra en collision avec eux, perdit l'équilibre et se rattrapa sur un genou. Pilar en profita pour s'échapper, mais alors, le second homme s'empara d'elle.

— Pilar ! hurla Nicole.

D'instinct, elle attrapa une statuette posée sur la table basse à l'entrée de la véranda, se rua en direction du premier homme qui ne s'était pas encore relevé et lui jeta la statuette à la figure. Il la reçut en plein visage, bascula en arrière et se prit le nez entre les mains en geignant de douleur.

Le second intrus tenait Pilar contre lui. La fillette avait les pieds décollés du sol et se débattait dans tous les sens, criant à la mort. L'homme cherchait à lui maîtriser les bras.

— Non ! Lâchez-la ! ordonna Nicole

Elle courut à la rescousse de Pilar. L'homme tenta de la repousser mais, comme il tenait Pilar, il ne pouvait se servir que d'un seul bras. La lutte s'engagea et Nicole tenta de saisir Pilar et de la tirer vers elle. Mais elle allait lui faire mal. Il aurait fallu que…

— Aïe ! s'écria alors l'homme qui lâcha Pilar et se tint l'entrejambe.

Nicole prit la fillette dans ses bras, fit volte-face et détala. Sans doute Pilar avait-elle donné un coup de pied bien placé à son agresseur en se débattant. Bien fait !

Elle se précipita dans la maison, mais l'homme à terre se releva et brandit une arme. Sous l'effet de la panique, elle accéléra.

— Nicole ! s'exclama alors Sarah Beth, qui se tenait sur le pas de la porte du bureau de son père et lui faisait de grands gestes. Venez, vite !

Derrière elle, Nicole entendit un cri, des bruits de pas. Un troisième homme émergea de la cuisine. Lui aussi était armé. Elle ne s'arrêta pas et fonça tout droit dans la pièce. Une fois à l'intérieur, elle mit Pilar à l'abri sous le bureau massif. Sarah Beth s'empressa de fermer la porte en acajou et de la verrouiller.

Très vite, des coups retentirent sur la porte.

— Sarah Beth, éloignez-vous ! cria Nicole. Ils sont armés !

— Il y a une seconde porte, répliqua Sarah Beth avec un léger sourire.

Et elle fit coulisser un lourd volet métallique.

Nicole bénit son père d'avoir eu cette idée quelques années plus tôt. Après l'ouragan Katrina, pour que le bureau, qui était la pièce centrale de la maison, résiste aux intempéries, il avait fait doubler la porte de ce volet métallique. Ainsi, le bureau devenait une pièce de secours.

Elle se précipita pour aider Sarah Beth à faire coulisser le volet et à le bloquer.

— Il faut appeler la police… dit Sarah Beth d'une toute petite voix.

Elle acquiesça et chercha son téléphone d'une main tremblante. Elle tapota nerveusement sur le clavier pour trouver le bon numéro. Elle était tellement paniquée qu'elle était incapable de faire défiler normalement les numéros sur son téléphone. Elle prit une longue inspiration. Elle devait à tout prix se reprendre, ne pas céder à la panique. Au moins pour Pilar. Elle s'approcha de la fillette, qui était recroquevillée sous le bureau, les mains sur les oreilles, et tenta de se calmer.

Le numéro que Daniel avait enregistré sur son téléphone s'afficha à l'écran. Elle n'eut alors plus qu'une seule idée : que l'homme qui avait traversé la jungle colombienne pour la sauver vienne une nouvelle fois à sa rescousse. Sans réfléchir, elle appuya sur la touche d'appel.

— Tu rentres bientôt chez toi ? demanda Jake, qui le regardait faire ses exercices de marche dans sa chambre d'hôpital.

— Pas assez tôt, répondit Daniel. Je me sens inutile à rester là toute la journée.

Son genou lui faisait beaucoup moins mal et redevenait plus souple. Il parvenait à marcher presque normalement et à s'appuyer sur sa jambe. Néanmoins, il ne se faisait pas d'illusions : il lui faudrait encore plusieurs semaines de rééducation pour recouvrer toutes ses facultés.

Jake s'installa dans le fauteuil à côté du lit, se cala les mains derrière la tête et l'observa.

— On dirait que tu fais de sacrés progrès. Le médecin t'a-t-il dit quand tu pourrais sortir ?

Il fit un geste vague. De toute façon, à sa sortie, il ne pourrait pas reprendre le travail. Il ne s'était donc pas vraiment soucié du moment où il pourrait s'en aller.

Jake posa son chapeau de cow-boy sur la table et passa la main dans ses cheveux courts.

— Et… as-tu parlé avec le chef du nouveau poste que tu pourrais occuper ?

A ce moment-là, le portable de Daniel se mit à vibrer.

Il se dirigea à cloche-pied vers la table de chevet où il l'avait laissé.

— Je n'ai aucune envie de faire un boulot de bureau qui me pompera le cerveau.

Jake leva la main en signe de désaccord.

— Tu es un des types les plus intelligents du service. Tu pourrais te charger de coordonner les missions, d'élaborer des stratégies…

— C'est non !

Daniel soutint le regard de son collègue, s'empara d'un geste brusque de son téléphone et se laissa tomber sur le bord du lit.

— Je préférerais encore démissionner que trier des papiers le reste de ma carrière.

Il décrocha et s'adressa à son interlocuteur avec la même mauvaise humeur.

— Quoi ?

— Daniel !

Il reconnut immédiatement la voix de Nicole et perçut la terreur qui l'agitait. Il y avait des bruits sourds en fond. Il se redressa et serra plus fort son téléphone.

— Nicole, qu'est-ce qui ne va pas ?

Jake se redressa lui aussi dans son fauteuil.

— Des hommes se sont introduits… chez mon père. Ils… ont essayé de s'emparer de Pilar… enfin, de Tia…

Elle s'exprimait d'une voix tremblante, au bord des larmes.

De sa main libre, Daniel fit des signes à Jake, comme quand ils étaient sur le terrain et ne pouvaient communiquer que par gestes : chaussures, pantalon, nous partons.

— Es-tu blessée ? demanda-t-il, inquiet.

— Nous sommes dans une pièce sécurisée, mais… les hommes essaient de défoncer la porte et ils sont armés.

Jake sortit un canif de sa poche et coupa le jean de

Daniel pour qu'il puisse le passer malgré sa genouillère. D'une main, Daniel l'enfila pendant que Jake s'occupait de lui apporter ses chaussures.

— Daniel, j'ai… j'ai besoin de toi, déclara Nicole d'une voix de plus en plus paniquée.

Il sentit son cœur se serrer. *J'arrive, ma belle*, songea-t-il instantanément.

Il mit une première chaussure et Jake l'aida à passer la seconde.

— Appelle le 911, dit-il à Nicole avant de raccrocher et de ranger son téléphone.

Jake lui lança un T-shirt qu'il s'empressa de passer avant d'attraper ses béquilles.

— Allez, on fonce !

— Daniel ? cria Nicole.

Elle n'entendait plus rien à l'autre bout du fil.

— Daniel ! lança-t-elle de nouveau.

Elle était consternée. « Appelle le 911. » C'est tout ce qu'il lui avait dit avant de raccrocher.

Elle était à la fois furieuse et abattue. Elle était en danger et lui, tout ce qu'il avait trouvé à lui répondre c'était d'appeler la police. Evidemment, la police était plus à même de venir à leur secours que lui. Il se trouvait à l'hôpital et pouvait à peine marcher. Mais elle ne parvenait plus à raisonner logiquement. Elle éprouvait un sentiment d'abandon.

Elle se passa la main dans le cou et sentit une égratignure. C'était sans doute l'homme qui avait tenté de s'emparer de Pilar qui l'avait griffée. Il y avait un peu de sang sur le bout de ses doigts, et cette vision raviva la tension intérieure contre laquelle elle luttait. Elle prit une grande inspiration pour se calmer.

Ne craque pas. Garde ton sang-froid.

Sarah Beth était en ligne avec le standard des urgences de la police. Elle leur donnait l'adresse de la maison et leur expliquait ce qui arrivait. Les intrus allaient bientôt venir à bout de la porte en acajou et n'auraient ensuite plus qu'à faire sauter le verrou du volet métallique.

Nicole serra Pilar dans ses bras pour la rassurer. Elle se promit que ces types auraient affaire à elle s'ils tentaient de nouveau d'enlever la petite. Elle était terrorisée, mais prête à se battre.

— Il y a un neuf millimètres dans la boîte à gants, dit Jake tandis qu'ils roulaient à tombeau ouvert sur la voie rapide en direction de l'adresse qu'il avait entrée dans son GPS. Prends-le.

Daniel ouvrit la boîte à gants, en sortit l'arme, vérifia qu'elle était chargée et la glissa sous la ceinture de son jean. Le GPS indiquait qu'ils approchaient. Il consulta sa montre : Nicole l'avait appelé huit minutes plus tôt.

Jake lui jeta un regard noir, mais ce n'était pas la colère qui l'animait, plutôt la détermination.

— Bien, je t'écoute, vieux. Quel est ton plan ?

— Gare-toi dans la rue qui précède celle de la maison. Nous approcherons par l'arrière. Tu es plus mobile que moi, donc tu passeras le premier et je te couvrirai. Nicole a dit qu'elles étaient dans une pièce sécurisée, ce qui signifie qu'elle se trouve au centre de la maison et ne dispose pas de fenêtres. Si les intrus sont toujours sur place, nous allons les découvrir en train d'essayer de pénétrer dans cette pièce. Et s'ils ne sont plus là…

Jake n'avait pas besoin qu'on lui fasse un dessin. Daniel repoussa la pointe de panique quile titillait. Il devait rester concentré.

Jake se gara dans une rue résidentielle bordée de vastes propriétés cossues. Daniel ouvrit sa portière de l'épaule et saisit ses béquilles. Il enrageait de ne pouvoir se déplacer plus vite alors que l'urgence de la situation exigeait qu'ils ne perdent pas la moindre seconde.

— Fonce, dit-il à Jake en l'encourageant du geste.

En s'appuyant sur sa jambe valide et en plantant ses béquilles loin devant lui, Daniel parvint à avancer à bonne allure et à suivre son équipier. Tandis qu'ils approchaient de la maison, il repéra où se mettre à couvert si une fusillade éclatait, détermina par où pénétrer dans la maison et chercha d'où ils pourraient voir ce qui se passait à l'intérieur. Alors qu'ils approchaient de l'entrée du jardin, un bruit sourd leur parvint. Jake se plaqua contre le mur d'enceinte et jeta un regard entre les lattes du portail.

— Qu'est-ce que tu vois ? lui demanda Daniel.

— Il n'y a personne dans le jardin. La porte arrière de la maison est entrouverte.

Jake changea de position pour avoir un meilleur angle de vue.

— Il y a un barbecue en brique à une dizaine de mètres sur la gauche, pas de fenêtre sur la droite de la porte.

Daniel acquiesça et essuya la sueur qui perlait à son front. Puis, le cœur battant, à l'affût du moindre mouvement, il ouvrit le portail et s'empressa d'aller se cacher derrière le barbecue. Il se mit en position pour couvrir son équipier qui avançait vers la porte. Quand il l'atteignit, Jake se colla au mur et observa ce qui se passait à l'intérieur. D'un geste de la main, il indiqua à Daniel d'approcher. Clopin-clopant, celui-ci rejoignit son équipier et se plaqua au mur. Il posa ses béquilles et sortit son arme. Jake fit de nouveaux signes pour lui indiquer ce qu'il voyait : trois hommes armés. Deux étaient postés devant une porte, le troisième surveillait l'avant de la maison par la fenêtre.

Daniel acquiesça et se pencha à son tour en avant pour jeter un regard. Les hommes devant la porte tentaient de faire éclater avec une hache le châssis de bois autour d'un volet métallique.

« Mets-toi en position pour l'homme du fond, je m'occupe des hommes devant la porte », fit-il comprendre à Jake par gestes.

Ce dernier acquiesça, sortit son arme et se positionna un genou à terre.

Au loin, Daniel entendit des sirènes de police. Soudain, un cri de femme retentit à l'intérieur de la maison. Les hommes allaient avoir raison du châssis de la porte. Ils ne pouvaient pas attendre.

Il sentit une décharge d'adrénaline le parcourir et prit une grande inspiration pour rester calme.

— Ne bougez plus ! s'exclama-t-il. Posez vos armes et allongez-vous au sol immédiatement !

Les trois hommes se retournèrent en même temps. Et tous trois levèrent leur arme.

Daniel et Jake furent plus prompts à réagir.

Il y eut un violent échange de tirs. Le bruit fut assourdissant et l'homme posté devant la fenêtre s'effondra. Un de moins, soupira Daniel. Jake ramena son arme contre lui pour recharger.

L'homme qui tenait la hache lâcha l'outil et sortit un second revolver. Le troisième était blessé et se plaquait une main contre le cou, mais il releva son arme et tenta de faire de nouveau feu. Daniel fut plus rapide et, à son tour, l'homme s'effondra.

Entretemps, l'intrus qui avait lâché la hache s'était mis à l'abri derrière un grand écran plasma.

— Lâchez votre arme ! répéta Daniel.

Jake en profita pour pénétrer dans la maison et plongea à plat ventre derrière un canapé. L'homme tira. Jake ne pouvait pas sortir de sa cachette. S'il voulait aider son équipier, Daniel devait lui aussi parvenir à entrer dans la maison et trouver une meilleure position pour atteindre sa cible.

Il se mit à plat ventre, rampa sur quelques mètres et tira plusieurs fois. L'intrus répliqua mais ne pouvait pas l'atteindre. Jake contourna pendant ce temps le canapé et lui fit un signe de la main. Daniel visa le vase situé près de la fenêtre et le fit voler en éclats. Surpris, l'homme tourna la tête. Il n'en fallut pas plus à Jake pour bondir comme un fauve. En un éclair, l'homme se retrouva immobilisé au sol.

Daniel se releva avec difficulté. Il ne prit pas le temps d'aller chercher ses béquilles et se dirigea à cloche-pied vers la pièce sécurisée.

— Essaie de faire parler ce type avant l'arrivée de la police, lança-t-il à Jake au passage.

— Compris.

Daniel se posta devant la porte. A l'intérieur, il percevait des pleurs et des gémissements de peur.

— Nicole ! appela-t-il en tapant du poing contre le volet métallique. Tout va bien ? Ouvre, c'est Daniel !

Il attendit quelques secondes mais n'obtint pas de réponse.

— Nicole !

8

Nicole leva brusquement la tête. Les coups de feu avaient cessé et une voix appelait son nom.

— Daniel ?

Le cœur battant, elle sortit de sous le bureau, indiqua à Sarah Beth de rester tout près de Pilar et se précipita à la porte. Elle ôta le verrou et s'efforça de faire coulisser le lourd volet métallique. A peine l'eut-elle entrebâillé de quelques centimètres qu'une main masculine se posa sur le rebord du volet et l'ouvrit complètement d'un seul mouvement puissant.

Daniel apparut face à elle, le visage inquiet et déterminé, arme en main. Nicole en eut le souffle coupé. *Daniel.* Il était là, il était venu, et il était plus beau que jamais. Un frisson d'excitation la parcourut.

— Tu es venu, dit-elle à voix haute, le souffle court, entre joie et incrédulité.

Il fronça les sourcils.

— Evidemment que je suis venu. Tu m'as dit que des hommes cherchaient à s'en prendre à vous, que tu avais besoin de moi.

— Je sais, mais… tu étais à l'hôpital.

— Eh bien j'en suis sorti, répliqua-t-il laconiquement.

Elle battit plusieurs fois des paupières, comme si elle avait encore du mal à se convaincre que c'était bien lui qui était face à elle. A cause du stress et des coups de feu, elle avait encore les oreilles qui bourdonnaient.

— Mais tu… tu m'as raccroché au nez.

Daniel eut un geste excédé.

— Mais je ne pouvais pas foncer ici en restant au téléphone !

— Et ton genou…

— On dirait que tu n'es pas contente de me voir.

Il avança d'un pas et la fixa droit dans les yeux.

— Tu as vraiment cru que je pourrais ignorer ton appel au secours ?

L'intonation indignée de sa voix lui fit un immense plaisir.

— Non.

C'était peut-être pour cela que, d'instinct, c'est lui qu'elle avait appelé avant la police.

Il tendit la main et la lui passa doucement sur la joue.

— Qui sont ces types ? Que voulaient-ils ?

Elle mit quelques secondes à répondre. Ce qu'ils venaient de se dire était extrêmement important pour elle. Elle avait du mal à revenir à la triste réalité.

— J'ignore qui sont ces hommes. Je ne les avais jamais vus. Ils ont essayé d'enlever Pilar.

Daniel prit une expression interrogatrice.

— Pilar ?

— Oui, c'est le vrai nom de Tia. Pilar Castillo. C'est la fille d'un juge de Bogota. J'étais justement en train de confirmer son identité à l'ambassade de Colombie quand ces hommes ont surgi.

Elle vit sa mâchoire se contracter, seul signe qui trahissait ce qui devait se passer derrière ses yeux noirs.

— Tu saignes, dit-il en passant doucement un doigt sur sa nuque.

— Ce n'est rien, juste une égratignure. Je vais mettre un petit pansement dessus et je n'y penserai plus.

Elle s'efforça de lui sourire et de lui dissimuler qu'intérieurement, toutes ces épreuves mettaient ses nerfs à rude épreuve. *Ne craque pas. Tiens le coup.*

Il ne parut pas rassuré.

— Vous ne pouvez pas rester ici, dit-il. Tant que nous n'aurons pas déterminé comment ces types ont su où vous trouver, la petite et toi, vous ne serez pas en sécurité dans cette maison.

Ses paroles lui donnèrent la chair de poule. Elle n'était pas en sécurité chez elle ? Deux jours plus tôt, quand elle avait posé le pied sur le sol américain après ces longs mois de captivité, elle avait sincèrement cru que le cauchemar était terminé. Visiblement, elle s'était trompée.

Elle aperçut alors l'homme qui gisait inanimé au sol derrière Daniel et détourna le regard avant de se sentir mal.

— Que dois-je faire, alors ? Emmener Pilar à l'hôtel ?

La sonnette de l'entrée retentit avant qu'il ait le temps de répondre.

— Police ! Ouvrez !

— Je m'en occupe, intervint Daniel. Mais, dès que possible, je vous emmènerai dans un endroit sûr, la petite et toi. Tiens-toi prête.

Un endroit sûr ? Elle aurait voulu lui demander des précisions, mais il s'éloignait déjà en clopinant pour aller ouvrir aux policiers qui tambourinaient à la porte. Elle retourna dans le bureau où Sarah Beth et Pilar se trouvaient encore, serrées l'une contre l'autre.

— Est-ce terminé ? Pouvons-nous sortir ? demanda Sarah Beth, encore pâle d'effroi.

Elle acquiesça et tendit les bras à la fillette, qui vint se blottir contre elle.

— La police est ici, et Daniel…

Elle chassa l'image de l'homme étendu inerte dans le couloir. Daniel et son équipier étaient arrivés juste à temps pour les sauver, Pilar, Sarah Beth et elle. Deux de leurs agresseurs y avaient laissé la vie, mais elle ne voulait pas y penser.

Durant les deux heures suivantes, la police auditionna tout le monde, y compris le seul agresseur qui ait survécu. Le père de Nicole arriva quelques minutes après et contempla le spectacle de la maison dévastée avec des yeux épouvantés. Nicole se précipita dans ses bras pour le rassurer.

La police vérifia l'identité de Jake et de Daniel puis les experts procédèrent aux examens balistiques préliminaires. Ceux-ci confirmèrent que tous deux avaient fait usage de leur arme en position de légitime défense. En attendant les résultats définitifs de l'enquête, aucune charge n'était retenue contre eux. Cependant, ils durent tous se rendre au poste de police pour signer leurs dépositions.

Quand Nicole et Pilar purent quitter les locaux de la police de La Nouvelle-Orléans, la journée tirait à sa fin. Jake et Daniel, qui s'appuyait sur ses béquilles, les attendaient sur le parking. Daniel avait les traits tirés et des cernes de fatigue sous les yeux, remarqua Nicole.

— Tu devrais retourner à l'hôpital, lui dit-elle. Tu as besoin de repos et…

— Non, la coupa-t-il d'un ton ferme et définitif.

— Daniel…

— Non. Nous retournons chez ton père, et seulement

le temps que tu puisses rassembler quelques affaires. Jake a accepté de nous conduire à l'endroit sûr dont je t'ai parlé.

Il désigna de la tête l'autre bout du parking.

— Sa voiture est garée là-bas. Allons-y.

— Daniel, attends. Tu ne crois pas que j'ai mon mot à dire, quand même ?

L'expression de Daniel se fit plus ferme.

— Il n'y a pas à discuter. Pour le moment, nous ignorons qui a envoyé ces types. Mais ce qui est certain, c'est que celui ou ceux qui sont derrière cette intrusion ne vont pas abandonner. Ce n'était pas une simple tentative d'enlèvement d'enfant, il y a autre chose. S'ils veulent vraiment mettre la main sur Pilar, ils recommenceront, et toi, tu es en travers de leur chemin. Ils n'hésiteront pas à t'éliminer pour s'emparer de la petite.

Nicole poussa un petit soupir nerveux.

— Je veux bien le croire, mais mon père peut engager des hommes pour…

Cette allusion à son père fit tressaillir Daniel. Elle hésita un instant puis reprit :

— Attends une minute. Tu ne penses tout de même pas que mon père a un rapport avec cette histoire, n'est-ce pas ?

Pilar leva des yeux inquiets vers elle, en l'entendant élever ainsi la voix.

Daniel haussa les sourcils.

— Au nom de quoi ne devrais-je pas soupçonner ton père ?

— Bon sang, Daniel. Je te préviens, ne songe même pas à essayer de lui coller ça aux basques !

Il leva la main en guise d'apaisement et répondit d'un ton mesuré :

— Rien ne prouve qu'il est à l'origine de cette tentative,

je te l'accorde, mais nous ne pouvons pas exclure qu'il ait révélé où se trouvait Pilar. Car tu lui as parlé d'elle, je suppose.

— Je…

Elle ne poursuivit pas. Effectivement, elle lui avait parlé de Pilar, et son père lui avait promis de passer quelques appels à ses relations pour l'aider à déterminer qui étaient ses parents et éviter que la présence de la fillette sur le sol américain ne lui cause des ennuis.

Daniel parut considérer qu'il avait eu le dernier mot.

— Donc, tant que nous ignorons qui vous menace, Pilar et toi, je refuse de laisser quiconque d'autre que moi assurer votre sécurité.

Sur ce, il s'écarta pour qu'elles le précèdent vers la voiture de Jake. Elle poussa un soupir de résignation, prit Pilar par la main, traversa le parking et s'installa à l'arrière du véhicule.

Quand ils furent arrivés à la maison, Jake prit le père de Nicole à part pour qu'elle puisse rassembler tranquillement ses affaires. Pilar restait collée à elle et Oreo, qui paraissait s'être remis des événements de la journée, bondit sur le lit et voulut sauter dans la valise. Quand la fillette le vit, elle sourit et alla le caresser.

Daniel, qui les avaient accompagnées, était assis de l'autre côté du lit, sa jambe blessée étendue devant lui. Il regarda Pilar jouer avec le félin et fronça les sourcils.

— Ce n'est pas le chat que j'étais allé récupérer sur le toit de la maison, n'est-ce pas ? Il me semble qu'il avait le poil plus roux.

Nicole, qui pliait une nuisette, s'interrompit et leva la tête.

— Non, ça, c'est Oreo. Je l'ai depuis moins longtemps que Boudreaux, qui doit traîner quelque part dans la maison. Boudreaux est moins joueur, désormais, car c'est un monsieur d'un âge respectable !

Elle repensa à ce qui s'était passé plus tôt dans la journée et ajouta :

— Tu sais, les chats nous ont peut-être sauvé la vie. Quand ces types ont fait irruption sous la véranda, Boudreaux et Oreo ont détalé et fait tomber un des trois hommes. C'est un peu grâce à eux que j'ai réussi à arracher Pilar à ces voyous et que nous avons pu courir nous réfugier dans la pièce sécurisée. Ce sont de véritables héros, termina-t-elle avec un sourire.

Daniel eut un petit sourire à son tour et se pencha pour caresser Oreo.

— Oui, c'est sûr, tout le mérite leur revient.

Nicole s'approcha, lui posa une main sur l'avant-bras et le regarda droit dans les yeux.

— Non, pas tout le mérite. Je suis bien consciente que tu as encore une fois risqué ta vie pour moi. J'avoue que je ne suis pas certaine de pouvoir un jour te rendre la…

— Laisse tomber, tu ne me dois rien, la coupa-t-il.

— Je voulais simplement dire que…

— Tu n'as besoin de rien d'autre ? intervint-il en désignant la valise avec un geste d'impatience. Dans ce cas, ne perdons pas de temps et mettons-nous en route.

Bien. Visiblement, il ne voulait pas de sa gratitude. Elle se passa les mains dans les cheveux et regarda autour d'elle, à la recherche de quelque chose qu'elle aurait oublié de prendre. A ce moment-là, Boudreaux fit son apparition à l'entrée de la chambre et l'observa en bâillant. Elle jeta un bref regard à Pilar puis déclara :

— Nous emmenons les chats.

Daniel leva brusquement la tête.

— Quoi ?

— Regarde comment elle se comporte avec Oreo, lui

répondit-elle en désignant la fillette qui caressait le chat avec affection. Les chats ont une vertu apaisante sur elle, ils lui font du bien. Et… ils m'ont également beaucoup manqué. Pourquoi ne pourrions-nous pas les emmener ?

Daniel leva les yeux au ciel avec un air résigné.

— Très bien, mais je te préviens, ils resteront à l'intérieur, car là où nous allons, il y a des alligators.

— Des alligators ? reprit-elle avec un regard angoissé.

Il leva la main pour dissiper ses inquiétudes.

— Il n'y a aucun danger.

— Mais pourquoi refuses-tu de me dire où nous allons si c'est si sûr que cela ?

— Parce que si tu ignores où nous nous rendons, tu ne pourras pas le révéler à ton père.

Elle lui jeta un regard glacial et il s'empressa d'ajouter :

— Ni à qui que ce soit d'autre.

Elle ne put réprimer un geste d'impuissance et ouvrit son placard pour en sortir les paniers à chat. Quand Boudreaux la vit faire, il courut se réfugier sous le lit.

Elle le pointa du doigt.

— Attrape-le, lança-t-elle à Daniel.

Il se pencha et saisit le matou au passage.

— Tiens, tiens, comme nous nous retrouvons après toutes ces années, dit-il en observant l'animal avec un air attendri.

— Tout va bien, Boudreaux, je te jure que cette fois-ci, nous n'allons pas chez le vétérinaire.

Elle tint la cage et Daniel y fit entrer le félin qui se débattait des quatre fers. Ce fut ensuite le tour d'Oreo, et Pilar les regarda d'un air mi-figue mi-raisin.

— Nous prenons les chats avec nous, d'accord ? lui dit Nicole. *Tomamos los gatos con nosotros*, traduisit-elle en espagnol.

Pilar lui adressa un petit sourire et vint de nouveau se coller à elle.

— Je vais prendre la valise, intervint Daniel.

Il se leva et attrapa ses béquilles.

— Pilar et toi, poursuivit-il, vous pouvez vous rendre à la voiture, Jake s'occupera de descendre les chats.

Nicole posa sa valise au sol et tira la poignée pour la faire rouler.

— Ne dis pas de bêtises, Daniel, je te rappelle que tu te déplaces avec des béquilles.

Il tenta malgré tout de la pousser de l'épaule pour prendre la valise.

— Ça ne m'a pas empêché de répondre à ton appel au secours.

Elle le repoussa de la hanche.

— Certes, et je ne doute pas que tu serais capable de descendre ma valise dans l'escalier et de la tirer jusqu'à la voiture. Mais je peux le faire toute seule, alors économise-toi, répliqua-t-elle en tirant sa valise d'une main et en tendant l'autre à Pilar.

Elle fit descendre sa valise marche par marche dans l'escalier et sentit le regard vexé de Daniel derrière elle.

Au rez-de-chaussée, elle se retrouva face à son père. Il l'observait lui aussi avec une expression contrariée et poussa un soupir. Mais la contrariété de son père la dérangeait moins que celle de Daniel. Quelques années plus tôt, ç'aurait sans doute été le contraire, observa-t-elle intérieurement.

— Je considère que c'est une erreur, déclara son père en lui bloquant le passage. Laisse-moi me charger de te trouver des gardes du corps. Ta sécurité, c'est mon problème, pas celui de ces types.

— Papa, je fais confiance à Jake et Daniel. Je veux que ce soit eux qui nous protègent.

— Alors emporte au moins mon gilet pare-balles au cas où il y aurait de nouveaux coups de feu, l'implora son père.

— Tout ira bien, papa, je te le promets.

Jake voulut lui prendre sa valise, mais elle désigna l'étage.

— Si ça ne vous dérange pas, je préférerais que vous descendiez les chats. Ils sont dans leurs paniers de voyage.

Jake haussa les sourcils et s'adressa à Daniel.

— On emmène les greffiers ?

Daniel s'appuya sur ses béquilles et se gratta la tête.

— On dirait, ouais.

Jake leva la main pour indiquer que ce n'était pas son problème.

— Bien, on fait comme tu le sens.

Daniel se tourna alors vers le père de Nicole et le dévisagea d'un regard noir.

— Si vous voulez sincèrement épargner des ennuis à votre fille, je vous conseille de ne parler à personne de cette affaire. Moins il y aura de gens au courant, mieux ce sera.

Le sénateur bomba le torse et s'avança vers Daniel. Nicole s'interposa aussitôt entre eux. Pilar se pelotonnait contre elle et serrait le bas de son sweat entre ses doigts.

— Je t'appelle dès que je peux, papa.

— Non, tu n'en feras rien, intervint Daniel.

Le sénateur White pointa un doigt menaçant dans sa direction.

— Je vous préviens, n'essayez pas de…

— Papa, arrête, le coupa Nicole en le faisant baisser la main.

Elle fit un quart de tour pour avoir Daniel et son père dans son champ de vision.

— Nous sommes tous dans le même camp, alors cessez de vous chamailler, d'accord ?

Elle déposa un baiser sur la joue de son père et lui sourit.

— Je t'aime. Essaie de ne pas t'inquiéter et prends soin de toi.

Jake chargea la voiture, cala les deux paniers à chat sur la banquette arrière, à côté de Nicole et Pilar, et ils prirent la route avant la tombée de la nuit. Pilar avait posé la tête sur l'épaule de Nicole et s'assoupit juste après qu'ils eurent franchi le pont qui enjambait les marais entourant la ville. Au bout de quelques kilomètres, Boudreaux et Oreo cessèrent leurs miaulements plaintifs et le calme régna à l'intérieur du véhicule.

Coincée entre les chats et Pilar à l'arrière de la voiture, Nicole ne pouvait guère bouger. Et elle ne savait même pas où Daniel la conduisait. Elle sentit une désagréable angoisse monter en elle et se parla pour ne pas paniquer. *Garde ton calme, tu n'es plus prisonnière, tu es en sécurité.*

Pour se rassurer un peu plus, elle regarda Daniel. Seules les lumières du tableau de bord éclairaient son profil et elle repensa à la nuit qu'ils avaient passée ensemble, cinq ans plus tôt. Elle se revit caresser son visage du bout des doigts, pressée contre lui. Cette nuit-là, il souriait et son regard pétillait de bonne humeur. Une bouffée de nostalgie s'empara d'elle. Elle aurait donné cher pour retrouver cette atmosphère. Le sourire de Daniel lui manquait, elle ne l'avait pas revu une seule fois depuis qu'il était venu la sauver dans la jungle.

— Maintenant que nous avons pris la route, peut-être peux-tu enfin me dire où nous allons ? lui demanda-t-elle.

Sur ce, Oreo leva la tête et miaula, comme pour dire : « C'est vrai ça, on va où, d'abord ? »

Daniel se retourna pour croiser son regard.

— Dans mon repaire.

— Pardon ?

— Comme je suis encore en délicatesse avec mon genou, j'ai besoin de me retrouver dans un endroit que je connais par cœur pour assurer votre sécurité.

Il jeta un regard par la vitre puis marmonna quelque chose à Jake qu'elle ne comprit pas.

— Et plus précisément, ça veut dire quoi ?

— Que nous allons dans le bayou.

Daniel fouilla l'obscurité du regard pour distinguer les contours de la vieille maison située sur les rives du bayou de la Louisiane. Il avait passé bien des nuits dans cette maison de bois ancienne au toit en fer-blanc et elle n'avait pas changé depuis le temps de sa grand-mère, depuis le temps où elle l'avait hébergé après la mort de ses parents.

Les yeux des animaux nocturnes réfléchissaient la lumière des phares et créaient une ambiance surnaturelle. Lui, il avait grandi dans cet environnement et avait appris à vivre avec la faune locale et à la respecter. En revanche, il lui faudrait inculquer quelques rudiments essentiels à Nicole et Pilar.

— Le générateur électrique est juste à côté de la porte arrière, dit-il à Jake en lui tendant un jeu de clés. Mets-le en marche pendant que nous déchargeons la voiture, tu veux bien ?

Jake acquiesça et descendit sans éteindre les phares, pour le moment seule source de lumière.

Daniel sortit à son tour et récupéra ses béquilles. Nicole réveilla tout doucement Pilar, qui leva la tête, battit des paupières et se frotta les yeux en regardant tout autour d'elle.

— A qui est cette maison ? demanda Nicole à Daniel.

— Désormais, elle est à moi, répondit-il en faisant quelques mouvements pour assouplir son genou. Avant, c'était celle de ma grand-mère, et celle de ses parents encore avant elle. Elle me l'a transmise à sa mort, il y a trois ans.

Derrière lui, une lampe de sécurité vacilla quelques secondes avant de se stabiliser avec un petit vrombissement caractéristique. Une par une, les lumières s'allumèrent aux fenêtres. Jake passait de pièce en pièce pour vérifier que tout était en ordre.

Nicole ouvrit sa portière, sortit de voiture puis aida Pilar à en faire de même. Elle contourna le véhicule pour ouvrir l'autre portière, prit les chats puis, avec un panier dans chaque main, leva la tête vers Daniel.

— Passe devant, nous te suivons.

Sur ses béquilles, il se dirigea vers l'entrée. Les marches de bois du porche grincèrent à son passage et il écarta une toile d'araignée de son chemin. Il frappa à la fenêtre à côté de la porte. Jake vint leur ouvrir.

Lentement, il pénétra dans la maison où régnait une odeur de renfermé. Il revit alors sa grand-mère faire la cuisine sur le vieux fourneau à gaz. Quand elle l'entendait entrer, elle se retournait et venait l'accueillir les bras grands ouverts. Il éprouva un petit pincement au cœur. Sans sa grand-mère, la maison lui parut triste et sans vie.

— Je vais chercher la valise, intervint Jake. Dans quelle chambre dois-je la porter ?

Daniel sortit de ses pensées et indiqua le fond de la maison.

— Nicole va dormir dans la chambre principale et la petite dans celle d'à côté. Moi je dormirai sur le canapé.

— Non, Pilar reste avec moi, intervint Nicole en passant un bras autour des épaules de la fillette. De toute façon, je ne pense pas qu'elle serait capable de dormir toute seule. Tu peux donc prendre la chambre principale.

— Comme tu veux, répliqua Daniel.

Les chats se mirent à miauler et à gratter pour indiquer leur impatience.

— Puis-je les laisser sortir ? s'enquit Nicole.

— Oui, vas-y, lui répondit Daniel.

Il se mit à ôter les draps et les housses qui recouvraient les meubles.

Un petit nuage de poussière se dissipa et fit éternuer Pilar.

Il s'excusa et souleva les autres plus précautionneusement. Certes, la maison était poussiéreuse, mais au moins, elle était sûre.

Nicole ouvrit le premier panier : Boudreaux sortit prudemment et se mit à renifler le sol.

— Alors, ça te plaît, Boudreaux ? lui demanda-t-elle.

Elle fit signe de la tête à Pilar qu'elle pouvait ouvrir le second panier.

La fillette s'exécuta. Oreo sortit, émit un petit miaulement contrarié puis partit en exploration.

— Depuis quand cette maison est-elle fermée ? demanda Nicole à Daniel en l'aidant à plier les draps.

— La dernière fois que je suis venu ici, c'était il y a environ deux ans et demi, il me semble. Juste avant que je ne parte en mission secrète en Colombie avec Alec.

— Et y a-t-il des provisions quelque part ?

Il se prit le menton entre deux doigts.

— Il se peut qu'il y ait quelques conserves. Mais je demanderai à Jake d'aller faire les courses demain matin.

— Je dois faire quoi ? intervint alors Jake qui entrait dans la pièce en tirant la valise de Nicole.

— Tu viens de te porter volontaire pour aller faire les courses…

Un fracas suivi d'un miaulement de chat effrayé venant du fond de la maison l'interrompit. Jake et Daniel échangèrent un bref regard et sortirent tous deux leur arme. Daniel s'avança silencieusement en s'aidant d'une béquille, son arme dans l'autre main. Il se plaqua dos au mur à côté de la porte de la première chambre et passa la main à l'intérieur pour presser l'interrupteur.

La pièce était vide.

Il prit une brève inspiration, passa à la chambre suivante et réitéra la même manœuvre. Quand la pièce s'alluma, il se pencha prudemment en avant pour jeter un regard à l'intérieur.

Au milieu de la chambre qu'il occupait quand il était ado, le chat noir et blanc de Nicole se tenait les poils du dos hérissés et les oreilles rabattues face à un raton laveur à l'air complètement désorienté. Il poussa un petit soupir de soulagement tout en observant le raton laveur avec méfiance. Dans le bayou, même un animal a priori non dangereux pouvait être porteur de la rage.

— Casse-toi ! s'exclama-t-il avec l'accent cajun en accompagnant ses paroles d'un grand geste de la main. Allez ouste !

Jake le regarda avec un petit rire.

— Ouste ?

Daniel haussa les épaules.

— C'est ce que disait ma grand-mère et ça marchait à tous les coups.

Le raton laveur traversa la pièce en se dandinant, grimpa sur la bibliothèque et s'échappa par un trou du plafond.

— Finalement, il semblerait que quelqu'un a occupé les lieux en ton absence, commenta Jake en rangeant son arme.

Daniel émit un grognement de mauvaise humeur.

— Et il a rongé les planches du plafond depuis le grenier, on dirait.

Il rangea lui aussi son arme et regarda autour de lui, à la recherche de quoi boucher le trou pour la nuit.

— Demain, il faudra que je me charge de chasser définitivement cet intrus et que je fasse quelques réparations.

— Tu vas t'éclater, commenta Jake avec sarcasme. Si tu veux, je peux rester un jour ou deux pour te donner un coup de main.

— Non, j'ai une autre mission pour toi, si tu es d'accord.

— J'ai un peu de temps devant moi, donc demande-moi ce que tu veux.

Daniel acquiesça de la tête pour le remercier. Soudain, une idée lui traversa l'esprit. Il sortit son portable et vérifia la réception réseau.

— Le signal est faible, mais ce devrait quand même être possible de passer un coup de fil. Tu n'as pas de téléphone satellite dans ta voiture, par hasard ?

— Non mais je peux t'en procurer un.

— Merci, vieux.

Disposer d'un téléphone satellite serait peut-être superflu, mais, pour assurer la sécurité de Pilar et Nicole, il préférait pouvoir appeler en toutes circonstances.

Le matin suivant, Nicole sortit son téléphone de son sac à main et marcha le long des fenêtres, à la recherche de l'endroit où le réseau était le meilleur. Elle composa un numéro et sourit en entendant la voix de son père. Il répondait toujours au téléphone de manière formelle, un peu sèche, mais retrouver cette familiarité lui fit du bien.

— Salut papa, c'est moi.

— Nicole !

La voix de son père se fit plus chaleureuse, mais teintée d'inquiétude.

— Où… tu ? Où t'a… emmenée ? Tu… bien ?

Elle s'appuya contre la fenêtre et ferma les yeux.

— Oui je vais bien mais… Daniel m'a demandé de ne pas révéler où nous étions.

— Bon sang, Nic… Je suis… père, j'ai le… de savoir. LeCroix pense-t-il sincèrement que je laisserais… te faire du mal ? C'est absurde !

— Il ne se méfie pas forcément de toi personnellement mais… c'est par précaution.

Malgré les interférences sur la ligne, elle entendit son père soupirer d'exaspération.

— S'il croit pouvoir me… à l'écart des événements, je…

— Personne ne souhaite te tenir à l'écart. Je te promets de t'appeler de temps en temps pour te donner des nouvelles, d'accord ?

Il y eut de nouvelles interférences.

— Allo, papa ?

— Tu as reçu un appel… Ramon Diaz, de l'ambassade.

Nicole se redressa et marcha jusqu'à une autre fenêtre pour tenter d'améliorer la liaison.

— Qu'a-t-il dit ?

— Le juge a disparu. Mario… entendu parler de la tentative d'enlèvement… il se cache.

— Attends, tu veux dire que maintenant, nous ne savons plus où se trouve le père de Pilar, c'est ça ?

— Il se cache. Après cette nouvelle tentative d'enlèvement, il n'a pas confiance en… Diaz n'apprécie pas non plus de ne pas savoir où Pilar et toi vous trouvez. La petite… citoyenne colombienne et tu…

Il y eut des grésillements.

— Papa ?

Son écran indiqua « réseau inexistant ». Elle tenta de rappeler, en vain.

— Mince.

Donc, le père de Pilar se cachait lui aussi. Génial. Comment allait-elle s'y prendre pour réunir père et fille, maintenant ? Elle se rendit dans la cuisine en gardant son téléphone sur elle au cas où son père la rappellerait.

Pilar était assise à table et observait avec de grands yeux légèrement méfiants Jake et Daniel, qui étaient également installés et discutaient.

— Bonjour, déclara Nicole en adressant un grand sourire à Pilar.

Daniel et Jake la saluèrent en marmonnant. Elle mourait de faim et se mit à ouvrir les placards, à la recherche de quoi préparer le petit déjeuner.

— Jake ne va pas tarder à partir en courses et nous sommes justement en train de faire la liste de ce qu'il nous rapportera, alors, si tu as des requêtes précises, dis-le maintenant, l'avertit Daniel.

— Je veux du café, dit-elle avec emphase en vérifiant qu'il y avait bien une cafetière. Des fruits et légumes frais, du lait. Tout ce dont une petite fille a besoin pour bien manger. Des boîtes pour Oreo et Boudreaux, ainsi que de la litière.

Jake leva les yeux au ciel, mais elle l'ignora et se mit à confectionner le seul petit déjeuner possible avec les maigres ressources des placards : du porridge avec des flocons d'avoine.

— Le paquet est probablement là depuis plusieurs années, l'avertit Daniel.

Elle haussa les épaules et, quand l'eau qu'elle avait mise à bouillir fut prête, la versa dans deux bols de flocons d'avoine et mélangea le tout. Elle goûta en faisant la grimace.

— Ajoutez des œufs et du pain complet à la liste de courses, lança-t-elle à Jake.

Celui-ci lui fit un clin d'œil et nota les articles sur sa liste. Pilar, elle, s'attaqua au contenu de son bol. Nicole en fut touchée. A côté de ce qu'on leur servait en captivité, elle devait trouver cela bon.

— J'ai besoin de munitions pour mon revolver et ma carabine, entendit-elle Daniel dire à Jake, même s'il s'était exprimé à voix basse.

Elle eut un frisson. Bien sûr, c'était nécessaire, mais elle n'aimait pas savoir que des armes à feu chargées allaient traîner en permanence autour de Pilar.

Daniel s'en était sans doute rendu compte. Il se tourna vers elle et lui demanda :

— Tu sais tirer ?

Dans la jungle, Alec ne s'était même pas préoccupé de lui poser la question quand il lui avait mis un pistolet automatique entre les mains.

— Je peux presser la détente, mais il ne faut pas me demander ce que je peux toucher ou pas.

Daniel échangea un bref regard avec Jake avant de reporter son attention sur elle.

— Je t'apprendrai à manier une arme, pour que tu sois prête la prochaine fois que nous aurons affaire à des malfrats.

— La prochaine fois ? répéta-t-elle en serrant plus fort sa cuiller. Mais je croyais que nous étions venus nous cacher ici précisément pour éviter qu'il y ait une prochaine fois.

Daniel eut un air confus et baissa la tête.

— Aucune cachette n'est sûre à cent pour cent.

On allait lui apprendre à tirer, elle devait se cacher pour échapper à des assassins. Elle avait peut-être fui la jungle colombienne, mais sa vie n'était pas redevenue calme pour autant.

A ce moment-là, Daniel désigna de la tête son téléphone, qu'elle avait laissé posé sur la table.

— Autre chose... Pas de portables. Un téléphone peut être localisé. Si tu as besoin de passer un appel, sers-toi du mien, il utilise une fréquence cryptée.

— Ah, répliqua-t-elle, ennuyée. Dans ce cas, je... je dois te prévenir que tout à l'heure j'ai appelé mon père.

Daniel lui retourna un regard réprobateur mais se retint de s'emporter. Il inspira à fond, se passa une main sur le visage et déclara :

— Bon, nous nous occuperons de ça.

— Il y a encore autre chose.

Jake et Daniel la fixèrent avec des yeux inquiets.

Elle observa Pilar, qui avait toujours les yeux baissés sur son bol de céréales.

— Le père de Pilar a eu vent de la tentative d'enlèvement, et à présent il se cache lui aussi. Ramon Diaz, mon contact à l'ambassade de Colombie, a appelé chez mon père. Il voulait me prévenir et mon père lui a appris que Pilar et moi étions dans un endroit secret. Diaz a été très contrarié par cette nouvelle, sans doute parce qu'il n'a pas été averti.

— Personne ne doit savoir où nous sommes, déclara Daniel.

Elle observa son visage, ses yeux noirs et perçants. Un frisson d'excitation la parcourut. En fait, dans cette histoire, le plus grand danger pour elle, c'était peut-être lui. Si elle ne trouvait pas un moyen de tenir sous contrôle ce qu'elle éprouvait pour lui, elle était bonne pour y laisser son cœur et sa santé mentale.

Déjà, la nuit dernière, savoir qu'il dormait dans la chambre d'à côté l'avait profondément troublée. Elle avait passé des heures à fixer le plafond, à imaginer quel genre d'ado il était quand il avait vécu dans cette maison et ce qui avait pu faire de lui l'homme mystérieux qu'il était devenu. Elle avait éprouvé une terrible envie d'aller se blottir contre lui. Songer qu'elle allait vivre sous le même toit que lui pour une durée indéterminée suffisait à lui échauffer les sens.

Elle regarda Jake. Lui aussi avait une carrure avantageuse, ses yeux clairs et son sourire lui donnaient un charme indéniable. Mais elle ne ressentait pas pour lui l'attirance qu'elle avait toujours éprouvée pour Daniel.

Pilar retournait le contenu de son bol avec sa cuiller et leva des yeux tristes.

— Tu n'es pas obligée de manger si tu n'aimes pas cela, *mija*.

Finalement, la bouillie collante et insipide devait lui rappeler ce qu'on leur donnait dans la jungle. Nicole repoussa son bol et se leva.

Des images de l'irruption des trois hommes dans la maison de son père lui traversèrent l'esprit. Si elle n'était pas retournée chercher Pilar sous la véranda, ces types seraient-ils parvenus à l'enlever ? Et d'abord, pourquoi avait-elle laissé la fillette toute seule ?

Parce qu'elle pensait que, chez son père, elle ne risquait plus rien. Comment aurait-il pu en être autrement ? Comment aurait-elle pu soupçonner que des hommes étaient déjà sur leur piste ?

Ces questions l'agitaient. Pilar et elle devaient à tout prix trouver une activité pour s'occuper l'esprit et ne plus penser aux événements de la veille. Elles pourraient commencer par faire le ménage : la maison en avait bien besoin.

Soudain, elle repensa à la photo qu'elle avait reçue par

fax juste avant l'intrusion des trois hommes. Le cliché était toujours plié dans sa poche de pantalon.

— Attends-moi ici, dit-elle à Pilar. *Esperate aqui.*

Elle se rendit rapidement à la chambre pour aller chercher la photo, revint en la plaquant contre son buste pour la défroisser, s'assit et la posa sur la table.

— Reconnais-tu cet homme ? demanda-t-elle à la fillette. *Conoces a este hombre ?*

Pilar se pencha en avant pour regarder la photo. Son regard s'agrandit et brilla de joie.

— *Papi !*

Jake et Daniel se levèrent pour mieux voir la photo.

Nicole était bouleversée. Pour la première fois depuis qu'elle la connaissait, Pilar était sortie de son mutisme et rayonnait de bonheur. Elle lui sourit et la serra contre elle.

— C'est formidable.

— Puis-je voir la photo de plus près ? demanda Daniel en tendant la main.

Elle la lui donna.

— C'est Mario Castillo, le juge colombien. Cette photo venait juste d'être faxée chez mon père quand les types qui ont tenté d'enlever Pilar ont fait irruption. Donc, maintenant, nous sommes bien certains de son identité.

Daniel contempla la photo puis la passa à Jake.

— Tu veux bien voir si…

— Je m'en charge, le coupa Jake en lui adressant un sourire complice. Quand je l'aurai trouvé, tu veux que je l'amène ici ou à un point de rendez-vous fixé préalablement ?

Nicole s'éclaircit la voix.

— Euh, messieurs, dois-je vous rappeler que les ambassades de Colombie et des Etats-Unis sont déjà sur l'affaire ? Ce sont eux qui ont pris contact avec Castillo et m'ont faxé sa photo hier.

Daniel inclina la tête et l'observa en haussant les sourcils.

— Et moi, dois-je te rappeler que la fuite qui a permis aux types qui ont débarqué chez ton père de localiser Pilar provient probablement d'une de ces ambassades, justement ? Tant que nous ne saurons pas précisément à qui nous avons affaire, Jake se chargera de rechercher Castillo en Colombie.

Il termina sa phrase en baissant les yeux sur son genou blessé.

Elle suivit son regard. Cela lui coûtait de déléguer le travail de terrain à son collègue. Elle ressentit une bouffée d'empathie pour lui mais se garda de l'exprimer. C'était certainement la dernière chose qu'il voulait d'elle. Il avait pris d'énormes risques pour les sauver, Pilar et elle, mais perdre sa mobilité et, par conséquent, son poste au sein de l'équipe des opérations spéciales était sans doute ce qu'il avait le plus de mal à digérer.

Les deux hommes échangèrent encore quelques propos, puis Jake partit en courses. Pendant ce temps, Daniel combla du mieux possible le trou du plafond puis s'installa dans le salon et se mit à nettoyer ses armes.

Nicole débarrassa la table de cuisine puis se tourna vers Pilar, qui serrait dans sa main la photo de son père.

— Bien, si tu es d'accord pour m'aider, je crois que nous devrions faire un peu de ménage en commençant par la cuisine.

Elle trouva un torchon puis ouvrit le robinet de l'évier. L'eau se mit à couler avec une couleur de rouille et une odeur d'œuf pourri. Nicole fit la grimace en regardant Pilar.

— Beurk.

La fillette se pinça le nez.

Après quelques minutes, l'eau redevint claire et elle

s'attaqua à la vaisselle avec du savon liquide qu'elle avait trouvé sous l'évier, puis se mit à nettoyer le plan de travail, la table et les chaises. Tout en travaillant, elle reprit le petit jeu auquel elle s'était habituée avec Pilar quand elles étaient en captivité : elle désignait les objets et meubles qui les entouraient et indiquait à la fillette leur nom en anglais. Même si Pilar ne répétait pas les mots, elle lisait dans son regard qu'elle les avait mémorisés.

Elles avaient presque terminé de nettoyer les poêles et les casseroles quand Oreo entra dans la pièce en se dandinant avec un animal dans la gueule. Nicole sursauta et poussa un cri de dégoût.

Surpris, Oreo laissa tomber sa proie.

Daniel fit à son tour son apparition dans la cuisine, son arme en main.

— Que s'est-il passé ?

— Oreo avait quelque chose dans la gueule… expliqua Nicole.

Elle toucha l'animal inerte du bout du pied : ce n'était qu'un jouet.

— J'ai cru que c'était un mulot ou autre chose, reprit-elle. Je suis désolée de t'avoir alarmé.

Pilar se baissa pour regarder le jouet. C'était un petit agneau en plastique. Oreo se mit à le renifler.

— Hé, où est-ce qu'il a trouvé ça ? intervint Daniel. Lamby était à moi quand j'étais gamin.

— Lamby ? répéta-t-elle avec un sourire attendri.

— Ne rigole pas, j'avais cinq ans, répliqua Daniel, comme pour se justifier.

Il se baissa à son tour pour ramasser le jouet, mais Oreo mit la patte dessus et le tint entre ses griffes.

— Allez, le chat, donne-moi ce…

Oreo prit le jouet dans sa gueule et partit en courant avec son trophée. Pilar le suivit en riant.

Nicole se pinça les lèvres pour ne pas éclater de rire également.

— Si Lamby est un souvenir d'enfance auquel tu tiens, je vais le récupérer…

— Pfff, la coupa Daniel avec un geste de la main. Laisse tomber, maintenant, c'est un jouet pour chat, et voilà tout.

— Mais je comprendrais que tu veuilles le garder…

Daniel désigna de la tête le couloir où Pilar continuait de jouer en riant avec Oreo.

— Ecoute. La petite est heureuse, c'est plus important qu'un vieux jouet.

De nouveau, elle fut touchée et lui sourit largement.

— Ça, c'est le Daniel dont je me souviens, déclara-t-elle en soutenant son regard.

L'expression de Daniel s'altéra, se fit plus douce. Mais, avant qu'il ne puisse répondre, Jake entra dans la maison par la porte arrière, les bras chargés.

— Ho, ho, ho, le Père Noël est en avance, cette année, déclara-t-il en posant ses paquets sur la table de la cuisine.

Il désigna la porte du pouce :

Il y en a encore plein la voiture. Quelqu'un me donne un coup de main ?

Pilar, tu viens ? lança Nicole en suivant Jake à la voiture.

Un nombre impressionnant de sacs de courses étaient empilés sur la banquette arrière. Elle en resta bouche bée.

— Mais enfin, Jake !

Il se retourna avec un air étonné.

— Oui ?

Daniel sortit de la maison avec ses béquilles et s'arrêta à la hauteur de Nicole.

— Un problème ?

Elle montra du doigt les provisions dans la voiture.

— Mais combien de temps penses-tu que nous devrons rester ici ?

Il la regarda d'un air impassible.

— Aussi longtemps qu'il le faudra.

9

Peu de temps après avoir déchargé les courses, Jake quitta la maison de Daniel. Il devait s'envoler dès que possible pour la Colombie. C'était un des meilleurs agents de la division des opérations spéciales et il ne lui faudrait pas plus d'une quinzaine de jours pour localiser le juge Castillo. Daniel avait entière confiance en lui.

Au cours des deux jours suivants, il regarda Nicole s'activer comme une tornade pour nettoyer la maison de sa grand-mère. Chaque fois qu'il la voyait prendre un chiffon ou un balai, il éprouvait de la culpabilité. Il ne pouvait pas l'aider et avait l'impression de se conduire en macho qui la laissait s'occuper du ménage. Et puis, il avait le sentiment que la maison où il l'avait emmenée pour assurer sa sécurité, cette maison où il avait grandi, n'était pas assez bien pour elle.

Au début, il avait essayé de ne pas trop prêter attention à sa présence, en vain. Quand Nicole était dans les parages, il était incapable de se concentrer sur autre chose. Et, s'il lui demandait s'il pouvait l'aider d'une manière ou d'une autre, elle lui donnait toujours la même réponse.

— Faire le ménage m'occupe l'esprit et m'empêche de trop penser aux menaces qui pèsent sur nous.

Elle alla rincer son chiffon dans l'évier et retourna nettoyer les fenêtres.

— En plus, reprit-t-elle, en captivité, j'ai passé tellement de temps à ne rien pouvoir faire que bouger et effectuer des tâches ménagères me fait du bien.

Elle désigna le canapé et ajouta :

— Tu devrais aller t'asseoir pour reposer ton genou. Tu l'as bien mérité.

Il leva les mains pour lui indiquer qu'il n'insisterait pas et alla s'asseoir, dépité d'être diminué.

Pilar, qui avait trouvé un vieux livre pour enfants dans un coffre à jouets, vint s'installer à côté de lui pour lire. Il fut touché par l'attitude de la fillette. Il éprouvait beaucoup de tendresse pour elle et était un peu déstabilisé par ce sentiment, car il n'avait jamais vécu avec des enfants autour de lui. Mais voir Pilar évoluer dans la maison, constater à quel point le courant passait bien entre Nicole et elle lui offrait un autre regard sur la mission qu'il s'était fixée. La petite dégageait une aura d'innocence et de vulnérabilité qui ne le laissait pas de marbre.

Au début, la fillette restait constamment collée à Nicole et le contemplait avec un mélange de méfiance et de fascination. Sans doute le voyait-elle comme une brute qui avait toujours une arme sur lui et s'exprimait sèchement, mais qui l'avait sortie des griffes de types encore plus effrayants. Songer que la fillette pouvait avoir peur de lui l'avait tout de même contrarié. Aussi s'était-il rasé pour avoir un visage plus avenant et efforcé de lui sourire chaque fois qu'elle regardait dans sa direction. Il s'était également appliqué à parler d'un ton plus doux et à ne pas s'exprimer seulement pour aboyer des ordres ou avertir d'une menace potentielle.

Ses efforts avaient porté leurs fruits, Pilar paraissait plus apaisée. Et Nicole avait également remarqué son changement d'attitude. Elle lui adressait régulièrement des sourires chaleureux qui lui allaient droit au cœur.

Certes, il espérait obtenir d'elle davantage que de la gratitude, mais il était néanmoins heureux qu'elle apprécie sa volonté de bâtir des relations plus douces avec la fillette.

Il soupira intérieurement. Quelle issue auraient ses rapports avec Nicole ? Entre eux, il y avait de nombreux obstacles, à commencer par son père. Mais il la désirait toujours autant. Chaque fois qu'il repensait à la nuit qu'ils avaient passée ensemble, la mélancolie s'emparait de lui. S'ils parvenaient à dépasser leurs différences, retrouveraient-ils la passion qui les avait animés ce soir-là ? Ou bien resterait il toujours ce « type du bayou », le gars dont on peut se servir un jour et qu'on jette le lendemain ?

Pour la énième fois, cette réflexion l'irrita. Cinq ans plus tôt, quand il avait quitté cette chambre d'hôtel sans donner d'explications, il avait blessé l'orgueil de Nicole. C'est pour cela qu'elle souhaitait revenir sur les événements de ce matin-là, l'entendre s'expliquer sur les raisons de son comportement et laver l'affront. Mais comment serait-il capable de revivre ce matin maudit, alors qu'il avait vécu la pire humiliation de sa vie ?

Le bruit des pages que tournait Pilar le sortit de ses pensées, et il observa le livre que la fillette avait entre les mains. Le texte était en cajun. Pilar fixait les pages en fronçant les sourcils.

Plusieurs fois, il avait entendu Nicole lui répéter des mots en anglais quand elles étaient seules dans la cuisine ou dans la chambre. La fillette commençait-elle à comprendre leur langue ? Il changea de position pour se rapprocher et désigna le livre. C'était un recueil de contes de Noël.

— Je peux ?

Pilar lui tendit le livre avec un air contrit, et il la rassura d'un clin d'œil. La fillette lui retourna un petit sourire timide. Il revint à la première page et regarda les images avec une bouffée de nostalgie.

— Ma grand-mère me lisait souvent ces histoires quand j'étais petit, dit-il doucement, même quand ce n'était pas Noël.

Il posa le doigt sur une image.

— Ça, c'est Santa Claus, le Père Noël, reprit-il en guettant un signe de compréhension sur le visage de Pilar. Noël, c'est la fête d'*El niño Jesus*.

Elle lui sourit de nouveau.

Il eut une idée, se leva et traversa le salon à cloche-pied pour aller fouiller dans un placard duquel il sortit un album photos. Il revint s'asseoir à côté de Pilar et tourna les pages de l'album jusqu'à ce qu'il trouve une photo de lui à trois ans.

— Tu vois, là, c'est moi, dit-il en pointant le doigt sur la photo puis sur lui. Daniel.

Pilar regarda la photo en fronçant les sourcils puis releva les yeux sur lui avec un grand sourire. Il tourna la page et désigna une autre photo de lui avec sa grand-mère.

— Là, c'est ma grand-mère. C'était sa maison, dit-il en faisant un grand geste pour désigner les lieux autour d'eux.

Pilar tourna la tête dans tous les sens puis fixa de nouveau la photo. A ce moment-là, Daniel regarda en direction de la fenêtre que Nicole frottait de toutes ses forces de l'extérieur pour la nettoyer. Elle dut sentir son regard et s'interrompit pour lever la tête. Voyant que Pilar était assise à côté de lui, l'album posé entre eux, elle eut une expression radieuse. Il fut une nouvelle fois bouleversé. Qu'elle était belle !

Pilar lui tira la manche et lui montra une autre photo de lui enfant, vêtu d'un short en jean, et sur laquelle il brandissait fièrement le poisson-chat qu'il venait de pêcher.

— Oui, là c'est moi aussi.

Sur la page suivante, il montra du doigt une photo de lui à cinq ans sur laquelle il paraissait en colère.

— Regarde la tête que je fais, dit-il en riant.

Il se rappela ce que sa grand-mère disait quand il faisait un caprice et déclara avec un fort accent cajun :

— Quoi faire tu braille ?

Pilar éclata de rire et imita sa moue sur la photo.

— Ah, une troisième langue ! Exactement ce dont nous avions besoin dans cette maison, intervint alors Nicole.

Elle traversa la pièce en lui adressant un sourire taquin et alla rincer son chiffon dans l'évier. Puis, elle revint dans le salon.

— Qu'est-ce que c'est ? demanda-t-elle en désignant l'album photos.

— Oh ! rien, seulement de vieilles photos prises par ma grand-mère.

— Je peux regarder ? s'enquit-elle en s'asseyant elle aussi sur le canapé.

Elle se pencha en avant pour voir l'album, et il sentit sa cuisse frotter contre la sienne.

— Vas-y, répondit-il le plus naturellement possible.

En vérité, la sentir tout contre lui le mettait dans tous ses états. Il avait également peur de ce que Nicole pourrait penser de ces photos, car les clichés donnaient une idée de ce qu'était la vie des Cajuns du bayou. Une vie pauvre, à l'écart de tout. Sa grand-mère n'avait jamais reçu d'éducation classique et était restée toute sa vie à l'écart du confort moderne et des évolutions technologiques. C'était lui qui avait fait installer un générateur électrique et une chaudière dans la maison, après la mort de sa grand-mère.

Pendant que Nicole regardait les photos, Pilar prit le

livre de contes et s'installa dans un fauteuil face à eux pour regarder les images.

Nicole pointa du doigt la photo sur laquelle il brandissait un poisson-chat et eut un grand sourire.

— C'est toi, là ?

— Ouais, répondit-il, la gorge serrée.

Elle éclata de rire, mais ce n'était pas par moquerie. C'était un rire attendri.

Il jeta un regard de côté pour jauger sa réaction tandis qu'elle observait les clichés les uns après les autres.

— Oh ! mon Dieu, s'exclama-t-elle avec un petit rire, je parie que tu détestes cette photo. Quelle moue boudeuse !

Elle croisa son regard et lui demanda avec un sourire amusé :

— Etiez-vous un petit garçon grognon, monsieur LeCroix ?

Son sourire le fit craquer et il dut se retenir de toutes ses forces pour ne pas l'embrasser. Il mit quelques secondes à se reprendre et répliqua :

— Pas plus que la moyenne. D'ailleurs, sur les autres photos, je souris.

Elle reporta son attention sur l'album puis, quelques instants plus tard, releva de nouveau la tête vers lui avec une expression rayonnante.

— Oui, voilà, dit-elle en passant le doigt sur une des photos. Ça, c'est le sourire qui m'a rendue amoureuse de toi le soir où nous nous sommes rencontrés.

Amoureuse de toi ? Cette formule résonna en lui et il eut du mal à masquer sa surprise. Il s'obligea à revenir très vite à la réalité. Elle aimait peut-être son sourire, mais ce n'était pas avec cela qu'on bâtissait une relation durable. Et ça ne l'avait pas empêchée de se servir de lui.

Cette réflexion lui revenait sans cesse et, chaque fois,

il éprouvait le même sentiment d'amertume. Dans les jours et les mois qui avaient suivi ce matin fatal, il avait tout fait pour oublier Nicole et l'espoir qu'elle avait ruiné quand il avait surpris sa conversation téléphonique avec son père. Mais il n'avait pas réussi à la chasser de son esprit. Et voilà qu'aujourd'hui, il se retrouvait avec elle dans la maison où il avait grandi, pour la protéger d'une menace inconnue… Mais une autre menace, bien identifiée celle-ci, planait également sur lui. S'il ne trouvait pas rapidement un moyen de mettre de l'ordre dans ses sentiments, il était bon pour retomber amoureux d'elle.

— Ah, et voici la traditionnelle photo de la première dent perdue, intervint Nicole. Tu te rappelles ce que la petite souris t'avait apporté ?

— La petite souris n'est pas passée.

— Quoi ? s'exclama Nicole.

Elle semblait sincèrement triste pour lui.

— Mais pourquoi ? reprit-elle.

— Peu importe, j'ai eu une enfance heureuse, répliqua-t-il, conscient d'être sur la défensive. J'ai eu tout un tas de raisons d'être heureux de mon sort, même si j'ai perdu mes parents quand j'avais douze ans. Nous n'avions pas grand-chose et pourtant je n'ai jamais manqué de rien. L'amour que m'ont donné mes parents et ma grand-mère était immense.

— Oh ! Daniel…

Elle le regarda avec une lueur de tristesse dans les yeux et un sourire doux-amer qui ressemblait trop à de la pitié.

Il ferma l'album photos en poussant un grognement. Il se leva, trop vite, et grimaça sous l'effet de la pointe de douleur qu'il ressentit au genou. Cette douleur ne fit qu'attiser davantage son irritation.

— Je ne recherche pas la compassion ! Je n'ai aucun

regret concernant mon enfance et je suis fier de ma famille et de ce qu'on m'a transmis.

Son ton de voix véhément fit sursauter Pilar et Nicole écarquilla les yeux, surprise par sa sortie.

— Tu as toutes les raisons d'être fier, je n'ai jamais dit le contraire.

Il inspira une grande bouffée d'air et serra les poings. *Reprends-toi, vieux.* Nicole n'avait aucunement dénigré ses racines cajuns. Pas aujourd'hui, en tout cas, et pas une seule fois depuis qu'il l'avait sauvée en Colombie. Mais être avec elle dans cette maison éveillait trop d'émotions en lui. Il avait du mal à gérer.

— Laisse tomber, dit-il en ramassant ses béquilles avant de s'éloigner. Je vais sous le porche.

Il lui tourna le dos, mais sentit son regard sur lui jusqu'au moment où il eut quitté la pièce. Tôt ou tard, une explication allait avoir lieu entre eux, et il en redoutait l'issue.

Un verre de thé glacé en main, Nicole se dirigeait vers le porche mais, quand elle remarqua que Pilar était avec Daniel, elle resta sur le seuil. Daniel était assis sur une chaise à bascule, sa jambe blessée posée sur un seau retourné, et Pilar observait la vilaine cicatrice de son genou.

— Pilar, dit alors Daniel à voix basse en invitant la fillette d'un geste du doigt à s'approcher un peu plus.

Elle vint se poster tout près de lui. Il passa un bras autour de ses épaules et, de l'autre main, désigna le bayou qui s'étendait devant eux.

— Regarde.

Nicole regarda elle aussi dans la direction qu'il indiquait. Un magnifique héron bleu évoluait sur l'eau, sans doute à la recherche de poisson.

Pilar inclina la tête pour sourire à Daniel. Nicole fut attendrie. La petite avait un beau sourire, et ça lui faisait du bien de la voir enfin heureuse. Etait-ce l'espoir de revoir bientôt son père qui la rendait plus détendue et souriante ?

A peine cette pensée lui eut-elle traversé l'esprit qu'elle vit Daniel retourner un sourire chaleureux à la fillette. Quand il avait cette expression, il était capable d'émouvoir les cœurs les plus endurcis. Elle retrouvait l'homme dont elle était tombée sous le charme cinq ans plus tôt, avec lequel elle avait passé la plus belle nuit de sa vie et envisagé de vivre. Sans doute n'était-il pas étranger au changement d'attitude de la petite. Elle ne pouvait d'ailleurs pas blâmer Pilar d'avoir un faible pour Daniel. Il lui avait sauvé deux fois la vie.

Le héron déploya ses ailes et, en deux mouvements, s'envola. Pilar le suivit du regard dans le ciel jusqu'à ce qu'il disparaisse derrière les cyprès qui bordaient le bayou. La fillette rapprocha ensuite son fauteuil de celui de Daniel, s'assit et regarda de nouveau son genou blessé.

— *Te duele ?* demanda-t-elle d'une toute petite voix en effleurant la cicatrice du bout du doigt.

Nicole fut tellement surprise d'entendre Pilar parler qu'elle en poussa un petit soupir.

Daniel et Pilar tournèrent tous deux la tête vers elle. Elle ne voulait pas leur donner l'impression qu'elle les épiait et s'avança vers eux, puis s'installa dans le dernier fauteuil disponible.

— Elle te demande si ton genou te fait mal, dit-elle à Daniel.

Il lui retourna un regard étrange, haussa un sourcil et répliqua sèchement :

— Oui, merci.

— Quoi, qu'est-ce que j'ai…

Avant qu'elle ne termine sa phrase, il se tourna vers Pilar et lui répondit :

— *No mucho. Espero que la cicatriz tan horrible que tengo no ahuyenta a las chicas bonitas.*

Pilar eut un petit rire et agita négativement la tête.

— *No creo.*

Intérieurement, Nicole se tança. Daniel avait travaillé comme agent infiltré en Amérique du Sud. Il parlait parfaitement espagnol !

Il remarqua son air embarrassé et lui adressa un sourire légèrement suffisant.

— Je lui ai répondu que j'espérais que ma cicatrice ne ferait pas fuir toutes les jolies filles. Et elle m'a dit qu'elle n'en croyait rien.

— Je suis désolée. J'avais oublié que tu parlais espagnol.

— Et donc tu es partie du principe que je ne comprendrais pas ce qu'elle disait. Pourquoi ?

Elle écarquilla les yeux, prise de court par l'amertume qu'elle percevait derrière sa question.

— Eh bien… la plupart des gens ne maîtrisent pas cette langue.

— La plupart des Cajuns ? C'est ce que tu veux dire ?

Cette remarque la hérissa.

— Qu'est-ce que tu sous-entends ? Je ne suis pas raciste !

— Laisse tomber, rétorqua-t-il avec un geste vague.

Mais elle n'était pas décidée à lâcher le morceau.

— Non, vas-y, explique-toi. Pourquoi penses-tu que je pourrais avoir des préjugés sur tes origines ?

— Parce que ça t'est déjà arrivé d'en avoir.

Elle était tellement incrédule qu'elle en éclata de rire.

— Quoi ? Quand ça ?

Il leva les yeux au ciel.

— Tu te fiches de moi ou quoi ?

Elle leva les mains en signe d'impuissance.

— Non, éclaire-moi.

Il se crispa.

— Quand nous avons passé la nuit ensemble il y a cinq ans.

Nicole sentit son pouls s'emballer. Elle se remémora la sensation de son corps pressé contre le sien, de l'ardeur de leurs baisers. Mais qu'avait-elle pu dire ou faire cette nuit-là qu'il ait interprété comme du racisme de sa part ? Elle agita la tête pour indiquer son incompréhension.

— Je ne suis pas plus avancée. Qu'est-ce que j'ai fait ?

Daniel jeta un regard à Pilar, elle en fit autant. La fillette les observait avec une mine inquiète. Même si elle ne comprenait pas ce qu'ils se disaient, elle avait certainement senti à leurs intonations et à leur expression que la conversation avait pris un tour personnel et que la tension était montée d'un cran.

Elle s'efforça de lui sourire pour l'apaiser.

— *Todo esta bien*. Tout va bien, *mija*.

Pilar lui retourna un sourire sceptique et leva les yeux vers Daniel.

Il prit une mine contrite et haussa les épaules.

— *Alguien debe haber puesto un insecto en su desayuno.*

Pilar éclata de rire.

— Qu'est-ce que tu lui as dit ? Quelque chose à propos du petit déjeuner.

Daniel se tourna vers elle avec nonchalance.

— Je lui ai dit que quelqu'un avait dû mettre un insecte dans ton bol ce matin.

Elle leva les yeux au ciel et se rapprocha de lui.

— Nous n'en avons pas terminé avec cette conversation.

Il faudra y revenir une bonne fois pour toutes… le plus tôt possible, de préférence.

— Lâche l'affaire, répliqua-t-il calmement.

Elle poussa un soupir d'exaspération, croisa le regard de Pilar et désigna Daniel du doigt.

— *El esta loco.*

— *Si, loco.*

Daniel fit tournoyer ses doigts de chaque côté de sa tête et fit la grimace en louchant volontairement.

Pilar éclata de rire. Son inquiétude était complètement dissipée.

— *Si.*

Nicole sourit. Que Daniel se soucie de rassurer Pilar et d'essayer de la faire sortir de sa coquille lui faisait chaud au cœur.

— Bien, il semblerait que cette fois-ci, nous soyons tous trois d'accord.

Daniel émit un grognement et reporta son attention sur les eaux du bayou.

— Dis-moi, Pilar, tu es déjà allée à la pêche ?

Il regarda la fillette et répéta la question en espagnol. Elle fit non de la tête. Il récupéra ses béquilles et se leva.

— Alors je vais t'apprendre.

Il traversa le porche pour aller chercher deux cannes à pêche posées contre le mur. Il se débarrassa d'une de ses béquilles et se dirigea vers les marches du porche en invitant Pilar à le suivre.

— Allez, viens petite, allons chercher le dîner.

Pilar se tourna vers Nicole pour obtenir son approbation.

— Vas-y. *Te puedes ir.*

La fillette parut intimidée. Elle se leva, rejoignit Daniel et prit la canne à pêche qu'il lui tendait.

— Soyez prudents, les avertit Nicole.

S'inquiétait-elle plus pour la petite qui ne connaissait

pas le bayou ? Ou pour Daniel qui était encore diminué et devait en principe se ménager ? Elle ne savait pas trop.

Daniel tapota le talkie-walkie accroché à sa ceinture. Jake leur avait acheté ces petites radios à ondes courtes précisément pour des occasions comme celle-ci. Le second talkie-walkie était en charge sur sa base dans la cuisine.

— Garde toujours ta radio près de toi, lui lança Daniel. Si jamais il se passe quoi que ce soit, appelle-moi.

— Je pensais que nous étions ici précisément parce que c'était un endroit sûr et reculé, répliqua-t-elle, vaguement inquiète. Crois-tu vraiment que…

— Non, je suis sûr qu'il ne t'arrivera rien. De toute façon, nous allons seulement jusqu'au petit ponton où je laisse ma vieille pirogue.

Il baissa les yeux et, après une seconde, ajouta :

— Néanmoins, je ne souhaite pas courir le moindre risque. Il y a une arme dans le premier tiroir de la cuisine. N'hésite pas à t'en servir si tu y es obligée.

Une fois qu'ils furent partis, Nicole alla chercher le portable crypté et revint sous le porche. Elle espérait avoir un peu plus de réseau pour appeler son père. La réception semblait meilleure que l'autre matin. Elle s'installa dans un fauteuil à bascule et porta l'appareil à son oreille.

Son père décrocha presque aussitôt.

— Nicole ? Tu vas bien ? Où es-tu à la fin ?

— Je suis en pleine forme, papa, mais je ne peux pas te dire où je suis.

Elle hésita un instant, puis reprit :

— As-tu eu des nouvelles de Ramon Diaz ?

— Il appelle tous les jours, Nicole. Il subit des pressions

de sa hiérarchie pour que Pilar soit rapatriée au plus vite en Colombie avant que l'affaire ne prenne une tournure politique. C'est la fille d'un homme important, tu sais.

— Oui, je sais, papa, mais Daniel pense que…

— LeCroix ? Il ne devrait même pas être mêlé à cette histoire ! Il va te causer des ennuis, Nicole, je suis sûr qu'il a une idée derrière la tête. J'en mettrais ma main à couper.

— Il nous protège du mieux qu'il le peut.

— Non, il a une autre motivation. Il y a quelques mois de cela, il a juré qu'il m'anéantirait. Comment peux-tu faire confiance à un type pareil ?

— Papa, arrête, s'il te plaît. Ne pourriez-vous pas l'un et l'autre mettre vos différends de côté et accepter une bonne fois pour toutes que nous sommes tous embarqués dans le même bateau ? Cette guéguerre permanente entre vous deux…

Elle soupira, chercha ses mots puis poursuivit :

— Ça me blesse énormément. Je tiens à vous deux. Du fond du cœur. Et…

Elle s'interrompit.

Que venait-elle de dire ? Qu'elle avait des sentiments pour Daniel ? Mais de quelle nature ? Elle avait énormément de gratitude pour lui, bien sûr. Il lui avait sauvé la vie deux fois ! Elle éprouvait de l'admiration aussi, car il prenait des risques et avait un énorme courage. Mais avait-elle également envie de lui ? Indéniablement. Elle le désirait plus que tout.

— Nicole.

Le ton méfiant de son père coupa court à ses réflexions.

— Es-tu en train de me dire que tu es amoureuse de cet homme ?

Ses paroles la firent tressaillir.

— Je... Je ne sais pas. Il a changé depuis le temps où je l'ai connu.

Son père renifla de dédain.

— Es-tu certaine de *vraiment* l'avoir connu un jour ?

— Qu'entends-tu par là ? répliqua-t-elle, sur la défensive.

— Ecoute, tu as passé une nuit d'insouciance avec lui il y a quelques années, et ensuite, il a quitté la ville. Donc, je pensais que... ça n'était pas allé plus loin et que c'était terminé.

Entendre son père parler d'insouciance pour qualifier son comportement l'irrita. C'était toujours comme ça : quand elle prenait une décision radicale contre l'avis de son père, elle agissait avec insouciance. En revanche, quand lui prenait une décision impulsive, c'était de la fermeté et de la capacité à trancher.

Mais soudain, la remarque de son père résonna différemment en elle :

— Que sais-tu au juste du moment où il a quitté la ville ?

Son père eut une hésitation.

— Rien de plus que ce que tu m'as appris.

— Je ne t'ai jamais dit qu'il avait quitté La Nouvelle-Orléans. Même quand je suis partie pour la Colombie, j'ignorais ce qu'il était devenu. La marine n'a jamais voulu me donner la moindre information à son sujet et il ne m'a jamais appelée. Je...

Soudain, un soupçon s'immisça en elle.

— Papa... qu'est-ce que...

Elle prit une petite inspiration pour se donner du courage et reprit :

— Qu'est-ce que tu as fait ?

— Ce que j'ai fait ? Mais de quoi parles-tu ?

Elle n'était pas dupe. Son père était peut-être doué pour

tromper ses collègues ou les journalistes, mais elle, elle le connaissait trop bien. Il était mal à l'aise.

Elle en eut un nœud à l'estomac. Quel rôle avait-il joué pour les tenir séparés ? Etait-il responsable de l'aigreur que Daniel exprimait envers elle ?

— Comment as-tu su qu'il avait quitté la ville ?

— Je croyais que c'était toi qui m'en avais parlé, je viens de te le dire. Mais ça fait plusieurs années, je ne me souviens plus précisément des circonstances.

— Très bien. Alors je lui poserai directement la question.

Elle se faisait sans doute des illusions, songea-t-elle. Daniel ne lui dirait rien, car son père et lui avaient au moins un point commun : ils refusaient de parler du passé.

— Nicole, tout ce que je souhaite, c'est ne pas te voir souffrir une fois de plus. Je me souviens de l'état dans lequel tu étais quand il a brusquement disparu la dernière fois. Alors qui te dit qu'il ne va pas recommencer ?

Il avait mis en plein dans le mille. C'était effectivement sa plus grande peur, même si, chaque fois que cette pensée la traversait, elle la repoussait. D'autant qu'il ne lui avait pas fait la moindre promesse. Par moments, elle avait même l'impression qu'il espérait être débarrassé d'elle au plus vite. Mais dans ce cas, pourquoi était-il là avec elle ? Elle aurait donné cher pour savoir ce qui se tramait exactement dans sa tête. Avant, il était complètement différent. Il avait le cœur au bord des lèvres et il lui disait tout haut qu'il était fou d'elle, qu'il voulait être avec elle.

Mais c'était devenu un agent des opérations spéciales, un homme à qui on avait appris à dissimuler ses pensées et ses émotions. Ce n'était plus le même Daniel.

— Nicole ?

La voix de son père la sortit de nouveau de ses songes.

— Ecoute, papa, je ne sais pas quel tour prendra ma relation avec Daniel, mais si vous pouviez laisser de côté vos griefs et vous montrer polis l'un envers l'autre…

Elle laissa sa phrase en suspens et soupira. Ce qu'elle demandait était-il possible ?

— Alors… tu as des sentiments pour lui ? De véritables sentiments ? Car, que tu éprouves de la reconnaissance et de l'admiration pour lui parce qu'il t'a sauvé la vie, ça ne suffit pas pour bâtir une relation durable, Nicole.

Elle se posa une main sur le front.

— J'en suis bien consciente, papa.

Elle entendit son père souffler de dépit.

— Bien, si c'est ce que tu veux vraiment, je ferai de mon mieux pour l'accepter.

Elle allait répliquer que c'était encore prématuré, que, pour le moment, il n'y avait rien entre eux. Mais alors, elle aperçut Pilar et Daniel qui revenaient de leur partie de pêche.

Après avoir passé une heure au soleil, Daniel avait déjà bronzé. Elle sentit une émotion l'étreindre. Dans la lumière de l'après-midi, sa virilité et sa beauté étaient décuplées. Elle le vit sourire à Pilar et repensa encore une fois à la nuit qu'elle avait passée avec lui, à ses caresses, à sa force.

— J'ai toujours souhaité le meilleur pour toi, tu le sais, reprit son père.

— Merci, papa. Ecoute, je dois te laisser maintenant. Prends soin de toi. Je t'aime.

— Moi aussi. Rappelle-moi très vite pour me donner des nouvelles.

— J'essaierai.

Elle mit fin à la communication et posa le téléphone au moment où Pilar et Daniel arrivaient au pied des marches du porche.

Daniel lui adressa un regard suspicieux.

— Qui était-ce ?

Elle fit un geste vague pour indiquer que ça n'avait aucune importance et s'empressa de changer de sujet.

— Hé, la pêche a été bonne ! s'exclama-t-elle en fixant les petits poissons qui pendaient au bout de la ligne de Pilar.

La fillette sourit et brandit fièrement ses prises, un poisson-chat et un autre plus petit qu'elle ne sut pas identifier.

— Celui-ci n'est pas un peu trop petit pour que cela vaille le coup de le garder ? demanda-t-elle à Daniel en gardant un ton enjoué.

— Si, répondit-il sur le même ton, mais comme c'était sa première prise, je ne pouvais pas l'obliger à y renoncer.

— *Cena !* s'exclama Pilar.

Le dîner.

Nicole se leva, mains sur les hanches, et répliqua :

— J'espère que vous ne comptez pas sur moi pour les préparer !

— On fait la délicate ? lui demanda-t-il en se servant d'une béquille pour monter les marches du porche.

— Je préfère prévenir, c'est tout.

Il s'avança vers elle et elle dut lever la tête pour croiser son regard. Il était tellement près qu'elle pouvait sentir la chaleur de son corps et le parfum de sa peau. Elle était enivrée.

Pour la première fois depuis plusieurs jours, son regard brillait d'un éclat neuf. Ici, dans la maison de sa grand-mère, il était dans son élément. Mais plus que cela, s'occuper de Pilar, lui apprendre à pêcher lui avait clairement fait un bien fou, il semblait revivre. Bien sûr, il ne l'admettrait jamais, elle le connaissait suffisamment pour le savoir, mais sa blessure et l'obligation de quitter l'équipe des opérations spéciales lui avaient donné non seulement un coup au moral mais aussi le sentiment de ne plus savoir à quoi dédier son existence. La protéger, elle et Pilar, le ressuscitait, pensa-t-elle.

Il la fixait du regard et lui demanda :

— Sais-tu faire des beignets et de la salade de chou cru ?

Sarah Beth faisait les meilleurs beignets qu'elle ait jamais mangés. Peut-être pourrait-elle l'appeler pour lui demander conseil.

— Je peux essayer, répondit-elle.

Il eut l'air sceptique mais finit par hausser les épaules et reprit :

— Dans ce cas, je m'occupe d'évider, nettoyer et faire griller les poissons. Ça marche ?

— Accord conclu, répliqua-t-elle avec un sourire.

L'air satisfait, il se retourna et s'éloigna. Elle éprouva un fugace sentiment d'abandon. Elle aurait aimé qu'il reste encore tout près d'elle.

— Ça t'ennuie si Pilar m'aide à nettoyer les poissons ? demanda-t-il en prenant la canne à pêche de la fillette.

Elle fit une petite grimace.

— Je veux bien qu'elle te regarde faire mais l'idée qu'elle se serve d'un couteau ne me plaît pas trop.

Il jeta un regard en direction du bayou puis retourna son attention sur elle.

— J'avais son âge quand mon père m'a appris à découper la barbue, dit-il avec un fort accent cajun.

Elle croisa les bras et l'observa d'un air dubitatif. Faisait-il exprès de s'exprimer ainsi pour la provoquer, sachant qu'il l'avait accusée d'avoir dénigré ses origines cajun ? Pourtant, elle appréciait les traditions et la culture de la communauté cajun, son esprit de solidarité. Elle enviait même Daniel d'avoir toujours pu compter sur l'amour inconditionnel de sa famille. Elle, elle avait dû se battre pour que son père lui consacre un peu de temps et obtenir son approbation.

Elle leva la tête et répliqua d'un ton neutre :

— Je suis sûre que ton père t'a très bien tout appris, mais tu m'as demandé si j'étais d'accord pour que Pilar t'aide à nettoyer les poissons et ma réponse est non. Alors tu t'en occupes tout seul, d'accord ?

Pilar les observait avec un regard curieux, passant de l'un à l'autre. Daniel lui fit une petite moue contrite et haussa les épaules.

— Comment dit-on hyperanxieuse en espagnol ? lança-t-il avant de s'éloigner.

Pilar continuait de les regarder alternativement. Elle se mordait la lèvre inférieure, paraissant se demander auprès de qui rester. Finalement, elle suivit Daniel. Nicole ne lui en voulait pas. A sa place, elle aurait fait pareil. D'autant qu'avec elle, il n'était que sourires et attentions.

Elle entra dans la maison. Combien de temps allaient-ils rester là ? Surtout, que se passerait-il quand Daniel considérerait que tout danger était écarté ? Disparaîtrait-il une nouvelle fois de son existence ? Ou donnerait-il une seconde chance à leur relation ?

Arrivée dans la cuisine, elle se mit à rassembler les ingrédients dont elle avait besoin. Mais une question la taraudait et revenait sans cesse : qu'est-ce qui, cinq ans plus tôt, avait fait changer les sentiments de Daniel pour elle et l'avait poussé à quitter la chambre d'hôtel sans la moindre explication ?

Pour son bien, il fallait qu'elle le découvre enfin. Ce soir même.

10

Nicole ferma doucement la porte de la chambre qu'elle partageait avec Pilar puis retourna dans le salon.

— Je crois que la petite va dormir d'une traite jusqu'à demain matin. Elle avait à peine posé la tête sur l'oreiller qu'elle dormait déjà.

Daniel arpentait la pièce de long en large en utilisant une seule béquille.

— Elle s'est épuisée à courir toute la fin de journée devant la maison.

Nicole le regarda se retourner et revenir sur ses pas avec une mine préoccupée.

— Oui, en effet. Mais après avoir passé plusieurs mois dans une cage, je comprends qu'elle éprouve le besoin de se défouler. En revanche, toi, tu fais quoi, exactement ? Ce ne serait pas plus sage si tu t'asseyais pour reposer ton genou ?

— Non, pas si je veux pouvoir remarcher sans béquilles rapidement. A l'hôpital, le médecin m'a conseillé de faire régulièrement de l'exercice pour éviter qu'il s'ankylose.

— Et ce n'est pas trop douloureux ?

— Non, de moins en moins.

Elle le regarda continuer à faire des foulées de plus en plus rapides. Effectivement, il progressait de jour en jour, mais il était encore loin d'avoir recouvré tous ses moyens. Lui en voulait-il d'être diminué ? Etait-ce à cause de son genou qu'il se montrait souvent irrité envers elle ?

Elle était décidée à mettre à plat leurs griefs mais ne savait pas comment s'y prendre. La meilleure façon était sans doute d'aller droit au but. Elle se redressa, prit une grande inspiration et déclara :

— Dis-moi ce qui s'est passé ce fameux matin à l'hôtel. Pourquoi es-tu parti ? Qu'ai-je fait ?

Il s'arrêta net et tourna vivement la tête vers elle.

— Et ne t'avise pas de me répondre que je le sais déjà, reprit-elle en pointant le doigt sur lui, car c'est faux. Je n'ai jamais compris pourquoi tu étais parti, ni pourquoi tu ne m'as jamais rappelée ni répondu à mes messages.

Il soupira et prit une mine renfrognée.

— Il faut vraiment que nous parlions de cela ?

— Oui, répliqua-t-elle fermement, car j'ai droit à des explications.

Elle posa une main sur sa poitrine et ajouta :

— J'ai le droit de savoir pourquoi tu m'as brisé le cœur, pourquoi tu m'as abandonnée, pourquoi tu es resté si longtemps loin de moi.

Il ferma les yeux et serra les dents. Tellement fort qu'elle vit les muscles de sa mâchoire se contracter. Enfin, il rouvrit les yeux et répondit :

— J'ai entendu tout ce que tu as dit à ton père.

L'allusion à son père l'agaça. Elle n'avait pas envie de parler encore une fois de lui, c'était eux qui l'intéressaient.

— Daniel, je…

Elle se ravisa et ne termina pas sa phrase. Pour la première fois, il acceptait de revenir sur le passé, il ne l'avait pas repoussée. Elle lui devait de faire un effort. Elle repensa donc à ce matin-là, cinq ans plus tôt, se remémorant le fil des événements.

Elle s'était réveillée dans ses bras, ils avaient échangé

des baisers langoureux… puis elle s'était levée pour répondre au téléphone. Son père était à sa recherche et se demandait pourquoi elle était en retard alors qu'elle devait participer avec lui à un petit déjeuner électoral.

Elle se concentra de toutes ses forces pour se rappeler la teneur de leur conversation et ses mots exacts. Elle en voulait à son père de ne pas tenir compte de ce qu'elle éprouvait, de régenter son existence. Elle s'était enfermée dans la salle de bains et avait ouvert la douche pour épargner à Daniel d'être le témoin involontaire de leur querelle, ce qui n'était jamais agréable. Quand elle était ressortie, il avait disparu et elle ne l'avait plus revu, jusqu'à cette nuit où il était venu la délivrer de sa prison colombienne.

Elle écarta les mains et secoua la tête en signe d'impuissance.

— Je me rappelle avoir répondu au téléphone et m'être disputée avec mon père mais… je ne vois toujours pas ce que j'ai pu dire qui…

Evidemment que tu ne t'en souviens pas, la coupa-t-il, puisque pour toi, ça n'avait aucune importance.

Son ton agressif l'irrita.

— Je me suis querellée avec mon père, je m'en souviens très bien, d'autant que cette dispute n'était pas anodine, bien au contraire. Car la nuit que nous avions passée ensemble a tout changé pour moi.

Il renifla de dédain comme s'il n'en croyait rien.

Elle s'exhorta à garder son calme. Cette discussion ne devait pas tourner une fois de plus à un infructueux échange d'invectives.

— Je suis désolée, mais je ne vois vraiment pas ce que j'ai pu dire que tu aies pu interpréter comme méprisant pour toi.

Il la fixa droit dans les yeux.

— Tu t'es vantée d'avoir couché avec « le type du bayou ». Tu as dit à ton père que tu savais ce qu'il pensait de moi et que c'était bien là la question.

Son visage exprimait une colère et une douleur qui lui parurent en complet décalage avec ses propos. Elle ne comprenait toujours pas.

— Mais qu'est-ce que…

— Il n'y a pas eu que cela, mais c'étaient les points les plus emblématiques.

— Et ça t'a choqué ? lui demanda-t-elle, confuse. Je ne saisis pas.

— Le nœud du problème, c'est la façon dont tu l'as dit, Nicole. J'ai compris le sous-entendu derrière tes propos.

Il détourna le regard, visiblement pour tenir sa colère et son dépit sous contrôle.

Elle retint sa respiration et attendit qu'il continue.

Quand il la fixa de nouveau, un éclat sombre et inquiétant embrasait son regard.

— Tu t'es servie de moi, Nicole. Tu t'es servie de moi parce que, pour ton père, te savoir avec un type comme moi, c'était le pire scénario possible. Ça ne te suffisait pas de rester une nuit entière à n'en faire qu'à ta tête, à ne pas lui rendre de comptes. La passer avec moi, le pauvre gars qui a grandi dans le bayou, c'était la provocation ultime.

Elle en resta bouche bée, abasourdie par ses accusations. Il était tellement en colère et paraissait encore si profondément meurtri qu'elle en fut elle aussi terriblement malheureuse. Mais comment avait-il pu croire cela d'elle après la merveilleuse nuit qu'ils avaient vécue ?

Daniel s'échauffait tellement qu'il en avait le rouge aux joues :

— Tu avais tellement envie d'apprendre à ton père ce dont tu étais capable pour t'émanciper de son emprise !

Tu étais ravie de lui annoncer que nous avions fait l'amour plusieurs fois et tu n'as pas manqué de lui répéter que j'étais cajun ! En revanche, tu ne t'es pas donné la peine de citer mon nom. Qui j'étais, tu t'en fichais, c'est ce que j'étais qui comptait.

— Ce n'est pas vrai, protesta-t-elle d'une voix faible.

Il lui retourna un sourire ironique.

— Tu as voulu jouer un mauvais tour à ton sénateur de père et moi, j'étais ton instrument.

Elle agita la tête en signe de protestation. Elle était blessée par ses propos.

— Non, tu te trompes.

— Vraiment ? Tu serais prête à me jurer que tu n'as pas couché avec moi pour t'affranchir de ton père ?

Elle se sentit prise au piège. Effectivement, elle avait dit à son père qu'elle avait fait l'amour avec lui pour lui clouer le bec. Mais Daniel avait interprété son geste de travers.

— Tu as mal compris. Je ne me suis pas servie de toi ou de ce que tu es, comme tu dis. Je ne suis pas raciste.

Pour toute réponse, il lui retourna un regard sceptique.

Elle soupira.

— Oui, j'étais en colère contre mon père et je me suis vantée d'avoir passé la nuit avec toi pour lui faire comprendre que je faisais ce que je voulais, mais ça ne signifie pas que je ne tenais pas à toi. Au contraire, je voulais te revoir, je…

— Les faits prouvent le contraire.

Il continuait de s'exprimer d'un ton dur, cassant. Elle ne supportait pas de l'entendre lui parler avec une telle rancœur.

— Quels faits ? Tu ne m'as jamais donné la moindre occasion de m'expliquer ! Tu as quitté l'hôtel sans me prévenir, sans me laisser un mot. Je ne savais pas où tu étais ni où je pouvais te joindre. Comment aurais-je pu…

— Oh que si tu savais où j'étais ! Et tu as fait en sorte que je n'y fasse pas de vieux os pour ne pas te causer de torts. Je suis sûr que ton père s'est chargé avec grand plaisir de faire marcher ses relations pour que je sois muté au plus vite loin de La Nouvelle-Orléans.

Elle écarquilla les yeux.

— J'ignore de quoi tu parles.

Il était toujours aussi sceptique et agacé.

— Tu en es sûre ? Alors pourquoi ai-je été choisi pour participer à un programme d'intégration du service des opérations spéciales à peine vingt-quatre heures après avoir passé la nuit avec toi ? Cette mutation porte l'empreinte de ton père.

Nicole repensa immédiatement à la dernière conversation téléphonique avec son père et notamment à son allusion au départ de Daniel. Un frisson lui parcourut l'échine.

— Que mon père ait joué un rôle dans ta mutation, c'est fort possible, je te l'accorde. Mais pas moi.

L'émotion était si forte qu'elle eut du mal à terminer sa phrase et attendit quelques secondes avant d'ajouter :

— Plusieurs fois, j'ai appelé la base navale pour demander de tes nouvelles, mais je n'ai jamais rien pu savoir…

Il plissa les yeux et la fixa intensément.

— Tu ignorais que j'avais été muté ?

Elle retint les larmes qui lui piquaient les yeux.

— Je te le jure, Daniel. Tu viens de me l'apprendre.

Il détourna le regard et agita la tête, comme s'il voulait se convaincre qu'il était dans un mauvais rêve.

— Je n'ai jamais su où tu étais parti, continua-t-elle, ni ce que tu étais devenu, jusqu'à cette nuit où tu es venu me sortir du camp en Colombie.

A peine eut-elle fait cette déclaration qu'une nouvelle série de questions l'assaillit. Elle en avait la tête qui tournait et posa la main sur le dessus du canapé pour ne pas vaciller.

— Et pendant tout ce temps… tu m'as détestée.

Il retourna brusquement son attention sur elle. Cette fois, c'était lui qui paraissait pris de court.

— Tu as cru à des choses affreuses à mon sujet… poursuivit-elle, la voix tremblante.

Elle voyait les cinq années écoulées sous un angle complètement différent, et ce qu'elle imaginait lui faisait très mal.

— Mais… si tu me détestes autant, pourquoi… pourquoi as-tu risqué ta vie pour venir me délivrer ? Pour… Pourquoi es-tu là ? A quoi joues-tu ?

Elle le dévisagea. Une expression indéchiffrable se peignait sur ses traits.

— Tu penses que je te déteste, Nicole ? Mais as-tu perdu la raison ?

— Tu as dit…

Il laissa tomber sa béquille et, en deux foulées, combla l'espace entre eux. Il prit son visage entre ses mains et l'embrassa si fort, si vite que leurs dents s'entrechoquèrent.

Elle éprouva un désir si intense, si brutal qu'elle passa les mains dans ses cheveux et lui rendit son baiser avec la même vigueur. Il fit glisser la main en bas de son dos et la serra encore davantage contre lui, lui arrachant un gémissement de plaisir. Elle avait attendu tellement longtemps de se retrouver de nouveau dans ses bras ! Leur baiser était empressé, maladroit, mais tellement bon.

Quand, enfin, il releva la tête, il avait le souffle court, comme s'il venait de courir. Il garda les mains fermement posées sur sa nuque et une flamme nouvelle faisait briller son regard.

— J'ai accepté d'aller te délivrer, dit-il d'une voix étranglée par l'émotion, parce que je ne supportais pas de savoir qu'on pouvait te faire du mal. Ça me rendait fou.

Elle leva la main pour lui caresser la joue.

— Oh ! Daniel…

— Cela fait cinq ans que j'essaie de t'oublier, de ne plus penser à toi, mais je n'y arrive pas. Je te désire tellement que c'est une torture.

Ses aveux lui firent battre le cœur à tout rompre et elle ne put retenir ses larmes. Les paroles de Daniel étaient bouleversantes, romantiques, mais pleines de la terrible frustration qui l'avait rendu malheureux toutes ces années.

— Je revois sans cesse les images de notre nuit ensemble. Le souvenir de la douceur de ta peau, du parfum de tes cheveux est aussi prégnant qu'au premier jour.

Tout en l'écoutant, Nicole repensa elle aussi à ce moment merveilleux. Le corps de Daniel était pressé contre le sien et elle ressentit le même élan, le même désir que ce soir-là.

— Il m'est arrivé de souhaiter pouvoir te détester, Nicole, je l'avoue. Car alors, peut-être aurais-je pu me détacher de toi et de ton emprise, peut-être aurais-je réussi à laisser derrière moi le sentiment de trahison qui me poursuit depuis ce matin où je t'ai entendue déclarer à ton père que je n'étais qu'un moyen de lui montrer que tu ne suivrais plus ses principes.

Nicole serra alors les pans de sa chemise entre ses mains et le fixa droit dans les yeux.

— Je n'ai jamais dit cela, affirma-t-elle avec détermination. Quoi que tu aies pu entendre, tu t'es trompé. Pour moi, tu as toujours été un homme attentionné, délicat et incroyablement sexy. Jamais je ne t'ai vu autrement.

Il fronça les sourcils et tourna la tête, mais elle lui agrippa le menton pour le forcer à la regarder en face.

— Ecoute-moi, Daniel. Cette nuit là, à La Nouvelle-Orléans, je suis tombée amoureuse de toi.

Elle sentit l'émotion l'étrangler mais se força à terminer sa phrase :

— Et, le matin suivant, quand tu es parti, tu m'as brisé le cœur.

Il pinça les lèvres et les plis sur son front se creusèrent. Entendre cette confidence paraissait lui faire très mal. Elle lui passa les mains dans les cheveux et approcha encore son visage du sien.

— Moi aussi je me suis sentie trahie, ce matin-là. Mais ça n'a rien changé à mes sentiments pour toi et je n'ai jamais cherché à te chasser de mon esprit.

Il ferma les yeux, comme pour ne plus l'entendre, mais elle était déterminée à ne pas en rester là. Elle le secoua jusqu'à ce qu'il les rouvre et la regarde.

— C'est grâce à mes souvenirs que j'ai pu garder le moral pendant ma captivité en Colombie, et celui de notre nuit ensemble en faisait partie. Je me suis accrochée à l'espoir de survivre à cette épreuve et de pouvoir un jour revivre un tel moment.

Il avait les traits de plus en plus tourmentés, il semblait même vivre une terrible épreuve. Soudain, il lui prit le visage entre les mains

— Bon sang, Nicole…

Elle continua de le fixer sans ciller. Il devait comprendre une bonne fois pour toutes ce qu'elle avait ressenti.

— Ces jours derniers, je me suis rendu compte qu'au fond de moi, j'étais certaine que je te reverrais un jour, que tu n'avais pas pu m'abandonner et m'oublier du jour au lendemain. Je crois que c'est aussi pour cette raison que, d'instinct, c'est toi que j'ai appelé quand ces hommes ont fait irruption chez mon père.

— Arrête ! s'exclama-t-il, le cœur battant.

Elle poussa un petit gémissement de surprise, des larmes coulèrent sur ses joues.

Il les regarda rouler puis les arrêta d'un geste de la main avant de l'embrasser de nouveau, tendrement, cette fois, mais avec le même désir.

Elle croisa les bras autour de son cou et s'offrit à son baiser. Ils s'embrassèrent encore et encore, langoureusement.

Elle sortit son T-shirt de son jean pour sentir sa peau et les contours de ses muscles vigoureux. Très vite, il en fit de même, glissa la main sous son chemisier et caressa ses seins à travers son soutien-gorge. Un soupir de plaisir lui échappa et elle vint frotter sa cuisse contre la sienne pour être encore plus près de lui.

— Nicole… dit-il d'une voix rauque.

Elle se souvint alors de son genou blessé. Un instant, elle craignit lui avoir fait mal. Mais alors, il posa les mains en bas de son dos et la poussa doucement vers le canapé. Elle se laissa faire et il s'allongea sur elle. Le souffle court, il déboutonna son chemisier, dégrafa son soutien-gorge et resta un instant à la regarder, visiblement ému. Puis il l'embrassa dans le cou, laissa glisser ses lèvres sur ses seins.

Elle se tortilla et poussa de petits gémissements, sous la totale emprise de ses baisers et de ses caresses. Quand il s'attaqua au bouton de son jean, elle le laissa faire et replia même les jambes pour qu'il le lui enlève plus vite. Il caressa doucement ses cuisses puis atteignit son intimité. Elle était déjà brûlante de désir et désormais, elle était tout près de l'orgasme.

— Daniel… attends, pas encore. Je veux te sentir en moi.

Il lui donna un petit baiser puis lui chuchota à l'oreille :

— N'aie crainte, nous n'allons pas en rester là. Laisse-toi aller.

L'entendre prononcer ces paroles d'une voix tendre et caressante la bouleversa et la libéra. Elle s'abandonna complètement à ses caresses et laissa échapper un cri d'extase. Elle était tellement émue et heureuse qu'elle en pleura presque de joie. Enfin, après tout ce temps, elle était de nouveau dans ses bras.

Il l'embrassa dans le cou puis se redressa.

— Nous ne devrions pas rester là, murmura-t-il. Nous sommes trop exposés.

Elle redressa la tête pour croiser son regard.

— Tu crois que Pilar…

— Ce pourrait être n'importe qui d'autre, la coupa-t-il en désignant les fenêtres de la tête. Je n'ai pas envie qu'on nous prenne par surprise.

Des hommes dangereux étaient à leur recherche. Un instant, elle l'avait oublié. Elle frissonna.

— Ne t'inquiète pas, lui dit-il, je suis là et je ne rate jamais ma cible.

Elle lui sourit.

— Je veux bien te croire.

Il se redressa et lui tendit la main pour l'aider à en faire de même.

— Viens vite, j'ai attendu longtemps ce moment.

— Trop longtemps, répliqua-t-elle.

Malgré sa blessure, il la prit dans ses bras et la souleva sans forcer. Inquiète, elle se débattit légèrement pour qu'il la pose au sol.

— Daniel, ton genou !

— Tout va bien, laisse-moi faire.

Elle voulut protester mais se ravisa. Elle savait avec quelle détermination il outrepassait la douleur pour pouvoir remarcher normalement le plus vite possible. Elle n'avait pas le droit de le priver de cette occasion de prouver sa virilité. Elle le voyait grimacer et serrer les dents, mais elle se tut.

Elle posa la tête sur son épaule, croisa les bras autour de son cou et le laissa la porter dans la chambre. Elle débordait d'affection pour lui, en dépit de son entêtement. Une fois arrivé dans la chambre, il ferma la porte d'un mouvement de hanche puis la déposa sur le lit.

Rapidement, elle s'attaqua au bouton de son jean en murmurant :

— Vous êtes beaucoup trop habillé, monsieur.

— Message reçu.

Il lui donna un petit baiser puis roula sur le dos pour ôter ses chaussures et son pantalon. Elle l'aida ensuite à se débarrasser de son caleçon.

— C'est beaucoup mieux, commenta-t-elle avec un sourire séducteur avant de se mettre à califourchon sur lui.

Il poussa un soupir de satisfaction puis reprit ses caresses et ses baisers, s'attardant sur les parties les plus sensibles de son corps.

— Tu te souviens de ce que j'aime, dit-elle tandis qu'il l'embrassait dans le cou.

Il releva la tête pour croiser son regard, sans cesser de la caresser.

— Oui, je me souviens de tout, chaque centimètre de ta peau est inscrit dans ma mémoire.

Elle passa la main sur son torse et soupira.

— Moi aussi je croyais tout connaître mais…

Du bout du doigt, elle parcourut une cicatrice.

— … tu as changé.

Elle passa à une autre cicatrice, avec un vif sentiment de compassion pour lui.

— Je n'ai pas très envie de savoir d'où viennent toutes ces cicatrices.

Elle posa les doigts sur une autre blessure ancienne. Celle-ci était certainement due à une balle. Elle eut un peu peur.

— Je n'aime pas savoir que tu risques ta vie en…

— C'est du passé, la coupa-t-il. Désormais je ne risque plus rien, je ne fais plus partie des opérations spéciales, ne l'oublie pas.

Elle entrecroisa ses doigts aux siens.

— Je sais que pour toi c'est dur à vivre, mais moi, je mentirais si je disais que je le déplore. Je veux te savoir en sécurité.

Il repoussa une mèche de cheveux de son visage et la contempla avec un air solennel.

— Et moi, c'est toi que je veux.

Elle se pencha en avant pour l'embrasser, longuement et tendrement. Puis elle se redressa, fit courir une main le long de son torse, de son ventre et de son érection et, enfin, le guida en elle. Elle entrecroisa de nouveau ses doigts aux siens et tous deux se mirent à bouger ensemble. Elle ferma les yeux, se remémorant la première fois où ils avaient fait l'amour, la magie de ce moment. « Dis mon nom. »

Daniel gémissait de plaisir et elle se revit dans l'hélicoptère, en Colombie, quand elle tenait sa main et qu'il geignait de douleur. « Dis mon nom. »

Elle repensa à la tristesse de son regard quand elle s'était réveillée dans sa chambre d'hôpital. « Dis mon nom. »

Elle rouvrit les yeux et croisa son regard. Elle y avait lu tant d'inquiétude quand elle avait ouvert la porte du bureau de son père le jour où il était venu la sauver de ces hommes armés. « Dis mon nom. »

— Daniel, chuchota-t-elle tout contre son oreille. Je suis là, Daniel, je suis à toi.

Il serra ses mains plus fort.

— Nicole… mon amour… je…

Il n'eut pas le temps de terminer sa phrase. Une vague irrépressible de plaisir l'envahit, et tous deux atteignirent l'orgasme ensemble.

— Oh ! Daniel…

Elle se laissa tomber contre lui, le cœur battant, le souffle court, l'ensemble de son corps parcouru de frissons délicieux. Il la serra contre lui en silence, caressant doucement son dos et ses cheveux.

Quand elle eut recouvré ses esprits, elle tourna la tête pour voir son visage et passa le doigt le long de sa joue.

— C'était génial, non ?

Il acquiesça d'un signe de tête puis lui sourit.

— C'était fantastique, dit-il.

Il contempla le plafond en silence puis ajouta :

— Mais en même temps, c'est contrariant.

Elle se dressa sur un coude pour mieux le voir.

— Quoi ?

— Ce désir permanent que nous éprouvons l'un pour l'autre.

Elle fronça les sourcils. Il était redevenu sérieux et grave. L'appréhension la gagna.

— En quoi est-ce contrariant ? Ça ne fait que refléter ce que nous éprouvons l'un pour l'autre, non ?

Il lui jeta un bref regard avant de fixer de nouveau le plafond.

— Ça fausse la donne et ça nous fait perdre de vue les véritables enjeux.

— Qui sont ?

— Si nous sommes ici, c'est pour que je vous protège, Pilar et toi, le temps qu'il faudra. Tout le reste n'est que distraction.

— Y compris ce que nous ressentons l'un pour l'autre, conclut-elle, le cœur lourd.

— Ouais.

Elle eut l'horrible sensation qu'une fois encore, un mur s'était dressé entre eux, qu'il l'avait dressé, plus précisément, pour la tenir à distance. Elle ravala sa tristesse, déterminée à ne pas laisser paraître sa déception.

— Donc nous avons fait l'amour, mais il faut en rester là ?

— Ça doit en rester là, je n'ai pas le choix. En tout cas tant que cette histoire ne sera pas terminée.

Elle soupira doucement pour ne pas montrer de dépit.

— Et ensuite, quand ce sera fini ?

Il resta longuement silencieux. Elle allait en conclure qu'il ne répondrait pas du tout quand il se tourna vers elle :

— Je ne sais pas.

Elle ferma les yeux et repoussa de toutes ses forces son chagrin, se blottit contre lui et posa la tête sur son épaule. Son corps était comblé, mais son cœur réclamait davantage. Elle voulait ce qu'elle redoutait de ne jamais obtenir de Daniel… Son amour.

11

Le matin suivant, Nicole se réveilla seule. L'inquiétude la saisit aussitôt. Elle se remémora le fameux matin à l'hôtel quand Daniel était parti. La veille, quelques instants après qu'ils eurent fait l'amour, il s'était recroquevillé sur lui-même et avait repris ses distances.

Elle passa la main sur le côté du lit qu'il avait occupé. Les draps étaient frais. Il s'était donc levé depuis longtemps. Son pouls s'accéléra. Avait-il quitté la maison, les avait-il abandonnées ?

Elle prit une longue inspiration pour se calmer. Non, jamais il ne serait parti en sachant que des hommes prêts à tuer étaient à leur recherche.

Elle se leva à son tour et chercha dans le sac de Daniel un T-shirt à lui emprunter le temps de regagner la chambre qu'elle partageait avec Pilar. Celui qu'elle enfila lui descendait aux genoux et portait le parfum de Daniel. Ce rappel de sa présence suffit à la chambouler. Elle avait déjà eu du mal à surmonter sa disparition une fois et n'était pas certaine de pouvoir supporter de le perdre une seconde fois. Mais comment devait-elle s'y prendre pour franchir les défenses qu'il avait érigées ? Pourquoi s'obstinait-il à considérer qu'il devait la tenir à distance ?

Peut-être ferait-elle mieux de se préoccuper davantage d'elle-même et de laisser de côté ses espoirs d'un avenir avec lui. Ce qu'elle voulait, c'était avoir sa propre maison et vivre entourée de ses chats et d'un homme qui serait avec elle tous les jours, aussi bien physiquement qu'affectivement. Mais Daniel était accro à l'aventure et au danger et il avait toujours vécu seul. Alec, son collègue, était sans doute la personne qui avait été la plus proche de lui sur le long terme. Alors pouvait-elle sincèrement envisager qu'il se satisfît d'un quotidien rangé et régulier ?

De l'autre bout de la maison, un rire d'enfant lui parvint. Elle traversa le couloir en direction de la cuisine pour aller voir ce que faisait Pilar. A mesure qu'elle approchait, une délicieuse odeur de café et de bacon grillé se précisa et la fit saliver. Elle découvrit Pilar tout sourire, installée à la table de la cuisine devant une assiette d'œufs brouillés et de bacon. Daniel était aux fourneaux, la poêle à la main, vêtu d'un tablier qui portait l'inscription « Laissez les bon temps rouller ».

Elle cherchait à jauger son humeur quand, soudain, Pilar déclara :

— Bonjour, *señorita* Nicole.

Elle retourna un regard ébahi à la fillette puis lui sourit et répondit :

— Bonjour, Pilar.

Elle releva la tête et adressa un regard interrogateur à Daniel, qui haussa les épaules et sourit à son tour.

— Ne me regarde pas ainsi, je n'y suis pour rien. Elle m'a accueilli de la même façon quand je me suis levé.

— C'est moi qui lui ai appris cette phrase, ainsi que quelques autres, répliqua-t-elle. Mais, comme elle ne disait pas un mot, j'ignorais si elle les retenait ou pas.

Daniel baissa les yeux sur la poêle et retourna les tranches de bacon.

— Eh bien, il semblerait que si.

— En effet. Je suis contente qu'elle se sente suffisamment en sécurité pour oser parler de nouveau.

Il jeta un regard à la fillette par-dessus son épaule puis l'observa. Sentir ses yeux s'attarder sur elle lui fit l'effet d'une caresse.

Il haussa un sourcil et déclara :

— Ce T-shirt n'a jamais été aussi bien porté.

Elle lui retourna un sourire en coin, dans l'espoir d'en recevoir un de sa part.

— J'espère que ça ne te gêne pas que je te l'aie emprunté. Mes vêtements étaient restés dans le salon.

— Pas du tout, répliqua-t-il avec l'accent cajun.

Elle fut un peu déçue. Même s'il paraissait de bonne humeur, il restait sur la réserve quand il s'adressait à elle. En revanche, il était beaucoup plus naturel et chaleureux avec Pilar. Elle fut même un brin jalouse de la fillette quand il lui sourit et lui demanda :

— C'est bon ? *Esta bueno ?*

— *Si*, répondit Pilar en levant tout juste le nez de son assiette.

Puis, elle releva davantage la tête, sourit et reprit :

— Oui ! Très bon.

Il lui adressa un clin d'œil, la regarda brièvement puis désigna la cafetière de la tête.

— Le café est prêt.

— Merci. Ça sent rudement bon.

Elle alla se servir une tasse en le surveillant du coin de l'œil. Tandis qu'elle goûtait une petite gorgée de son café, Boudreaux vint faire des ronds dans ses jambes en miaulant.

— Salut, Boudreaux, comment vas-tu mon beau ?

Elle se baissa pour caresser le chat sous le menton. Cela lui valut un ronronnement de satisfaction. Pendant ce temps, Oreo était perché sur la chaise à côté de Pilar, le museau en l'air à lorgner le bacon dans l'assiette. Pilar regarda Daniel et, comme il lui tournait le dos, découpa un petit morceau de bacon et le tendit au chat. Quand elle s'aperçut que Nicole l'avait vue faire, elle prit un air contrit.

Nicole lui retourna un clin d'œil complice, donna une dernière caresse à Boudreaux puis se releva.

— J'avais envie d'emmener Pilar faire un petit tour de pirogue, aujourd'hui, intervint Daniel. La cabane au milieu du bayou dans laquelle ma grand-mère a grandi existe toujours.

Il la regarda intensément, comme pour la mettre au défi de faire un commentaire sur les conditions rudimentaires dans lesquelles sa famille avait vécu.

— Pour pêcher, c'est le meilleur endroit du marais, ajouta-t-il.

Elle lui sourit chaleureusement.

— Je suis sûre que Pilar sera très contente.

Il s'approcha d'elle et lui demanda :

— Tu veux venir avec nous ? Je te promets de ne pas laisser les alligators te mordre les mollets.

Il se tenait tout près d'elle, et elle ne put résister à l'envie de poser la main sur son torse.

— J'en serais très heureuse.

— Nous partirons après le petit déjeuner, alors.

Il lui posa une main sur la nuque pour l'attirer à lui et lui donner un petit baiser.

Elle fut transie d'émotion et en même temps soulagée. Il ne regrettait pas qu'ils aient refait l'amour, même si, pour le moment, il ne voulait voir entre eux que de l'attirance physique.

Un petit rire retentit derrière eux. Ils se retournèrent et virent Pilar qui les regardait en souriant. Daniel eut un air légèrement ennuyé.

— Je n'aurais pas dû faire cela devant elle ?

— Pourquoi, tes parents ne s'embrassaient jamais devant toi ?

— Si, tout le temps. Mais nous ne sommes pas ses parents.

Elle lui posa la main sur l'épaule pour le rassurer et lui donna à son tour un petit baiser.

— Bien, il reste encore du bacon ? Je meurs de faim.

— Sers-toi.

A la façon dont il caressa doucement sa nuque avant de retirer sa main, elle comprit que lui, il l'aurait bien mangée toute crue. Cette pensée suffit à l'exciter, l'intensité de son regard la faisait fondre.

Elle se laissa tomber sur une chaise, les jambes tremblantes tant, par un simple regard et un baiser, il l'avait enflammée.

Pendant le petit déjeuner, Pilar perfectionna son anglais en désignant chaque objet qui les entourait et en répétant chaque mot, ainsi que le nom des oiseaux qu'elle avait vus en allant pêcher. C'était si agréable et naturel, songea Nicole. Elle ne put s'empêcher de s'imaginer dans la même situation avec deux ou trois enfants qu'elle aurait eus avec Daniel.

« Ça doit en rester là, je n'ai pas le choix. » Ses paroles de la veille lui revinrent en tête, et elle décida de laisser de côté ses rêves de vie de famille. Avant d'en arriver là, il leur restait un long chemin à parcourir.

Daniel guidait la longue pirogue à travers les marais du bayou avec la grande perche qu'il avait retrouvée dans le garage. Il se dirigeait les yeux fermés vers la vieille cabane de pêche. Pilar et Nicole étaient assises à chaque extrémité de l'embarcation et se désignaient mutuellement les animaux sauvages qu'elles repéraient : une famille entière de tortues sur un rondin, une aigrette qui plongeait dans les eaux peu profondes au pied des cyprès, un castor qui se prélassait sur la berge.

Intérieurement, il souriait, se gardant bien d'attirer leur attention quand il repérait un serpent entortillé dans un arbre au-dessus d'eux ou remarquait des yeux d'alligator qui émergeaient des eaux troubles. Il connaissait ces menaces potentielles et se tenait prêt à intervenir en cas de besoin mais refusait d'effrayer inutilement Pilar et Nicole.

Tandis que la pirogue glissait lentement, il ne cessait de jeter des regards à celle-ci, assailli par des images sensuelles de la veille. Refaire l'amour avec Nicole n'avait en rien tempéré son désir pour elle, bien au contraire. Il n'aurait pas imaginé à quel point cela éveillerait en lui une envie aussi ardente de recommencer. De toute façon, depuis son retour de Colombie, il se découvrait tous les jours.

Par exemple, il était très étonné de prendre autant de plaisir à vivre au quotidien avec Pilar. Il s'était même surpris à se demander ce que ce serait d'apprendre à pêcher à sa propre fille, ou bien à son fils. Avant, il ne s'était jamais projeté dans un rôle de père. Quel père de famille consacrait la majeure partie de son temps à infiltrer des gangs de rue dans des quartiers glauques, des factions rebelles dans des contrées hostiles, ou bien se terrait pendant des semaines dans une cave pour épier un suspect en attendant qu'il commette une erreur ?

Mais depuis sa blessure au genou, une page s'était tournée. Alors maintenant, qu'allait-il faire ? Comment un homme qui avait passé quasiment toute sa carrière sur le terrain était-il censé s'y prendre pour réussir la transition vers une vie apaisée de père de famille qui raconte des histoires à ses enfants le soir et va à la pêche de temps en temps ?

Et dans ce scénario, quel rôle y avait-il pour Nicole ? Il serra les dents, dépité. Depuis ce matin fatal, cinq ans plus tôt, il s'était interdit d'imaginer un avenir avec elle. Et même si son orgueil blessé n'était pas parvenu à avoir totalement raison de ce rêve, son boulot au sein des forces spéciales s'en était chargé. Pourtant, la tenir dans ses bras avait ravivé cette lueur d'espoir enfouie. La nuit précédente avait été un moment intense. Mais il n'avait pas le droit de laisser croire à Nicole que ce pouvait être l'ébauche d'un futur commun.

Comme cinq ans auparavant, leurs deux existences étaient incompatibles. Ils étaient issus de milieux diamétralement opposés, leurs boulots les envoyaient aux quatre coins du monde, leurs ambitions ne laissaient pas de place à une vie de famille. Et puis, elle tenait à son père, qu'il n'appréciait pas. Jamais il ne lui demanderait de couper les liens avec lui. La famille, c'était très important, sa grand-mère le lui avait appris et il y croyait. Le sénateur White ferait toujours partie de la vie de Nicole.

Il la regarda remettre une mèche de cheveux derrière son oreille et rire aux propos de Pilar, qui s'était exprimée en anglais. Son cœur se serra. Il avait déjà survécu sans elle, et, d'une manière ou d'une autre, il y parviendrait de nouveau. Une fois que Pilar aurait retrouvé son père, il se lancerait dans une nouvelle carrière et laisserait Nicole derrière lui, comme il l'avait fait cinq ans auparavant.

La vieille cabane apparut au milieu des flots et une bouffée de nostalgie l'assaillit. Gamin, il adorait venir y pêcher avec son père puis, plus grand, il s'était fixé comme mission de l'entretenir pour sa grand-mère, qui aimait tant lui raconter des anecdotes du bayou.

Que pouvait bien penser Nicole de cette cabane aux

cloisons de bois pourri, couverte de mousse, au toit en fer-blanc et aux fenêtres de travers ?

Pourtant, elle tenait encore debout : quelques années plus tôt, il y avait effectué des travaux de consolidation.

La pirogue heurta doucement le ponton et il lança une corde autour du piquet d'amarrage.

— Pouvons-nous entrer ? Je suis curieuse de voir où ta grand-mère a grandi, déclara Nicole après avoir posé le pied sur le ponton.

— Oui, bien sûr. Juste le temps de décharger le bateau et ensuite je vous fais faire le tour du propriétaire.

Il tendit à Nicole la glacière qu'ils avaient emportée pour le déjeuner et à Pilar les cannes à pêche et la boîte d'hameçons.

— Tu veux de l'aide ? lui demanda Nicole en lui tendant la main pour qu'il puisse descendre de l'embarcation.

— Je peux le faire tout seul, répliqua-t-il en lui lançant un regard irrité.

Mais, quand il se leva, la pirogue se balança légèrement. Il ne pouvait pas s'appuyer de tout son poids sur sa jambe blessée et faillit perdre l'équilibre.

— Daniel, insista Nicole en le fixant de son regard bleu azur. Ne sois pas aussi têtu. Donne-moi la main.

Il hésita, vexé d'apparaître diminué mais finit par saisir son bras pour se hisser sur le ponton.

— Merci, marmonna-t-il, avant de poser les cannes à pêche contre la cabane.

Puis, comme promis, il fit leur visiter l'intérieur. Pour y accéder, il fallait monter à une échelle. Il y parvint en posant sa jambe valide sur un échelon pour se donner une impulsion et se hisser à la force des bras. Arrivé en haut, il se retourna et, quand Nicole arriva à sa hauteur, elle lui tâta les biceps en lui adressant un regard appréciateur.

— Impressionnant. Ça me plaît.

Comme Pilar les regardait, il se contenta de lui retourner un sourire. Mais plus tard…

Nicole tourna alors la tête.

— Eh, mais ce n'est pas mal du tout.

Même si d'extérieur, la cabane ne payait pas de mine, l'intérieur était aménagé avec quelques meubles récents qu'il avait installés au fil des années. Une petite table et deux chaises occupaient le centre de la première pièce et, dans un coin, il avait casé un petit réchaud à gaz. La seconde pièce était une petite salle de bains avec douche, sans eau chaude, mais équipée de toilettes reliées à un réservoir.

— Tu vois ? Tout le confort moderne, dit-il avec un sourire de fierté.

Elle lui retourna son sourire tandis que Pilar regardait par la fenêtre.

— On pêche ?

Il eut un petit rire.

— Oui, d'accord, allons-y.

Ils passèrent l'heure suivante à lancer leurs lignes, à se battre contre les moustiques et à aider Pilar à perfectionner son anglais. Leur bavardage incessant faisait fuir les poissons, mais ils parvinrent à attraper deux prises de taille respectable. Quand la ligne de Nicole se tendit, il la prit par la taille pour l'aider à sortir de l'eau le silure qui se débattait. Et lorsque, enfin, ils réussirent à le saisir et à le mettre dans le seau, Nicole rayonna de bonheur. Ce spectacle le toucha profondément.

— Yoohoo ! s'exclama Nicole en imitant l'accent cajun.

— Yoohoo ! fit Pilar en écho.

Il éclata de rire.

— Tu es très fière de toi, n'est-ce pas ? lui demanda-t-il d'un ton moqueur.

Elle repoussa ses cheveux en arrière et leva la tête.

— Un peu, que je suis fière. C'est la première fois de ma vie que j'attrape un poisson. C'est un jour à marquer d'une pierre blanche !

Il haussa les sourcils.

— Tu as grandi en Louisiane et tu n'as jamais…

Il secoua la tête puis reprit :

— Bien, puisqu'il faut marquer le coup…

Il l'attira à lui et lui donna un petit baiser.

— Félicitations, ma belle.

Il sortit son portable, prit une photo puis, à sa demande, il remit le poisson à l'eau.

— Bien, pour moi, mission accomplie.

Nicole posa sa canne à pêche et se dirigea vers l'échelle.

— Je reviens tout de suite, il faut que j'aille aux toilettes.

— Avant de t'asseoir, vérifie qu'il n'y a pas d'araignées dans la cuvette, lui lança-t-il.

Elle lui retourna un regard mi-figue mi-raisin qui le fit sourire. Il haussa les épaules, lança sa ligne puis ajouta :

— Je dis ça comme ça.

— Vérifier qu'il n'y a pas d'araignées dans la cuvette ? grommela Nicole pour elle-même. Même pas drôle.

Elle entra dans la petite salle de bains et referma le verrou rouillé. Elle se retourna et observa les toilettes d'un air méfiant. Elle s'approcha et leva lentement la lunette. Il n'y avait pas d'insectes, en revanche…

L'odeur nauséabonde des canalisations la prit par surprise. Elle recula d'un pas, se plaqua une main sur le nez et chercha à respirer une bouffée d'air frais.

Mais la puanteur avait envahi l'ensemble de la salle de bains et elle était assaillie par un désagréable souvenir. Elle avait la sensation d'être revenue dans sa cellule en Colombie. Dans le camp, l'odeur des latrines de fortune imprégnait sans cesse l'atmosphère. En l'espace de quelques secondes, les images des moments les plus pénibles qu'elle avait vécus là-bas défilèrent devant ses yeux.

La panique qui, depuis son retour, menaçait de s'emparer d'elle et qu'elle avait réussi à contenir jusque-là, éclata. Sa vision se brouilla, elle eut du mal à respirer et se mit à trembler de tous ses membres.

De la sueur lui couvrait le front, son pouls s'emballait, elle avait l'impression que les murs se refermaient sur elle.

Elle se tourna vers la porte, et, avec des gestes précipités, tenta de rouvrir le verrou pour sortir. Mais il n'y avait rien à faire. Le verrou ne bougeait plus d'un millimètre.

12

Prise au piège ! Elle était prise au piège !

Elle respirait par saccades, bouche ouverte. Il fallait qu'elle sorte, qu'elle…

Les rires cruels des gardiens résonnèrent dans ses oreilles, elle revit les barbelés qui encerclaient le camp, elle se rappela l'abattement qu'elle ressentait souvent, la peur. Non !

Des larmes coulaient sur ses joues.

— Non ! Non ! Non ! Laissez-moi sortir, pitié !

Sa voix était déformée par l'anxiété et la panique. Elle la reconnut à peine. Elle ne se contrôlait plus, elle se mit à frapper frénétiquement contre la porte.

— Non !

Soudain, malgré ses gémissements, elle perçut un bruit de pas de l'autre côté de la porte.

— Nicole ? Nicole ! Qu'est-ce qui ne va pas ?

— Aide-moi ! articula-t-elle entre deux sanglots. Je t'en supplie.

La porte bougea, mais le verrou était toujours en place.

— Défais la targette.

— Je… Je ne peux pas, je… Aide-moi !

Elle avait la tête qui tournait de plus en plus, elle manquait d'air.

— Je… prisonnière !

— D'accord. Recule.

Elle s'exécuta du mieux qu'elle put, désorientée, et ne s'arrêta que lorsqu'elle se retrouva dos au mur. Elle ferma les yeux, toujours tremblante. Elle voyait des cellules, des gardes, de la boue, des insectes. Il faisait chaud, elle était abattue. Non, non, non ! Plus jamais !

Un coup sourd retentit, puis un autre. La porte se mit à bouger puis soudain s'ouvrit complètement dans un grand fracas.

Elle rouvrit brusquement les yeux et prit une grande goulée d'air.

Daniel se tenait face à elle, le regard rempli d'inquiétude.

— Nicole, ma chérie, qu'est-ce qui…

— Je… L'odeur m'a rappelé celle du camp en Colombie.

Elle tenait à peine debout et se laissa glisser à genoux contre la cloison.

— Je… n'arrivais plus à sortir, j'étais prise au piège…

Elle se prit le visage entre les mains.

— J'avais… tellement peur.

Elle sentit les bras de Daniel se refermer autour de ses épaules, et, d'une voix tendre et rassurante, il lui murmura :

— C'est fini, maintenant, tout va bien. Tu es en sécurité, tu es libre.

Un nouveau sanglot l'étrangla, ses épaules se soulevèrent.

— Hé, doucement, Nicole, inspire à fond, tu es en hyperventilation.

Il lui posa les mains sous les aisselles pour l'aider à se remettre debout.

— Allez, viens, ne restons pas ici. Calme-toi et respire.

Elle avança du mieux possible en s'accrochant à lui, encore sous le choc des souvenirs qui lui étaient revenus.

— Serre-moi fort, s'il te plaît.

— Oh ! bien sûr ma chérie.

Il la tint tout contre lui et la fit sortir de la salle de

bains. Dans la pièce principale, il l'aida à s'asseoir au bord du lit et s'installa à côté d'elle.

— Laisse-toi aller, Nicole, libère toi. Tu as gardé trop d'émotions en toi, il faut laisser sortir tout cela. Tu l'as bien mérité.

« Libère-toi. »

Elle avait plutôt la sensation de se désintégrer. Elle s'accrocha à lui, à sa force et à sa présence pour s'apaiser. Si elle devait craquer, laisser sortir tout ce qui lui pesait, elle le ferait dans ses bras et nulle part ailleurs. Elle posa la tête contre son épaule, serra les pans de sa chemise dans ses poings et ne bougea plus.

— Libère-toi, répéta-t-il tout bas en lui caressant le dos.

Elle avait essayé d'être forte, de tout garder en elle pour…

— Pilar, murmura-t-elle.

— Elle va bien, répondit Daniel. Je lui ai dit de m'attendre dehors, j'irai la chercher dans une minute.

Elle acquiesça, ferma les yeux et s'appliqua à recouvrer une respiration normale.

— Je suis désolée, je…

— Ne t'excuse pas, la coupa-t-il en la serrant plus fort contre lui. Après ce que tu as vécu, ta réaction est tout à fait normale.

Il essuya les larmes qui avaient coulé sur ses joues et reprit :

— Pour être honnête, je m'attendais à ce que ce moment survienne. Je savais que tôt ou tard, ça arriverait.

Elle leva un regard malheureux vers lui.

— Parce que tu sais que je suis faible.

Il poussa un soupir.

— Non, pas du tout. Seulement, j'ai vu plusieurs fois des agents, pourtant entraînés, faire une réaction post-traumatique après avoir vécu une expérience similaire. Et toi, tu as beaucoup de cœur, tu es sensible, alors les comportements violents t'affectent encore plus. Vraiment, c'est normal que tu aies fini par craquer.

Tout en parlant, il lui massait doucement les cheveux et le crâne pour l'apaiser.

— En fait j'allais bien jusqu'à... C'est l'odeur des toilettes qui... Soudain, j'ai eu la sensation de me retrouver de nouveau au milieu de la jungle colombienne... en cage.

— L'odorat est un des sens qui ravive le plus fréquemment les souvenirs.

De sa poche, il sortit un paquet de pastilles de menthe.

— Tiens, prends-en une, ça t'aidera à te sortir cette odeur désagréable du nez.

Elle accepta la pastille avec reconnaissance, inspira et expira plusieurs fois puis, quand elle se sentit mieux, poursuivit :

— C'est vrai qu'il y a souvent des odeurs liées à des souvenirs. Pour moi, l'odeur de l'herbe fraîchement coupée me rappelle ma mère.

— L'herbe coupée ?

— Pourtant, elle ne tondait pas la pelouse, reprit-elle avec un petit rire. Mais quand elle s'occupait des fleurs du jardin, je l'accompagnais toujours et notre jardinier était souvent dehors en même temps que nous. Ça doit être pour ça que l'odeur de l'herbe coupée me fait penser à ma mère...

Elle laissa sa phrase en suspens et soupira.

— Elle me manque tellement.

Il lui déposa un baiser sur les cheveux.

— Moi, l'odeur des crevettes grillées m'évoque ma grand-mère. Tu comprends pourquoi.

Ils restèrent plusieurs minutes silencieux. C'était un silence apaisant, serein, et, dans les bras de Daniel, elle se détendait petit à petit.

— Nicole ?

Elle leva les yeux vers lui et croisa son regard. Elle y lut de la tristesse et de l'inquiétude.

— Est-ce que…

Il serra les dents, comme pour s'armer de courage, et reprit :

— Est-ce qu'on t'a fait du mal physiquement, en Colombie ?

Elle s'empressa de lever la main pour caresser sa joue et d'agiter la tête négativement pour le rassurer.

— Non. Ils savaient que j'étais américaine et que mon père était sénateur. Je pense qu'ils ne voulaient pas me faire de mal par crainte de représailles. A leurs yeux, j'étais une monnaie d'échange de valeur.

Le soulagement se marqua instantanément sur les traits de Daniel.

— Dieu merci.

— J'aime à croire que, d'une certaine façon, même à plusieurs milliers de kilomètres de distance, par ce qu'il représentait, mon père me protégeait.

Cette réflexion arracha un sourire amer à Daniel.

— Ouais.

Une autre pensée la traversa alors.

— En revanche…

Un frisson la parcourut.

Il lui passa doucement le pouce sur la joue.

— Quoi ?

— Pendant quelques semaines, il y a eu une autre femme retenue prisonnière dans la cellule voisine. Tous les jours, les gardes venaient la voir et proféraient des menaces à son encontre en s'assurant que je les voyais faire. J'ignore de qui il s'agissait et d'où elle venait mais… Un jour, ils l'ont emmenée et je l'ai entendue crier de loin. C'était affreux, je ne pouvais rien faire pour elle. Et ensuite, je ne l'ai plus jamais revue.

— Oh ! bon sang… marmonna Daniel, le visage fermé et le regard plein de colère rentrée.

— C'est pour cela que quand Pilar est arrivée, je me suis fixé comme mission de la protéger du mieux possible. Prendre soin d'elle m'a permis de ne pas sombrer dans le désespoir, ça m'a donné un but. Je la consolais, je lui apprenais des mots anglais, et ainsi je ne m'apitoyais pas sur mon propre sort.

Il lui caressait doucement le visage du revers de la main tout en l'écoutant avec attention.

— J'avais la sensation de reprendre le contrôle de mon existence. Je devais m'occuper de Pilar, c'était déjà ça.

— Et bientôt, grâce à toi, elle rentrera chez elle.

Nicole soupira.

— Ce sera dur de la voir partir, tu sais. Elle compte beaucoup pour moi.

— Je n'en doute pas, répliqua-t-il avec un regard plein d'empathie qui la bouleversa.

Parler à Daniel, le sentir attentif et touché par ses propos lui faisait un bien fou, le poids de ses souvenirs de captivité se levait petit à petit.

Avec lui elle était en sécurité, protégée. Elle était… aimée ?

Elle le fixa droit dans les yeux. Certes, il avait admis ressentir une attirance physique mais avait refusé de lui parler de sentiments. Pourtant, s'il n'avait rien éprouvé pour elle, il ne l'aurait pas regardée ainsi. Ou bien cherchait-elle à s'en convaincre ?

Soudain, elle eut une envie irrépressible de l'embrasser. Elle passa la main dans ses cheveux et l'attira à lui. Il laissa échapper un soupir de plaisir et inclina la tête pour intensifier encore ce baiser. C'était un baiser d'une tendresse infinie, la chaleur et la douceur de ses lèvres agissaient comme un baume sur son âme et son corps. La tension refluait, elle se détendait et se sentait bien, enfin. Une seule fois dans sa vie elle avait éprouvé ce même sentiment d'apaisement et de sécurité. C'était cinq ans plus tôt, à La Nouvelle-Orléans, quand elle avait passé la nuit avec lui, déjà.

Après cette nuit, elle s'était consacrée à corps perdu à sa carrière d'infirmière humanitaire. Elle avait vécu beaucoup d'émotions différentes, très fortes, mais seul Daniel était capable de lui procurer cette sensation d'accomplissement.

Elle continua à passer les mains dans ses cheveux soyeux, savoura encore et encore la sensation d'être contre lui et de sentir le désir naître en elle.

Après un long moment, il redressa doucement la tête et la regarda.

— Ça va mieux ? Plus de souvenirs désagréables ?

— Non, grâce à toi, répondit-elle en laissant courir le bout de ses doigts le long de sa joue.

— Tu es très forte, ma chérie, n'en doute jamais, dit-il en lui déposant de petits baisers sur le bout du nez et sur le front.

Elle passa les bras autour de ses épaules et le serra fort encore une fois, avec l'envie de prolonger éternellement ce moment.

Mais alors, un cri effrayé retentit. Tous deux se redressèrent. Elle fut la première à se lever et à se précipiter vers l'échelle.

— Daniel ! criait Pilar, Daniel !

— Pilar ? lança à son tour Nicole en commençant à descendre les échelons.

Elle entra presque en collision avec la fillette qui montait dans l'autre sens.

— *Mija*, qu'est-ce qui se passe ? *Qué te pasa ?*

Pilar s'accrocha à sa jambe puis désigna l'eau.

— *Una serpiente ! Una serpiente !*

Nicole descendit d'un échelon pour être à sa hauteur et regarda en direction du bayou. Elle aperçut en effet un serpent qui s'éloignait en nageant, son long corps se tortillant dans les eaux boueuses. Cette vision était un peu effrayante.

— Il est parti. Tout va bien, *mija*.

Elle incita Pilar à redescendre l'échelle et en fit de même pour que Daniel puisse les rejoindre.

— A quoi ressemblait-il ? demanda-t-il une fois qu'il eut mis le pied sur le ponton. Quelle forme avait sa tête ?

Elle lui retourna un regard perplexe.

— Une forme de tête de serpent. Ces animaux se ressemblent tous !

Elle passa un bras autour des épaules de Pilar et ajouta :

— Il était très gros. Il y avait de quoi avoir peur.

Il les regarda tour à tour.

— Bien, je suppose que notre visiteur a quelque peu refroidi votre ardeur pour la pêche.

Nicole acquiesça.

— Je crois, oui.

Il leur retourna un regard compréhensif, ramassa les cannes à pêche et commença à rassembler leurs affaires.

Daniel s'installa à la table de la cuisine pour déguster les cookies que Pilar et Nicole avaient préparés ensemble. En vérité, il bénéficiait d'un poste d'observation idéal sur Nicole, qui était assise sur le canapé et lisait un livre à Pilar. Celle-ci était blottie contre elle, tandis que Boudreaux se pelotonnait à ses pieds.

Avant, c'était déjà difficile pour lui d'oublier sa présence.

Désormais, c'était impossible. Il se passa la main sur le visage et soupira. Au cours des jours précédents, elle avait fait tomber toutes les barrières qu'il avait érigées autour de lui. Il ne pouvait plus nier la place considérable qu'elle avait prise dans sa vie. Il ne pouvait plus nier non plus qu'il avait une peur monstre de la perdre de nouveau.

D'autant qu'entre eux, tout restait en suspens, si bien qu'il risquait bel et bien de la perdre encore une fois. *Non !*

Quand il l'avait découverte complètement terrorisée dans la salle de bains de la cabane, il en avait été complètement retourné. Ses confidences lui avaient fait prendre conscience du calvaire qu'elle avait vécu et surtout qu'il était passé très près de ne jamais la revoir.

Il avait eu du mal à supporter de la sentir aussi affectée par les stigmates de sa captivité, il aurait voulu être capable de prendre sa douleur pour l'en soulager. Au lieu de cela, il n'avait fait que lui offrir son épaule et lui réciter des platitudes. Il s'était senti bien démuni.

Il prit un cookie d'un air absent et le mangea sans en apprécier la saveur tant il était préoccupé. A bien y réfléchir, tout ce qu'il avait entrepris ces cinq dernières années n'avait eu qu'un seul but : lui faire oublier Nicole. Alors maintenant qu'il l'avait retrouvée et qu'elle avait réveillé en lui les sentiments qu'il s'était efforcé de repousser, il ne savait plus quoi faire.

Et puis, elle lui avait assuré que, ce fameux matin à l'hôtel, il s'était trompé sur son comportement. Cela n'avait pas manqué non plus de l'ébranler. Elle lui avait affirmé que ses sentiments pour lui étaient sincères, qu'elle ne s'était pas servie de lui contre son père, qu'elle n'avait jamais eu de préjugés sur ses origines cajuns. Si c'était la vérité, il avait provoqué un énorme gâchis en renonçant à ce qu'il avait connu de plus précieux.

— Pauvre idiot, marmonna-t-il tout bas, en colère contre lui-même.

Il repoussa le plat de cookies, s'appuya contre le dossier de sa chaise, croisa les bras et écouta Nicole prononcer des mots pour que Pilar les répète.

— Chemise.

— Chemise, répéta Pilar.

— Chaussures.

— Chaussures.

— Chaussettes.

Il sentit alors quelque chose de doux lui caresser les jambes. Il baissa la tête et découvrit Oreo qui levait vers lui des yeux tout ronds. Lamby, le petit agneau en plastique, était par terre à côté de lui. Pas de doute, le chat avait envie de jouer. Il ramassa l'agneau en plastique et le lança à travers le salon. Oreo partit le chercher au quart de tour.

Quand elle vit passer le chat, Pilar se redressa et sourit.

— Oreo !

Elle était prête à courir derrière lui, mais Nicole la rattrapa par l'élastique de son pyjama.

— Non, non, non, il est l'heure d'aller au lit.

Pilar connaissait déjà l'expression « aller au lit » et fit une petite moue de canard pour marquer sa désapprobation.

Nicole se tourna vers lui et lui adressa un regard mécontent.

— Quant à toi, merci de lui donner envie de jouer alors que je viens de passer une demi-heure à la calmer pour pouvoir la mettre au lit.

Il leva les mains et prit un air offensé.

Elle ne put s'empêcher de sourire : elle ne lui en voulait pas tant que ça.

Néanmoins, pour se faire pardonner, il se leva et tapa

dans ses mains, comme le faisait son père quand il était petit dans des circonstances similaires.

— Allez petite, il est temps d'aller au dodo.

Pilar continuait de faire la moue. Aussi, il attrapa la canne de sa grand-mère, qu'il avait trouvée dans un placard, traversa la pièce en faisant une grimace faussement menaçante, prit Pilar sous son bras et la souleva comme un sac de patates. La fillette poussa un gloussement de surprise puis battit des jambes en riant tandis qu'il l'emmenait ainsi dans sa chambre.

Nicole les suivit en grommelant.

— Elle ne va jamais s'endormir, maintenant.

Il laissa tomber Pilar sur la pile d'oreillers et de couvertures. Les éclats de rire de la fillette le faisaient complètement fondre. Quand Pilar rentrerait chez elle, Nicole ne serait pas la seule à qui elle manquerait.

— Allez, maintenant, fais dodo, dit-il en fronçant exagérément les sourcils. *Duérmete.*

Il se retourna pour sortir de la pièce et s'arrêta à côté de Nicole, qui était restée sur le pas de la porte. Tous deux regardèrent Pilar mettre les couvertures et son oreiller en place.

— A ton avis, de quoi rêvent les petites filles la nuit ? lui demanda-t-il à voix basse.

Elle lui sourit.

— De la même chose que les grandes. Etre heureuses, épanouies, et de se marier avec Justin Bieber.

— Avec qui ?

Nicole leva les yeux au plafond.

Pilar posa la tête sur son oreiller et remonta les draps sous son menton. Nicole s'approcha du lit et se pencha pour embrasser la fillette.

— Bonne nuit, *mija*. Dors bien.

Une fois que Nicole fut sortie, Daniel éteignit la lumière

et ferma la porte. La dernière fois que Pilar était allée se coucher avant eux, ils avaient fait l'amour. Aussi, regarda-t-il Nicole avec un air entendu.

— A ton avis, combien de temps va-t-elle mettre pour s'endormir ?

Elle lui posa une main sur le torse et lui adressa un sourire faussement effarouché.

— Beaucoup trop longtemps.

Une demi-heure plus tard, Nicole avait terminé de remettre la cuisine en ordre et se laissa tomber sur le canapé à côté de Daniel.

Il ouvrit les bras et tapota son épaule. Elle accepta avec joie son invitation à venir se blottir contre lui.

— En fait... j'ai remarqué que, depuis le début de la semaine, tu as souvent parlé cajun.

Elle leva la tête pour jauger sa réaction.

Il se raidit légèrement.

— Ça t'ennuie ?

— Pas du tout, même si des fois je me dis que Pilar risque d'être un peu perdue alors qu'elle essaie déjà d'apprendre l'anglais, mais c'est un détail. Mais... je n'ai pas souvenir que, dans le passé, tu le faisais.

— Je ne le faisais jamais. Hormis quand j'étais avec ma grand-mère, je ne parlais jamais français et je m'efforçais de m'exprimer sans l'accent cajun.

— Pourquoi ?

Il eut un petit rire amer.

— Tu as vraiment besoin de poser la question ?

— Oui, on dirait bien.

Il poussa un long soupir, comme si devoir s'expliquer lui pesait.

— Tu connais les stéréotypes qui sont véhiculés sur

les Cajuns de Louisiane. Nous sommes une communauté sous-éduquée… ce qui, dans une certaine mesure, est vrai. Beaucoup de gens du coin, notamment les plus âgés, ne sont pas allés à l'école très longtemps étant donné que pour la plupart, ils vivent de l'agriculture ou de l'élevage d'huîtres, d'écrevisses ou de crevettes. D'autres encore chassent l'alligator pour revendre les peaux. Mais cela ne signifie pas pour autant que nous sommes tous des idiots, finit-il en la fixant droit dans les yeux.

— Je le sais bien.

— Et pourtant, beaucoup de gens, surtout ici en Louisiane, continuent à faire des plaisanteries sur nous.

— Tant qu'il y aura de l'ignorance et de la méchanceté, il y aura des blagues racistes, et pas seulement à l'encontre des Cajuns.

— Ouais, d'accord… mais on nous voit aussi comme des arriérés, pour la simple raison que nos aînés restent à l'écart des technologies modernes.

— Une autre façon de présenter les choses est qu'ils s'efforcent de préserver leurs traditions pour essayer de les transmettre. Le fait que des gens aiment suffisamment leur culture et leur histoire pour agir ainsi me plaît.

— Je… commença-t-il avant de se raviser, ne trouvant apparemment pas de contre-argument. Il n'empêche, reprit-il, que la plupart des gens ont des idées préconçues sur les Cajuns. Rappelle-toi par exemple le soir où nous nous sommes vus pour la toute première fois. Le type qui t'accompagnait a commencé à m'appeler Boudreaux dès qu'il a entendu mon accent et su d'où je venais.

— Grant Holbrook ne vaut pas la peine qu'on s'appesantisse sur son cas. D'ailleurs, je l'ai compris dès qu'il m'a laissée tomber quand je lui ai dit que je refusais d'abandonner le chaton pris au piège sur le toit de ma maison.

Daniel eut un nouveau petit rire.

— Ouais, en fait, Holbrook m'a rendu service. Il m'a fait comprendre que je devais faire en sorte d'éviter que les gens me perçoivent négativement. Il fallait que je m'exprime sans l'accent du bayou, que je sois le meilleur dans tout ce que j'entreprenais. J'étais déterminé à tordre le cou aux préjugés, à ne pas laisser mes origines m'empêcher d'atteindre mes objectifs.

Elle se redressa, s'écarta de quelques centimètres de lui et le dévisagea.

— Tu sais ce que je crois ?

Il haussa les sourcils et fit un petit signe de tête pour l'inviter à continuer.

— Je crois qu'au fond, c'est toi qui as un problème avec tes racines.

Il manqua s'étouffer.

— Mince alors !

— Mais oui, c'est évident que tu es très susceptible sur la question. Il y a cinq ans, tu as conclu au pire sur la foi de quelques bribes de conversation entendues avec mon père. Et là, ton discours sur la nécessité de se dépasser prouve au minimum que tu as un a priori négatif sur ta communauté, voire que tu rejettes ton héritage.

Il fronça les sourcils.

— Vouloir faire de mon mieux, être le meilleur ne signifie pas que j'ai une image négative de mes racines, répliqua-t-il. J'ai toujours adoré ma grand-mère et tout ce qu'elle m'a appris sur le bayou.

— Je ne dis pas que tu n'aimes pas ta famille mais…

— *Mais* même mes parents ont compris que, s'ils voulaient progresser dans la vie et m'offrir le meilleur, ils devaient quitter le bayou. Les Cajuns ont toujours vécu isolés, à différents niveaux. Par leur langue, leur situation géographique, leurs traditions, leur mode de vie…

— Mais c'est pareil pour d'autres communautés. Pense aux Amish en Pennsylvanie et dans l'Ohio, aux Juifs hassidiques de New York…

— D'accord, un point pour toi ! la coupa-t-il. Mais ça ne change rien au fait qu'être issu d'une de ces communautés, c'est être exposé aux stéréotypes. Moi, j'ai décidé de m'en prémunir, car je préfère éliminer les obstacles avant qu'ils ne me causent des problèmes.

Elle secoua la tête et le contempla avec le cœur lourd.

— Et moi je déplore que tu aies vu ton héritage comme un problème plutôt que comme une force.

— Je ne…

Il fut interrompu par la sonnerie de son téléphone et consulta l'écran.

— C'est Jake.

Elle se redressa, impatiente de savoir ce que Jake avait appris.

— LeCroix.

Elle observa de près l'expression de Daniel pour deviner la teneur des propos de Jake.

— Des nouvelles du juge ?

Daniel appliqua l'appareil contre son oreille et se boucha l'autre du doigt, comme si la liaison était mauvaise. Après quelques secondes, il releva la tête, croisa son regard interrogateur et lui fit un signe encourageant.

— Parfait.

Il fronça alors les sourcils et elle redouta un instant que l'enthousiasme initial soit douché.

— Non, non, je comprends, reprit Daniel. Ne quitte pas.

Il se tourna vers elle et déclara :

— Va réveiller Pilar. Jake est avec son père et ce

dernier souhaite lui parler pour avoir la certitude qu'elle est bien avec nous et qu'elle n'est pas en danger.

La méfiance du juge était légitime, songea-t-elle. Elle acquiesça et se leva.

— J'y vais.

Elle ouvrit doucement la porte de la chambre où Pilar dormait paisiblement. Elle s'approcha du lit, repoussa une mèche de cheveux du visage de la fillette et prononça doucement son nom.

— Pilar, *mija*, réveille-toi.

Elle dut répéter son nom plusieurs fois pour que la fillette se réveille véritablement. Quand, enfin, elle eut son attention, elle lui fit signe de la suivre, la prit par la main et revint dans le salon avec elle.

Eblouie par la lumière, Pilar battit plusieurs fois des paupières puis regarda Daniel avec appréhension.

Il lui tendit le téléphone en souriant pour la rassurer.

— Ton papa veut te parler, lui dit-il dans un espagnol impeccable.

— *Papi ?* répliqua Pilar en s'emparant du téléphone. *Papi ? Papi !*

Nicole fut bouleversée par le regard de la fillette qui passa de l'espoir à la joie pure. Elle en eut les larmes aux yeux.

Elle ne comprit pas tout ce que Pilar dit à son père mais saisit les grandes lignes. Oui, elle allait bien, mademoiselle Nicole avait bien pris soin d'elle, elle faisait de son mieux pour être courageuse. Il lui manquait, tout comme sa mère et sa sœur. Après ces dernières paroles, la fillette éclata en sanglots. Elle avait vu sa mère et sa sœur mourir devant ses yeux, se rappela Nicole.

Elle s'approcha de la petite et lui passa un bras autour des épaules pour la réconforter.

— *Te quiero*, je t'aime, dit Pilar à son père avant de redonner le téléphone à Daniel.

Celui-ci lui passa affectueusement la main sur les cheveux avec un sourire et porta de nouveau le téléphone à son oreille.

— Jake ?

Pilar enfouit son visage tout contre Nicole qui la serra dans ses bras et lui caressa doucement le dos tandis qu'elle suivait la fin de la conversation de Daniel.

— Tu crois ? Il te fera confiance ?

Nicole vit son visage se détendre, ce qui lui parut bon signe.

Daniel baissa la tête pour se concentrer sur ce que lui disait Jake.

— Il te faudra combien de temps pour le faire sortir du pays ? reprit-il en se mettant à arpenter le salon. Je pense que le mieux est de déterminer un endroit sûr et neutre. Un endroit à l'écart, de préférence.

Elle essaya de capter son attention avec des signes de la main.

« Pourquoi pas ici ? » articula-t-elle silencieusement.

Il lui fit non de la tête puis reprit à l'intention de Jake :

— Bonne idée. Je vais m'arranger pour trouver un bateau.

Un bateau ? Elle était perplexe.

— Quand seras-tu sur place ? Pour atteindre les eaux internationales, il nous faudra deux bonnes heures.

Elle battit des paupières. Ils allaient se rendre en bateau au milieu du golfe du Mexique ?

— D'accord. Envoie-moi les coordonnées GPS du point de rendez-vous dès que possible. Ouais, ça marche, on se retrouve là-bas, alors.

Il mit fin à la communication puis releva la tête en soupirant.

— Nous allons emmener Pilar retrouver son père dans le golfe du Mexique ?

Il acquiesça.

— Oui, c'est l'idée, répondit-il, pensif. Il faut que je loue un bateau pour demain soir. Nous sommes censés retrouver Jake et Castillo dans trente-six heures environ.

— Nous pouvons emprunter le yacht de mon père. Quand il ne s'en sert pas, il est en mouillage au port de Grand Isle.

Elle tendit la main pour lui demander son portable et reprit :

— Je l'appelle immédiatement pour régler les détails.

Il secoua négativement la tête et rangea son téléphone dans sa poche.

— Je t'ai déjà dit que je refusais de l'impliquer dans cette histoire. Personne ne doit savoir ce que nous allons entreprendre.

— Mais il ne va pas…

Elle s'interrompit. Elle n'avait pas envie que Pilar assiste à leur explication et devait d'abord raccompagner la fillette au lit.

Elle la prit par les épaules et lui dit avec un sourire :

— Tu vas revoir ton père, *papi*, très bientôt. Promis. *Pronto.*

Pilar acquiesça avec un regard plein d'espoir. Que comprenait-elle exactement de tout cela ? se demanda Nicole. Son père lui avait-il donné la moindre explication lors de leur brève conversation ?

Elle raccompagna Pilar au lit, l'embrassa et attendit qu'elle ferme les yeux et que sa respiration devienne régulière et apaisée. Mentalement, elle préparait ses arguments pour convaincre Daniel d'accepter qu'elle parle à son père de leurs projets et qu'il leur vienne en aide. Un seul coup de fil suffirait pour qu'un yacht tout confort avec le plein de carburant les attende dans quelques heures.

Elle déposa un petit baiser sur le front de Pilar, sortit de la chambre sur la pointe des pieds et retourna dans le salon. Elle se posta bras croisés face à Daniel et déclara de but en blanc :

— Je fais confiance à mon père.

— Tant mieux pour toi, répondit-il sans lever les yeux de la carte qu'il avait dépliée devant lui. Parce que moi pas.

— Normal puisqu'il est comme toi.

Cette fois-ci, il releva la tête en fronçant les sourcils.

— Pardon ?

— Si tu détestes mon père, c'est parce qu'il a interféré il y a cinq ans pour nous séparer et plus récemment parce qu'il a fait sauter ta couverture en Colombie. Dans les deux cas, il l'a fait pour me protéger. La seconde fois, il s'y est certainement très mal pris, mais il s'est indéniablement mis en danger pour tenter de me sauver la vie. Pour toi, c'est pareil : tu as pris d'énormes risques pour me sauver la vie. J'en conclus donc qu'à votre manière, vous tenez tous les deux à moi.

Il avait le visage fermé.

— Je ne nie pas tenir à toi, mais je n'ai aucun point commun avec ton père.

Elle ignora sa réponse, alla s'asseoir à côté de lui et leva les mains en signe d'impuissance.

— Et moi, il se trouve que je tiens à vous deux. Je vous *aime* tous les deux.

Sa réaction à cette affirmation ne lui échappa pas. Il s'efforçait de rester impassible mais, un bref instant, son expression s'était altérée, comme s'il avait reçu une décharge électrique.

De nouveau, il baissa les yeux sur sa carte, mais il

avait des mouvements secs et nerveux qui trahissaient son trouble.

— Moins il y aura de gens impliqués dans cette opération, plus grandes seront nos chances de rendre Pilar à son père sans incident.

Il lui jeta un regard en coin et ajouta :

— C'est bien ce que tu veux, n'est-ce pas ?

— Bien sûr, mais mon père connaît déjà l'existence de Pilar et du juge Castillo. Que nous le sollicitions pour qu'il nous prête son bateau ne changera donc globalement rien.

Elle tendit la main pour qu'il lui prête son téléphone et insista :

— Laisse-moi l'appeler. Nous n'avons pas le temps de chercher un autre bateau à louer et nous risquons d'arriver en retard au rendez-vous fixé par Jake. Alors que là, je n'aurai qu'à lui demander d'avertir le directeur de la marina de tenir les clés à notre disposition.

Il la regarda longuement avec intensité. Finalement, il poussa un grognement et, de mauvaise grâce, sortit son téléphone et le lui tendit.

— Préviens-le qu'il ne doit en aucun cas parler de cette opération à qui que ce soit. Il faut qu'il demande au directeur de la marina de tenir le bateau prêt à partir demain à l'aube sans lui donner le moindre détail.

Elle acquiesça en lui souriant, mais en s'appliquant à ne pas paraître triomphante. Sa capitulation était certes une petite victoire, mais cela ne signifiait pas que la guerre entre son père et Daniel était terminée.

C'était néanmoins un pas dans la bonne direction. Tout espoir n'était pas perdu.

13

Le plan était simple : aller à Grand Isle, embarquer sur le bateau du sénateur White, naviguer jusqu'au point de rendez-vous fixé par Jake dans le golfe, rendre Pilar à son père. Ensuite, Jake se chargerait de raccompagner en toute discrétion et par les mêmes moyens Pilar et le juge Castillo en Colombie. Nicole n'aurait plus la charge de veiller sur Pilar et verrait sans doute disparaître la menace qui pesait sur elle. Elle n'aurait donc plus besoin de protection rapprochée.

Daniel aurait dû se sentir soulagé de cette issue prochaine. Sa mission serait bientôt accomplie.

Pourtant, il avait la poitrine tellement comprimée par l'émotion qu'il en avait du mal à respirer et les nerfs à fleur de peau.

Nicole était assise sur le siège passager de la voiture de location et ne disait pas un mot. Il avait choisi une agence de location de Baton Rouge qui avait envoyé un chauffeur les chercher à la maison de sa grand-mère et qui les raccompagnerait une fois qu'ils auraient rendu le véhicule. Il jeta un regard à Nicole.

« Je vous aime tous les deux. »

Il avait passé la moitié de sa vie à attendre qu'elle lui déclare qu'elle l'aimait. Et, quand enfin elle l'avait fait, il avait fallu qu'une fois encore, l'ombre de son père vienne planer sur cet aveu. Pire, il devait partager cette déclaration d'amour avec ce type. Il serra les dents. Il n'avait pas le droit de demander à Nicole d'écarter son père de sa vie. Il devrait toujours composer avec la présence de cet homme qui n'avait pas hésité à le livrer à des tueurs.

Irrité et impatient de prendre la mer, il se tortilla sur son siège pour changer de position.

— Nous sommes presque arrivés, intervint Nicole qui semblait deviner son état d'esprit. La marina se situe à quelques centaines de mètres après le prochain carrefour.

Il acquiesça et leva les yeux vers son rétroviseur pour voir ce que faisait Pilar. La fillette semblait tout aussi impatiente. Il sentit son cœur se serrer. Elle allait lui manquer. N'était-ce d'ailleurs pas une bonne leçon ? Un agent des services secrets endurci et habitué aux missions d'infiltration ému par une innocente fillette. Il y avait là matière à réflexion.

— *Pronto*, petite, *pronto.*

La fillette sourit et fit oui de la tête.

Quand ils arrivèrent à la marina, Nicole lui indiqua le parking et pointa du doigt le yacht arrimé au ponton face à eux.

— Voilà, c'est le *Bonne Fortune.*

Il coupa le moteur et contempla le bateau.

— Le directeur de la marina a les clés ?

— En principe, oui. Je vais les chercher et je vous retrouve ici.

Il sortit de voiture et prit la canne qu'il utilisait depuis deux jours. Le parking était couvert de petits coquillages et il devait donc faire attention où il mettait les pieds. Soudain, il entendit Nicole pousser un cri de surprise.

Il leva la tête pour voir ce qui l'avait fait réagir et aperçut alors le sénateur White qui s'avançait vers eux, suivi de deux hommes de type hispanique.

Il fut immédiatement en alerte, bouillant de colère.

Il avait clairement fait comprendre à Nicole que personne ne devait savoir ce qu'ils allaient faire. Elle était censée demander à son père de prendre les dispositions nécessaires pour qu'ils puissent emprunter son bateau et ne rien ajouter d'autre.

Etait-elle passée outre ses directives ? L'avait-elle trahi encore une fois ?

Il était tellement furieux qu'en quelques secondes, tout lui parut clair : Nicole finirait toujours par se ranger derrière son père, elle ne supporterait pas qu'il se méfie de lui en permanence. Ce qui signifiait que, pour eux, il n'y avait pas d'avenir.

Il déglutit pour contenir sa colère et sa frustration et se tourna vers elle.

— Je t'ai déjà dit qu'on ne pouvait pas faire confiance à ton père. Il semblerait que je ne puisse pas non plus me fier à toi.

Elle lui retourna un regard blessé et ouvrit la bouche pour se défendre. Mais c'était inutile, il savait déjà à quoi s'en tenir.

Emmène Pilar au bateau, lui ordonna t il. Je m'en occupe.

Il s'avança vers les trois hommes, vexé d'apparaître en état de faiblesse à cause de son genou. De sa main libre, il entrouvrit la fermeture Eclair de sa veste pour pouvoir sortir plus facilement son arme, au cas où… Il entendit des pas derrière lui. Nicole et Pilar le suivaient au lieu d'aller au yacht.

Il se retourna et foudroya Nicole du regard. Mais elle ne cilla pas et déclara :

— C'est *mon* père. *Je* vais lui parler.

— Nicole, ma chérie, comment vas-tu ? demanda le sénateur White en s'avançant vers elle.

Il ouvrit les bras pour la serrer contre lui, mais elle se contenta de lui retourner un petit sourire crispé.

— Papa, qu'est-ce que tu fais ici ? Je t'ai dit que nous n'avions pas besoin d'aide pour nous servir du *Bonne Fortune*.

Le sénateur inclina la tête et répliqua :

— Moi non plus je n'ai besoin de personne pour piloter mon yacht et je préfère m'en charger moi-même. Par ailleurs, je me suis dit que ce serait l'occasion d'apprendre à mieux connaître ton monsieur LeCroix.

Son monsieur LeCroix ? Qu'entendait-il par là ? se demanda Daniel qui laissa néanmoins son interrogation de côté. Qui étaient les deux types qui accompagnaient le sénateur ?

— Vous êtes qui ? leur lança-t-il d'un ton brusque.

— Ramon Diaz, répondit le plus grand des deux hommes. Je suis attaché à l'ambassade de Colombie et je travaille en collaboration avec le sénateur et mademoiselle White pour organiser le retour de Pilar Castillo dans notre pays. Et voici Jorge Menendez, mon... associé, hésita-t-il en présentant l'homme de petite taille mais tout en muscles à côté de lui.

Daniel scruta Menendez de la tête aux pieds. La bosse sous sa veste trahissait sans aucun doute la présence d'une arme et, à la façon dont il les observait, le terme de garde du corps aurait été plus approprié pour le décrire que celui d'associé.

Diaz se tourna vers Pilar, qui se pelotonnait tout contre les jambes de Nicole et le regardait d'un air méfiant.

— Je suppose que c'est la petite Pilar, déclara-t-il.

Nicole acquiesça et serra la main de Diaz.

— Qu'est-ce qui vous amène ici aujourd'hui, monsieur Diaz ? lui demanda-t-elle.

L'attaché de l'ambassade partit d'un petit rire.

— Je pensais que c'était évident. Pilar Castillo est une citoyenne colombienne, je suis donc ici pour la placer sous ma garde jusqu'à son retour dans notre pays.

Daniel se crispa et jeta un œil à Nicole. Elle était également sur ses gardes.

— Cela fait plusieurs jours que nous sommes à La Nouvelle-Orléans pour que vous puissiez nous remettre la petite. Mais vous avez brusquement disparu avec elle.

Daniel le dévisagea. S'il était effectivement ici pour récupérer Pilar, pourquoi avait-il éprouvé le besoin de venir accompagné d'un garde du corps ? Cet homme était-il là pour le protéger ou protéger la petite ? Redoutait-il que, de nouveau, des types surgissent pour tenter de s'emparer de Pilar ?

— Comment avez-vous su que nous serions là ? s'enquit Nicole.

Il se posait la même question.

— C'est votre père qui me l'a dit, répondit Diaz sans détour.

Nicole tourna un regard abasourdi vers son père, qui baissa la tête d'un air coupable.

— Je l'ai appelé pour savoir s'il avait eu de vos nouvelles, développa Diaz, et il m'a parlé de votre projet de sortie en mer.

vyez menacé d'aller voir les médias en leur racontant que j'étais complice d'enlèvement et de dissimulation d'immigrant clandestin, intervint le sénateur qui tourna ensuite un regard plein de regrets vers Nicole. Je suis désolée, ma chérie. Je suis déjà en mauvaise posture, et je n'ai vraiment pas besoin d'un nouveau scandale.

Nicole posa un regard noir sur son père, puis se tourna vers Diaz et lui sourit brièvement :

— Eh bien, en fait, même si j'apprécie vos efforts pour tenter de localiser le père de Pilar, je dois vous apprendre que nous n'avons plus besoin de vous. Nous avons retrouvé le juge Castillo et nous sommes censés le rencontrer pour lui remettre directement sa fille.

Intérieurement, Daniel jura. Bon sang, pourquoi lui dévoilait-elle leurs projets ? C'était trop prématuré, tout pouvait encore basculer. Attaché d'ambassade ou pas, Diaz était avant tout un homme qu'il ne connaissait pas. Il ne lui faisait pas du tout confiance.

Diaz et Menendez échangèrent un regard de surprise.

— Castillo va venir ici ? demanda Menendez.

— Non, répliqua Nicole, c'est nous qui allons à sa rencontre.

— Où ? demanda Diaz.

— Peu importe, intervint Daniel avant que Nicole ne puisse répondre. Tout est sous contrôle, votre ambassade n'a donc pas à se mêler de cette affaire.

— Vous êtes LeCroix, n'est-ce pas ? lui demanda Diaz en se tournant vers lui. A vrai dire, nous sommes déjà impliqués… comme l'exige le protocole diplomatique.

Il plissa les yeux, mit les mains dans ses poches et prit une expression détachée.

— Cependant, je suis quelqu'un de raisonnable. Si vous avez déjà pris vos dispositions pour remettre Pilar à son père, il n'y a aucune raison de changer vos plans.

Diaz n'allait pas en rester là, il le sentit immédiatement. Mais Nicole avait cru à ses boniments. Elle poussa un soupir de soulagement et répondit :

— Merci.

— A une seule condition, rétorqua l'attaché.

Le sourire de Nicole s'effaça instantanément.

— Laquelle ?

— Nous vous accompagnons pour vérifier que tout se passe dans les règles au nom du gouvernement colombien.

Daniel serra le manche de sa canne pour se maîtriser.

— Hors de question.

Nicole tourna vivement la tête vers lui.

— Daniel, pourquoi…

— C'est non. Nous y allons seuls, comme prévu.

Il la fixa droit dans les yeux pour l'implorer de s'en remettre à lui. Même si leur plan de départ avait été divulgué, il pouvait encore sauver l'essentiel. Il fallait que Pilar retrouve son père, c'était tout ce qui comptait. Mais il avait besoin de l'appui de Nicole.

Diaz poussa un soupir d'impatience.

— Ecoutez, vous avez deux solutions : soit vous nous laissez vous accompagner, soit j'appelle le shérif du comté et les gardes-côtes et je vous fais inculper pour enlèvement et mise en danger de la vie d'autrui. Cette affaire virera à l'incident diplomatique car, évidemment, j'en appellerai à la responsabilité de votre gouvernement.

— Hé, attendez un peu, intervint à son tour le sénateur White en pointant Diaz du doigt.

— Papa, le coupa Nicole en lui posant la main sur le bras pour le calmer.

Elle se tourna de nouveau vers Diaz et lui offrit un sourire conciliant.

— Ecoutez, monsieur Diaz, nous pouvons très bien vous apporter la preuve que tout aura été fait dans les règles. Nous prendrons des photos de Pilar avec son père, nous…

— Les photos, ça se trafique, l'interrompit Menendez.

Daniel commençait à perdre patience.

— Nous tournons en rond et nous perdons un temps précieux.

Le regard de Pilar passait de l'un à l'autre. Elle sentait bien à leur attitude que la tension était à son comble. Daniel l'observa quelques secondes. Encore une fois, ils étaient là avant tout pour qu'elle puisse retrouver son père. Certes, la présence de Diaz et de son acolyte compliquait la situation, mais il pouvait s'en débrouiller.

Même s'il détestait devoir changer de plan en dernière minute, il était hors de question que cette opération capote pour de sombres raisons diplomatiques et surtout qu'une fillette de huit ans en soit victime. Il s'efforça de sourire à Diaz et déclara :

— C'est bon, vous pouvez nous accompagner pour superviser l'opération.

Il désigna Menendez de la tête et ajouta :

— En revanche, votre *associé* reste ici. C'est à prendre ou à laisser.

Menendez lui retourna un regard noir. Puis, il se tourna vers Diaz et tous deux parurent délibérer en silence. Diaz se gratta l'arête du nez puis déclara enfin :

— Très bien, il reste ici.

Menendez n'était clairement pas d'accord.

— Diaz…

Le diplomate leva la main pour interrompre son associé.

— Pouvons-nous y aller, maintenant ?

Le sénateur White posa une main sur l'épaule de Nicole et invita tout le monde à se diriger vers le ponton, comme s'il redoutait que les choses finissent par mal tourner s'ils ne se dépêchaient pas.

Daniel allait protester mais se ravisa. Si un problème survenait, mieux valait que le père de Nicole soit avec eux sur le *Bonne Fortune* que seul en compagnie de Menendez. Il se résigna à ce qu'il les accompagne, malgré son appréhension.

Il resta quelques mètres derrière le petit groupe qui se dirigeait vers le bateau et sortit discrètement son portable, dans l'espoir de pouvoir prévenir Jake des changements survenus.

Mais, il n'y avait pas de réseau et les radios à ondes

courtes qu'ils avaient emportées ne fonctionneraient que quand Jake et Castillo seraient à quelques milles nautiques.

Il rejoignit le petit groupe et, au moment où Diaz allait pénétrer dans la cabine du bateau, le retint, le palpa avec expérience et ne mit pas longtemps à découvrir le Beretta neuf millimètres qu'il avait dissimulé sous sa veste. Il le confisqua, malgré les protestations du diplomate.

— Nous allons seulement remettre une gamine à son père. A quoi vous servirait une arme ? lui demanda-t-il fraîchement.

— Les gens qui ont enlevé Pilar à Bogota et ont de nouveau tenté de la kidnapper à La Nouvelle-Orléans peuvent surgir à tout moment, se justifia Diaz.

— J'y ai pensé et j'ai pris mes précautions, rétorqua Daniel en fixant le diplomate droit dans les yeux.

Puis, il lui fit signe de pénétrer dans la cabine.

Tandis que le sénateur prenait les commandes et les faisait sortir de la marina, Nicole aida Pilar à passer un gilet de sauvetage. Puis elle leur indiqua, à Diaz et à lui, où étaient les autres gilets en cas d'urgence. Elle sortit ensuite sur le pont avec la fillette. Pilar voulait voir les vagues. Diaz les suivit et s'installa dans un transat.

Daniel, lui, rejoignit le sénateur au poste de pilotage et, en élevant la voix pour se faire entendre par-dessus le bruit du moteur, lui demanda :

— Avez-vous des armes à bord ?

Le sénateur lui jeta un regard troublé puis désigna un compartiment à côté d'eux.

— J'ai un colt .45 qui appartenait à mon grand-père. Je me suis dit que c'était plus prudent de se munir d'un moyen de défense étant donné que, dernièrement, plusieurs incidents ont eu lieu dans le golfe.

Daniel haussa un sourcil.

— Si vous faites référence aux trafiquants qui tentent de faire passer leur marchandise par le golfe, je doute qu'un colt à six coups vous soit d'une grande utilité. Néanmoins, gardez cette arme à portée de main. On ne sait jamais.

Le sénateur le regarda longuement et finit par déclarer :

— Ecoutez, LeCroix, je sais qu'il y a un contentieux entre nous et vous avez parfaitement le droit de me détester pour ce que j'ai fait.

Daniel se contenta de lui adresser un bref signe de tête, puis scruta les eaux du golfe.

— Je ne suis pas fier de mon comportement, je peux vous le jurer. Toutefois, je dois vous avouer que, s'il fallait que j'agisse de la même façon pour sauver la vie de ma fille, je n'hésiterais pas une seconde. Nicole représente tout pour moi.

Daniel resta silencieux et continua de fixer l'horizon.

— Nicole a des sentiments très profonds pour vous, LeCroix.

Cette fois-ci, il ne parvint pas totalement à dissimuler sa réaction.

— Et c'est pour cette raison que je souhaiterais enterrer la hache de guerre.

Daniel tourna la tête vers lui.

— Vous souhaitez l'enterrer ou me la planter dans le dos ?

Le père de Nicole secoua la tête.

— Je désire sincèrement mettre fin aux hostilités avec vous, pour le bien de ma fille.

Daniel bougea les doigts pour se détendre, tant les propos du sénateur l'agitaient intérieurement.

— Moi aussi, j'ai de profonds sentiments pour Nicole. J'aimerais même me dire que nous avons un avenir ensemble. Cependant, les derniers événements m'ont prouvé que c'était inutile que je me fasse des illusions.

Le sénateur fronça les sourcils.

— Les derniers événements ?

— Je pense notamment à la présence de Diaz sur ce bateau. Vous avez fait passer vos intérêts personnels avant la sécurité de votre fille.

Le sénateur prit une expression scandalisée.

— Mais je n'ai pas…

— Je ne vous fais pas confiance et j'ai compris que, quand vous étiez impliqué de près ou de loin, je ne pouvais pas faire confiance à Nicole non plus.

Le sénateur redressa la tête et prit un air sévère.

— Ne vous avisez pas de douter de ce qui m'anime quand il est question de ma fille. Son bonheur et sa sécurité sont toujours mes priorités.

— Dans ce cas, prouvez-le.

Daniel griffonna sur un morceau de papier les coordonnées GPS du lieu de rendez-vous et désigna le compartiment où était rangé le colt.

— Gardez votre arme près de vous.

Tandis qu'il sortait sur le pont, il jeta un regard en arrière pour s'assurer que le sénateur suivait ses consignes. Il le vit sortir le colt et le glisser à sa ceinture. Puis le sénateur se retourna également et lui adressa un petit signe de tête.

Nicole se tenait à côté de Pilar, sur la proue du *Bonne Fortune*. Elle faisait son possible pour se détendre. L'apparition surprise de son père et de l'attaché de l'ambassade, la perspective de devoir dire au revoir à Pilar l'avaient rendue nerveuse. Pour couronner le tout, le commentaire amer de Daniel ne cessait de lui repasser en tête.

« Je t'ai déjà dit qu'on ne pouvait pas faire confiance à ton père. Il semblerait que je ne puisse pas non plus me fier à toi. »

Depuis qu'ils avaient pris la mer, il l'avait sciemment évitée. En s'occupant de Pilar, elle avait fait de son mieux pour ne pas s'appesantir sur ce nouveau rebondissement dans leurs relations tumultueuses.

La fillette semblait avoir oublié le moment de tension du départ. Elle paraissait heureuse à l'idée de revoir son père, s'amusait à suivre du regard les mouettes qui volaient autour du bateau et riait de bon cœur chaque fois que des embruns venaient lui éclabousser le visage.

Soudain, ses yeux s'agrandirent et elle pointa le doigt vers l'horizon.

— *Papi !*

D'une main, Nicole se protégea les yeux du soleil et fixa le point que désignait Pilar.

— *Mira*, Nicole. *Papi !* reprit Pilar en faisant de grands signes.

Effectivement, un petit bateau avec deux hommes à bord se dirigeait vers eux. Un des deux passagers, qui avait les cheveux noirs, se leva et répondit aux signes de Pilar. L'autre portait un chapeau de cow-boy.

Les cris de joie de la fillette attirèrent Diaz et Daniel à la proue. Daniel observa le bateau avec une paire de jumelles.

— C'est bien Jake et le juge Castillo ! Jetez l'ancre ici ! cria-t-il en se tournant vers la cabine de pilotage.

Le sénateur White acquiesça et le yacht ralentit.

Daniel prit sa radio à ondes courtes.

— *Bonne Fortune* à *Conelly.* Tu es là, cow-boy ?

— Reçu. Terminé, répondit la voix de Jake par-dessus les grésillements de la radio.

— Nous avons des passagers non prévus au départ. Terminé.

— Je vois ça. Quel est le plan ? Terminé.

Daniel jeta un regard à Diaz.

— On ne change rien. Nous jetons l'ancre ici. Terminé.

— Message reçu.

Le visage fermé, Daniel regarda le petit bateau de pêche s'approcher. Il porta de nouveau sa radio à ses lèvres et ajouta :

— Protocole grec.

Nicole fronça les sourcils et lui adressa un regard interrogatif. Daniel soutint son regard mais resta silencieux.

Le sénateur White jeta l'ancre et vint les rejoindre à la proue. Il passa un bras autour des épaules de sa fille.

— Tu t'es fort bien occupée de Pilar, ma chérie. Tu peux être fière de toi.

Nicole sentit l'émotion l'étreindre. Elle caressa doucement les cheveux de la fillette et lui fit un clin d'œil quand celle-ci lui sourit.

— C'est dur de la voir partir. Elle va beaucoup me manquer.

Son père lui posa affectueusement la main sur le bras.

— Je sais bien. Mais vous pourrez rester en contact.

Nicole se rapprocha de lui et lui passa une main autour de la taille. Elle sentit une forme sous sa ceinture. Une arme. Elle le regarda d'un air troublé.

— Une idée de LeCroix, lui dit calmement son père.

Tandis que Jake manœuvrait pour approcher au maximum le petit bateau de pêche du *Bonne Fortune*, Pilar sautait à pieds joints et tapait dans ses mains.

— *Papi !*

En retour, Mario Castillo lui souriait et lui envoyait des baisers.

— Pilar ! *Mija !*

Diaz vint se poster à côté de Nicole et de son père. Quand Castillo le vit, son sourire disparut immédiatement.

Elle eut à peine le temps de noter le changement d'expression sur le visage du juge avant que tout ne bascule.

Castillo pointa un doigt accusateur sur Diaz.

Celui-ci s'empara de l'arme glissée à la ceinture du sénateur White et la brandit en direction du bateau de pêche. Jake se jeta sur Castillo et le fit plonger de côté au moment où Diaz fit feu.

Pilar hurla. Nicole sentit une décharge d'adrénaline la parcourir et son cœur se mettre à battre à tout rompre.

Daniel sortit alors un revolver et le pointa sur Diaz.

— Lâchez votre arme !

Sur le *Conelly*, Jake prenait le juge Castillo par la taille, roulant avec lui. Tous deux tombèrent à l'eau, de l'autre côté du bateau.

Ne voyant plus sa cible, Diaz se retourna, pointant à son tour son arme sur Daniel.

Nicole tendit le bras pour attraper Pilar afin de la protéger, mais son père la saisit par les épaules et la poussa derrière lui.

— Non ! Pilar ! hurla Nicole, terrorisée à l'idée qu'il arrive malheur à la fillette.

— Nicole, ne bouge pas ! lui ordonna son père.

Diaz et Daniel se faisaient face, comme dans un duel. Nicole fixait le colt pointé sur Daniel, épouvantée que Diaz fasse feu.

— Lâchez votre arme, répéta Daniel, la voix claire, le regard froid et déterminé.

— Pas tant que Castillo sera toujours en vie, rétorqua Diaz en faisant un grand pas de côté.

Il saisit Pilar par les épaules pour la plaquer contre lui.

— C'est à cause de lui que mon frère est mort, reprit-il.

Pilar avait les yeux agrandis de peur.

— Nicole ! cria-t-elle en la cherchant du regard.

Diaz jeta un bref regard en direction de l'eau en prenant soin de tenir la fillette contre lui pour s'en servir comme bouclier.

— Allez, Castillo, montrez-vous ou je tue votre fille !

— Non, pitié, ne lui faites pas de mal ! s'écria Nicole.

— Lâchez la petite, renchérit Daniel.

— Non, *señor*. Car c'est grâce à elle que son *traître de père* va se montrer ! cria-t-il pour que Castillo l'entende aussi.

— C'est vous le traître, espèce de lâche ! répondit la voix de Castillo, qui sortit à découvert et nagea en direction du *Bonne Fortune*. C'est vous et vos complices qui semez la terreur dans nos rues !

Diaz s'empressa de faire feu.

— Castillo ! s'exclama Jake, qui sortit à son tour et nagea le plus rapidement possible vers le juge.

D'un bras, il le prit par la taille et, de l'autre fit de grandes brasses pour le tirer de nouveau à l'abri du bateau. Diaz eut à peine le temps de réarmer et de viser plus précisément.

Daniel fit alors un pas dans sa direction. Mais Diaz avait remarqué le mouvement. Il brandit son arme, prêt à tirer. Daniel ne pouvait pas riposter, au risque de blesser Pilar, ou pire encore.

Nicole les regarda tour à tour, en un éclair. L'attention de Diaz était entièrement focalisée sur Daniel. Son père était lui aussi tétanisé par la scène et ne la tenait plus aussi fermement. Sans hésiter, elle se rua sur Pilar et l'arracha des griffes de Diaz, qui était sur le point de faire feu. Le sénateur White se jeta alors sur Daniel pour tenter de lui épargner le pire. Le coup de feu partit. Impuissante, Nicole vit son père prendre une balle dans le dos et s'effondrer sur le pont.

— Papa !

Les traits déformés par un rictus de haine et de démence, Diaz fit alors volte-face et braqua son arme sur elle.

14

Daniel repoussa le corps du sénateur, qui s'était effondré sur lui, juste à temps pour voir Diaz braquer son arme sur Nicole et Pilar. Une terreur comme il n'en avait encore jamais ressentie s'empara de lui.

Sans réfléchir, agissant par pur instinct, il leva le bras et fit feu, plusieurs fois. Diaz s'effondra à son tour, le regard inerte.

Daniel resta plusieurs secondes à reprendre son souffle, abasourdi. Il sentait l'adrénaline lui parcourir l'ensemble du corps, si fort qu'il en avait des tremblements nerveux. Il leva les yeux vers Nicole. Elle était complètement recroquevillée et serrait Pilar contre elle.

— Nicole !

Elle releva brusquement la tête, vit avec des yeux remplis d'effroi le corps inanimé de Diaz, puis le regarda.

— Nous... nous allons bien, articula-t-elle péniblement tandis que des larmes coulaient sur ses joues.

Elle fixa alors son père, étendu sur le dos.

— Papa ?

Daniel se redressa, rangea son arme et se tourna vers l'homme qui avait reçu la balle qui lui était destinée. Le père de Nicole lui avait sauvé la vie. Cette réflexion lui parut insensée.

Le sénateur avait les yeux ouverts mais ne bougeait plus. Il n'y avait pas de sang sur le devant de sa veste, ce qui n'était pas bon signe : la balle qui l'avait frappé dans le dos n'était pas ressortie.

Daniel lui posa un doigt sur le cou, à la recherche de son pouls, s'attendant au pire. Le sénateur bougea alors la tête et ouvrit la bouche.

— Nic…

Elle se précipita vers lui.

— Papa ? Oh ! mon Dieu.

Le sénateur tourna les yeux vers elle, inspira et leva un bras.

— Non, ne bouge pas papa, laisse-nous faire, dit-elle d'une voix anxieuse. Où as-tu mal ? Est-ce que tu arrives à respirer ?

Daniel lui ouvrit les boutons de sa veste et desserra son col pour lui donner de l'air.

— Recule-toi, s'il te plaît, dit-il doucement à Nicole.

— Pilar ! entendit-il appeler derrière lui.

C'était la voix de Mario Castillo. Il regarda par-dessus son épaule et vit la fillette appuyée contre le bastingage, la tête baissée vers son père.

— *Papi !*

— Daniel ?

Cette fois, c'était Jake.

— Tu peux nous aider à monter ?

— J'arrive, mais nous avons un blessé, ici, répondit-il.

Le sénateur produisit un grognement et tenta de se lever en faisant la grimace.

Daniel lui défit un peu plus sa chemise. Le sénateur portait un autre vêtement en dessous. Il passa la main sur ce vêtement, sentit la matière dure et rigide. Pas de doute.

— Un gilet pare-balles, soupira le sénateur avec un petit rire de soulagement.

Daniel prit Nicole par la main pour attirer son attention

et, quand il croisa son regard paniqué, lui adressa un sourire rassurant.

— Ton père porte un gilet pare-balles en Kevlar !

Elle resta un instant interdite, puis, quand elle comprit, poussa un long soupir et se mit à rire.

— C'est le gilet pare-balles que maman t'avait acheté quand…

— Je me suis dit… que c'était plus prudent.

Le sénateur tenta de nouveau de se redresser, et cette fois, Nicole l'aida tandis que Daniel lui ôtait sa veste pour voir à quel niveau la balle l'avait atteint. Le sénateur poussa un gémissement de douleur.

— L'impact m'a coupé le souffle. Respirer normalement me fait mal.

— Je veux bien vous croire, dit Daniel en passant la main sur son genou blessé. Le gilet pare-balles vous a protégé, mais vous pourriez tout de même avoir une côte fêlée.

Il éprouvait un sentiment de gratitude qu'il ne savait pas très bien comment exprimer. Il était persuadé que, toute sa vie, il haïrait le sénateur White pour l'avoir séparé de Nicole puis les avoir trahis, Alec et lui. Et en quelques minutes, tout venait de changer.

Il fixa le sénateur droit dans les yeux et lui déclara :

— Merci.

Le sénateur lui répondit d'un petit signe de tête.

— Je l'ai fait… parce que ma fille… vous aime.

Nicole poussa un petit gémissement de surprise. Elle était tellement bouleversée que de nouvelles larmes coulèrent sur ses joues. Elle regarda alternativement Daniel puis son père et se mordit la lèvre inférieure.

— Oh ! papa…

Elle le prit doucement dans ses bras pour ne pas lui faire mal et l'embrassa.

— Moi aussi je t'aime.

— *Mija*, non !

L'exclamation de Mario Castillo les fit tous trois lever la tête.

Pilar avait enjambé le bastingage et, avant que quelqu'un ne puisse l'arrêter, la fillette sauta à l'eau.

— Pilar ! s'exclama Nicole en se précipitant à la proue.

Daniel récupéra sa canne et la rejoignit. En dessous d'eux, ils virent Pilar nager vers son père. Celui-ci la prit dans ses bras et la couvrit de baisers tout en la réprimandant d'avoir sauté.

Quand Jake les vit tous deux à la proue, il leva le bras à son tour et les interpella :

— Hé, ce n'est pas qu'elle n'est pas bonne, mais je n'ai pas envie de passer la journée à la baille. Vous ne pourriez pas nous lancer une échelle de corde, qu'on puisse monter à bord ?

— Compris, cow-boy, répliqua Daniel avant de se tourner vers Nicole. Aide-les à monter, moi, pendant ce temps-là, je vais chercher une trousse de secours et alerter les gardes-côtes et la police de Grand Isle. Il faut qu'ils cueillent Menendez avant notre retour au port.

Daniel réprima un sourire. Jake faisait la grimace pendant que Nicole lui posait un pansement sur l'épaule. Il se l'était méchamment éraflée en tirant le juge Castillo à l'eau.

— Au moins, c'est l'épaule gauche, ça ne t'empêchera pas de te servir d'une arme, lui lança-t-il.

Jake acquiesça :

— De toute façon, c'est ma faute. Tu m'avais prévenu mais je n'ai pas pris suffisamment de précautions.

— Tu l'as prévenu ? intervint Nicole en se tournant

vers Daniel. Est-ce quand tu as parlé de protocole grec dans ta radio ?

— Ouais, lui répondit Jake. Les Grecs auraient dû se méfier quand on leur a offert le cheval de Troie. En d'autres termes, « protocole grec » signifie qu'il faut faire très attention.

Jake désigna ensuite Pilar et son père, qui s'étaient installés ensemble à l'intérieur du yacht et dit à Daniel :

— Tu devrais aller les débriefer avant l'arrivée des gardes-côtes. Nous ne devons pas traîner.

— Entendu. Je te laisse entre de bonnes mains, répliqua Daniel en lui adressant un clin d'œil.

Il se dirigea vers Pilar et le juge Castillo, qui étaient serrés l'un contre l'autre, enveloppés dans une couverture, et s'installa près d'eux.

— Vous parlez anglais, je crois, s'assura-t-il auprès de Mario Castillo.

— Oui, suffisamment bien pour vous comprendre et pouvoir vous répondre.

— Vous avez reconnu Diaz, reprit Daniel, entrant dans le vif du sujet. Comment le connaissiez-vous ?

— Eh bien, il se trouve que j'ai grandi dans le même quartier que Ramon et ses frères.

— Et que voulait-il dire quand il vous a accusé d'être responsable de la mort de son frère ?

Le juge poussa un soupir de dépit.

— Oh ! c'est simple. Carlo, un des frères de Ramon, faisait partie d'un gang de rue spécialisé dans le trafic de drogue qui était en cheville avec les factions rebelles. Il a fini par être arrêté et c'est moi qui ai présidé son procès. Je l'ai condamné à perpétuité et, finalement, il a été tué en prison par un autre détenu d'un gang rival. C'est après cela que la bande de Carlo s'en est pris à ma famille, qu'ils ont assassiné ma femme et ma fille et enlevé Pilar, dit-il en caressant affectueusement les cheveux de la fillette pelotonnée contre lui. Ils voulaient faire pression sur moi pour que je les laisse commettre leurs forfaits en toute impunité. C'est une véritable guerre. Les cartels ont des hommes infiltrés partout, à tous les niveaux.

— Comme Diaz, par exemple, qui avait infiltré l'ambassade de Colombie ici aux Etats-Unis, conclut Daniel.

Il regarda Pilar.

— Elle va bien ?

— Oui, grâce à vous, répondit Castillo avec un sourire. Elle est impatiente de rentrer à la maison.

— A ce sujet, vous êtes déterminé à retourner vivre à Bogota malgré ces derniers événements ?

— Je le dois. C'est mon pays, et je souhaite contribuer à le rendre meilleur.

Il sembla comprendre l'inquiétude de Daniel et ajouta :

— Je vais engager un garde du corps pour veiller sur ma fille et faire renforcer la sécurité de notre maison.

Puis, il haussa un sourcil et ajouta :

— Est-ce que vous ou Jake seriez intéressé par le poste ?

Daniel eut un sourire amer.

— Il y a encore quelques mois, j'aurais accepté votre proposition. Mais désormais, je ne suis plus l'homme de la situation, dit-il en se massant le genou.

— Pour plusieurs raisons, il me semble, répliqua le juge en regardant en direction de Nicole. Pilar m'a dit que la *señorita* White et vous, vous vous aimiez beaucoup.

Le sentiment de trahison que Daniel avait éprouvé à leur arrivée à la marina de Grand Isle quand ils s'étaient retrouvés nez à nez avec le sénateur White, Diaz et Menendez resurgit brusquement.

— A vrai dire, je ne sais pas trop ce que nous ressentons l'un pour l'autre et… je ne sais pas comment nous arriverons à bâtir un avenir ensemble… C'est compliqué.

Le juge se pencha en avant et lui adressa un regard dubitatif.

— Trop compliqué pour l'homme qui a délivré ma fille et la femme qui veillait sur elle d'un camp rebelle en pleine jungle ? Non. Si vous l'aimez vraiment, je suis certain que vous ne vous résignerez pas à considérer que les choses sont trop compliquées.

Daniel ne savait trop quoi répondre. Heureusement, Jake lui épargna cette besogne.

— Voilà, nous avons terminé, intervint-il en se massant l'épaule. Je crois qu'il est temps pour nous de repartir. Monsieur le juge, vous êtes prêt ?

Castillo acquiesça et chuchota à l'oreille de Pilar. La fillette releva vivement la tête et regarda de tous côtés jusqu'à ce qu'elle repère Nicole, qui rangeait le matériel de premiers secours. Elle bondit des genoux de son père et se précipita en courant vers sa maman de substitution.

— Nicole…

Daniel ne put entendre ce que Pilar lui dit, mais il lui suffisait de contempler le visage de Nicole. Le moment de se dire au revoir était arrivé, et c'était difficile.

Nicole se mit à genoux et serra fort Pilar contre elle. Elle la tint longuement ainsi les yeux fermés.

— Tu vas me manquer, *mija*. Tu es si forte et courageuse. Je suis sûre que tu feras de grandes choses de ta vie, lui dit-elle en espagnol.

Pilar lui répondit, et ses propos la firent pleurer.

— Moi aussi je t'aime, *mija*, répliqua-t-elle entre deux sanglots.

Daniel était tellement ému qu'il en détourna le regard. Voir Nicole si triste, savoir à quel point Pilar allait lui manquer était plus qu'il ne pouvait supporter. Quand

Nicole et la fillette s'approchèrent d'eux, il dut prendre une grande inspiration pour trouver le courage de leur faire face. Le juge Castillo lui serra la main et embrassa Nicole sur la joue.

— Je ne vous remercierai jamais assez pour l'amour que vous avez donné à ma fille, l'attention que vous lui avez portée et les risques que vous avez pris pour me la ramener saine et sauve.

— Il y a une seule chose que vous pouvez faire, lui répondit Nicole en séchant ses larmes. Nous donner des nouvelles régulièrement.

— Cela va sans dire, répondit le juge en prenant la main de sa fille.

Il se tourna vers Jake et déclara :

— Nous sommes prêts.

Mais, au moment où ils allaient s'en aller, Pilar libéra sa main et vint se pelotonner contre les jambes de Daniel.

— Au revoir, Daniel.

Il prit appui sur sa jambe valide, se baissa et souleva Pilar du sol. Il lui déposa un baiser sur le front, un autre sur les cheveux, et, malgré l'émotion qui lui serrait la gorge, parvint à articuler :

— *Adios*, petite.

Quand il la reposa au sol, Pilar reprit la main de son père et tous deux suivirent Jake sur le pont. Daniel les talonna sur quelques mètres. Au moment de sortir de la cabine, il se retourna vers Nicole. Elle était assise sur la banquette et se tenait le visage entre les mains.

— Tu viens les regarder partir et leur dire au revoir une dernière fois ?

— Non.

Elle s'essuya de nouveau les yeux et se leva.

— Je vais voir comment va mon père.

Sans rien ajouter, elle se dirigea vers la couchette au

fond de la cabine, où le sénateur s'était allongé pour récupérer. Il la regarda s'éloigner, songeur. Si dire au revoir à Pilar était si difficile, qu'allaient-ils éprouver quand ils se sépareraient de nouveau ?

Les gardes-côtes vinrent à la rencontre du *Bonne Fortune* quelques milles nautiques avant leur entrée au port. Un médecin examina immédiatement le sénateur et diagnostiqua que la balle avait provoqué un gros hématome mais qu'il n'avait apparemment pas de côtes cassées. Des officiers prirent ensuite leurs dépositions et, comme ils s'étaient mis d'accord sur la version à donner, tous trois firent un récit similaire. Les analyses préliminaires de balistique confirmèrent leurs dires, et tout portait à croire que l'enquête conclurait bel et bien que Daniel avait tué Ramon Diaz en position de légitime défense.

Quant à Menendez, la police de Grand Isle leur apprit qu'elle avait dépêché une unité au port dès qu'elle avait été avertie de la présence au port d'un homme qui était peut-être lié à l'attaque au domicile du sénateur White. Elle l'avait localisé dans un bar près de la marina et interpellé pour l'interroger en tant que témoin. Il avait refusé de s'exprimer. Mais l'ambassade de Colombie avait nié qu'il ait jamais fait partie de leurs services. Après vérification, elle avait même découvert que Menendez était recherché en Colombie pour plusieurs chefs d'inculpation. Il serait donc prochainement extradé pour répondre de ces accusations.

Quand ils sortirent sur le parking du poste de police, Nicole poussa un grand soupir de soulagement. Enfin, une page sombre de son existence se tournait définitivement.

Cependant, tout n'avait pas été si noir. Ce passage

difficile lui avait permis de vivre des moments intenses avec Pilar et de voir Daniel réapparaître dans sa vie, et ça, elle ne le regrettait nullement. Mais Daniel lui avait dit qu'il ne pouvait pas lui faire confiance et ce souvenir lui fit mal. Tout le reste de la journée, il s'était montré distant. Pourtant, elle avait été aussi surprise que lui de découvrir Diaz et son père au port, mais elle n'avait pas eu la moindre occasion de plaider sa bonne foi. Et puis, elle était lasse de devoir constamment se justifier et lui prouver qu'elle était loyale envers lui. Après ce qu'ils avaient traversé, elle avait besoin que Daniel l'aime d'un amour inconditionnel et qu'il cesse de douter d'elle.

Elle aida son père à s'installer sur le siège passager de sa voiture puis s'avança vers Daniel. Il était appuyé contre le capot de la voiture qu'ils avaient louée le matin même. Mais était-ce vraiment ce matin ? Mon Dieu, que la journée avait été longue !

— Ça ne t'ennuie pas de raccompagner ton père à La Nouvelle-Orléans ? lui demanda-t-il tandis qu'elle approchait.

— Non, ça ira. Et toi ? Tu retournes à la maison de ta grand-mère ?

Il détourna les yeux pour ne pas la regarder en face.

— Ouais, je pense que j'y resterai encore quelques jours pour récupérer. Ensuite, il faudra que je retourne en ville voir un médecin pour mon genou. Et puis après…

Il haussa les épaules, comme pour indiquer qu'il ignorait de quoi l'avenir serait fait.

Elle l'observa quelques secondes en silence. Il semblait tendu, il avait le visage fermé. Il était encore en colère contre elle. Mais elle était trop lasse pour s'expliquer avec lui ce soir.

Pourquoi, mais pourquoi avait-il fallu qu'elle tombe amoureuse de cette tête de mule ?

Elle redoutait sa réponse, mais elle avait besoin de savoir où ils en étaient :

— Tu m'appelleras ?

Il laissa passer de longues secondes, et plus il tardait à répondre, plus elle sentait son cœur se briser. Finalement, il tourna la tête et lui lança un regard noir.

— Je ne vois pas bien l'intérêt. Toi et moi, nous… ne nous sommes jamais vraiment compris. Je crois qu'il serait temps de laisser derrière nous cette nuit passée à La Nouvelle-Orléans et d'admettre que ça ne peut pas marcher entre nous.

Des larmes de dépit lui piquèrent les yeux.

— Daniel, tu ne nous as jamais laissé la moindre chance de…

— Bonsoir, Nicole.

Il se redressa, contourna la voiture et ouvrit la portière.

— Je te ramènerai tes chats avant la fin de la semaine.

Elle en resta bouche bée. Abasourdie. Blessée. Furieuse.

— Daniel ?

Il lui jeta un ultime et bref regard.

— Prends soin de toi, Nicole, tu le mérites.

Sans rien ajouter, il monta en voiture et démarra.

Elle resta immobile, la gorge serrée, et le regarda s'éloigner. Ce ne fut que lorsque les feux arrière du véhicule de location disparurent qu'elle trouva la force de retourner à la voiture de son père.

Elle monta sans un mot dans le véhicule et tourna la clé de contact machinalement. Il lui adressa un regard inquiet.

— Tout va bien, ma chérie ?

Comme elle ne lui avait jamais menti, elle lui retourna un bref regard et répondit simplement :

— Non.

*
* *

Deux jours plus tard, alors qu'il était assis sous le porche de la maison de sa grand-mère, Daniel reçut un texto de Jake. Pilar et son père avaient rejoint sans encombres leur domicile de Bogota, et lui était en route pour le Texas où il prendrait un peu de repos.

Daniel posa son téléphone à côté de lui et regarda le bayou. Il s'ennuyait ferme. Pilar et Nicole lui manquaient terriblement ; sans elles, l'ambiance était plus que morne. Même s'il ne devait jamais revoir Pilar, la fillette lui avait donné une idée de ce que pouvaient être les joies de la paternité et redonné l'espoir d'avoir un jour des enfants.

Des enfants avec Nicole, au regard bleu azur et au sourire désarmant…

Il tapa du poing sur l'accoudoir de son fauteuil et poussa un juron.

Arrête ! Tu as pris la seule décision possible. Regarde un peu la douleur et les incompréhensions que ta relation avec Nicole a déjà générées !

Comment pouvait-il encore avoir envie de mettre son cœur en danger ? Deux jours plus tôt, elle avait trahi sa promesse de ne rien dévoiler à son père de leurs projets. Alors comment pouvait-il espérer que cela changerait ? Non, il avait déjà beaucoup trop souffert, elle lui avait causé beaucoup trop d'angoisse, sans parler de son père.

« Parce que… ma fille… vous aime. »

Les paroles du sénateur lui repassèrent en tête et il changea de position dans son fauteuil, troublé. Le sénateur White lui avait sauvé la vie… pour le bien de Nicole. Ce geste ne cadrait pas avec le portrait très négatif de lui qu'il s'était construit depuis cinq ans. Pourtant, il avait bien du mal à revoir son jugement. Tout comme il lui était extrêmement difficile d'admettre que, cinq ans plus tôt, il avait peut-être mal interprété ce qui s'était passé ce fameux matin dans cette chambre d'hôtel de La Nouvelle-Orléans...

« En fait, je crois que c'est toi qui as un problème avec tes racines. »

« Je vous aime tous les deux. Je vous aime... »

Daniel poussa un grognement de dépit et se prit le visage entre les mains. Pourquoi ses sentiments pour Nicole étaient-ils si compliqués ?

« Si vous l'aimez vraiment, je suis certain que vous ne vous résignerez pas à considérer que les choses sont trop compliquées », lui avait dit Mario Castillo.

S'il l'aimait ? La bonne blague !

Il était tombé amoureux d'elle la première fois qu'il l'avait vue. C'était bien pour cela que sa trahison lui avait fait aussi mal. Sauf qu'à en croire Nicole, elle ne l'avait absolument pas trahi. Elle s'était élevée contre la propension de son père à diriger sa vie, mais ses sentiments avaient été sincères, elle était prête à se battre pour être avec lui.

La sonnerie de son téléphone interrompit de nouveau ses réflexions.

Il s'empara de l'appareil avec agacement et regarda qui l'appelait. Secrètement, il espérait que ce soit Nicole, mais c'était Alec.

— Alors, vieux, Erin ne t'a pas encore largué ? lui lança-t-il sans préambule.

— Bonjour à toi aussi, répliqua Alec d'un ton enjoué. Et pour répondre à ta question, je ne sais pas pourquoi, mais Erin m'aime et semble heureuse d'être avec moi.

Daniel esquissa un sourire.

— Tu as de la chance qu'elle soit constante.

— Je ne te le fais pas dire. Après avoir enduré douze

heures de travail, elle est constante dans l'effort aussi. Je l'admire.

Daniel se redressa dans son fauteuil.

— Douze heures de travail. Tu veux dire qu'elle a accouché ?

— Ce matin même. C'est un garçon. Comme il est arrivé deux semaines en avance, il n'est pas très gros, mais il a déjà plein de cheveux blonds, comme sa mère, répondit Alec avec fierté.

— C'est génial. Félicitations à vous deux.

— Merci, dit Alec qui poussa un soupir de satisfaction. Tu sais, LeCroix, je n'aurais jamais pensé être aussi heureux un jour. Le mariage, la famille, c'est fantastique. Tu devrais essayer aussi.

— Ouais, un jour peut-être, répliqua Daniel en promenant son regard sur le ponton où il avait appris à pêcher à Pilar, le cœur gros.

— Un jour peut-être ? Bon sang, LeCroix, tu ne crois pas que tu as déjà suffisamment fait attendre Nicole ? Quand vas-tu devenir raisonnable et lui dire franchement ce que tu ressens pour elle ?

Daniel se pinça l'arête du nez et soupira.

— Ça ne risque pas d'arriver. Il y a deux jours, je lui ai dit que c'était fini entre nous.

— Fini... Attends, je cherche le mot approprié. Crétin !

Daniel fut pris de court par la véhémence de son ami. Crétin, c'est ainsi qu'il avait qualifié Alec à l'époque où celui-ci avait failli laisser filer Erin.

— Ouais, c'est ça, tu es un crétin. Si tu laisses Nicole t'échapper, tu commettras la plus grande erreur de ta vie. Ne fais pas cela, Daniel, sinon je t'assure que je viens en personne te botter le train.

Daniel sourit.

— Tu laisserais tomber ta femme et ton bébé pour moi, c'est vrai ?

— Dis-moi que tu vas l'appeler, t'excuser, la supplier de te donner une seconde chance s'il le faut.

Daniel émit un grognement de mauvaise humeur et secoua la tête.

— Je… Ce n'est pas si simple.

— Arrête, ce n'est pas vraiment toi qui parles, là. Quand tu le veux, rien ne t'arrête, je t'ai vu réussir des trucs insensés, il faut seulement que tu le veuilles.

Daniel entendit alors des cris de bébé en fond.

— Bon, écoute, vieux, je dois te laisser, l'infirmière vient d'arriver avec Ethan.

— Je comprends. Embrasse Erin pour moi.

— Daniel, tu l'aimes vraiment ? reprit néanmoins Alec. Car, le cœur du problème, il est là. Si tu réponds oui à cette question, alors tout est dit.

Daniel serra plus fort son téléphone.

— Oui, je l'aime.

— Alors tu sais ce qui te reste à faire.

« Si c'est ce que vous voulez vraiment, rien ne sera trop compliqué », songea Daniel.

— Merci, Alec. Encore une fois, toutes mes félicitations.

Il mit fin à la communication et posa son téléphone. « Tu sais ce qui te reste à faire. »

Il sentit une chaleur nouvelle, un regain d'énergie l'envahir. Il devait laisser de côté tout ce qui, pour lui, assombrissait sa relation avec Nicole pour se concentrer sur l'essentiel. Alec avait raison. S'il l'aimait, rien d'autre n'avait d'importance. Ils sauraient trouver les ressources de passer outre les blessures et les incompréhensions. Après tout, leurs sentiments ne s'étaient pas estompés, même après cinq années.

Il contempla son genou et réfléchit à ce qu'il allait faire.

Avant d'aller voir Nicole, il avait deux ou trois petites choses à régler. Il devait aller consulter un spécialiste pour lui demander comment recouvrer l'ensemble de ses moyens le plus vite possible.

Il fallait aussi qu'il en finisse avec la petite guerre personnelle qui l'opposait à son père.

Trois jours plus tard, Daniel frappait à la porte de la propriété du sénateur White à La Nouvelle-Orléans. Sarah Beth, la gouvernante, qui était présente le jour où les intrus avaient pénétré dans la maison, vint lui ouvrir et l'accueillit avec un grand sourire.

— Monsieur LeCroix, mon héros ! Que je suis heureuse de vous revoir.

Il lui retourna un sourire modeste.

— Merci, Sarah Beth. Nicole et son père sont-ils là ?

Il y eut un bruit de talons sur le parquet. Nicole fit son apparition derrière la gouvernante.

— Daniel ! s'exclama-t-elle, d'un ton à la fois incertain et plein d'espoir. Entre. Qu'est-ce… qui t'amène ?

Sarah Beth s'éclipsa discrètement pour les laisser seuls.

Daniel dévisagea Nicole. La surprise et une légère inquiétude se lisaient sur son visage. Mais le bénéfice de ces quelques jours de repos se voyait déjà : elle avait repris des couleurs et avait les traits plus détendus. En un mot, elle était magnifique.

— Je ne peux pas rester très longtemps car j'ai un rendez-vous chez l'orthopédiste pour mon genou, mais… j'aimerais m'entretenir avec ton père. Est-il là ?

Nicole fronça les sourcils.

— Oui, mais… de quoi veux-tu lui parler ?

— Où puis-je le trouver ? s'empressa-t-il de répliquer pour éluder sa question.

Elle recula d'un pas, manifestement de plus en plus inquiète.

— Il est dans le salon. Je t'accompagne.

Le cœur battant, il la suivit dans la vaste maison qui ne portait déjà plus trace de l'intrusion et de la fusillade qui s'y étaient déroulées deux semaines auparavant.

— Papa, tu as de la visite, déclara Nicole à son père, assis devant la télévision.

Le sénateur White se leva lentement et fit face à Daniel avec la même expression d'étonnement et de méfiance que sa fille.

— LeCroix.

Il tendit la main à Daniel, qui la lui serra en le regardant droit dans les yeux.

— Bonjour, monsieur. Vous vous sentez mieux ?

Le sénateur inclina légèrement la tête.

— J'ai encore un peu mal au dos et je me déplace avec précautions, mais je me remets. Que puis-je pour vous ?

— J'ai une requête importante à vous faire.

Nicole se posta à côté de son père et se mordit la lèvre inférieure.

— Daniel, qu'est-ce qui se passe ?

Il croisa brièvement son regard avant de revenir sur son père.

— Monsieur le sénateur, je suis amoureux de votre fille depuis la première fois où je l'ai vue, il y a dix ans. Je pense avoir démontré que je suis prêt à tout pour la protéger, même si je dois risquer ma vie.

Le sénateur regarda Nicole puis acquiesça d'un signe de tête en souriant.

— En effet, je le reconnais.

— Monsieur, je vous promets qu'à cet égard, rien ne changera jamais. J'aimerai toujours Nicole de tout mon être et je ferai toujours mon possible pour la protéger et la défendre, quelle que soit votre réponse.

Le sénateur fronça les sourcils.

— Ma réponse ? Mais vous ne m'avez pas encore posé de question !

— Papa ! s'exclama Nicole sur le ton de la réprimande.

Daniel inspira longuement avant de se lancer :

— Vous avez raison. Alors, monsieur, me ferez-vous l'honneur d'accepter que je demande votre fille en mariage ?

Nicole poussa un gémissement de surprise et porta une main à sa bouche.

Le sénateur White sourit et regarda sa fille avec affection.

— Daniel, mon garçon, j'ai appris à ne pas prendre de décisions à la place de ma fille. C'est une forte tête et elle est tout à fait capable de décider ce qu'elle veut pour elle. Si vous souhaitez l'épouser, c'est à elle que vous devez formuler votre demande. Cependant, en ce qui me concerne, je vous donne ma bénédiction et je vous adresse tous mes vœux de bonheur.

Daniel parvint enfin à sourire et sentit un poids se soulever de sa poitrine. Il se tourna solennellement vers Nicole.

— Nicole, je…

— Oui ! s'exclama-t-elle avant de se jeter à son cou.

Elle était tellement enthousiaste qu'il dut lâcher sa canne pour la prendre dans ses bras. Il perdit l'équilibre et tous deux faillirent s'affaler sur le sol.

Le sénateur éclata de rire.

— Ma chérie, encore une fois, je n'ai pas entendu de question.

Nicole avait des larmes de joie qui coulaient sur ses joues. Sans lâcher Daniel, elle tourna la tête vers son père et lui sourit. Puis, elle lui fit de nouveau face et lui demanda :

— Pardon, Daniel, tu disais ?

Il lui prit le visage entre ses mains et lui déclara avec sincérité :

— Je t'aime. Je t'aime depuis des années et je te promets de t'aimer pour le restant de mes jours. Je ne peux pas concevoir l'avenir sans toi.

Il sortit un petit étui de sa poche qui contenait une bague toute simple.

— Ma grand-mère tenait absolument à ce que j'offre cette bague à la femme que j'épouserais.

Il la lui glissa au doigt.

— Alors, veux-tu devenir mon épouse ?

Un sourire radieux éclairait le visage de Nicole en même temps que de grosses larmes coulaient encore sur ses joues.

— Moi aussi je t'aime, Daniel LeCroix. J'ai attendu longtemps ce moment. Alors oui, je veux être à toi.

Le 1er juin

Black Rose n°255

Les brumes de Coral Cove - Carol Ericson

Série Enigmes à Coral Cove 2/4

Meurtres. Menaces. Suspicion. De bouleversants secrets se cachent sous la brume de Coral Cove...

Impossible, et pourtant... C'est bien Kieran qu'elle aperçoit là-bas, sur la plage de Coral Cove. Sous le choc, Devon se jette dans les bras de son fiancé, qu'elle croyait mort depuis cinq ans... Mais très vite, son bonheur se teinte d'angoisse. Car le Kieran qui se tient aujourd'hui devant elle est froid, distant... Que lui est-il arrivé ? Bientôt, Devon comprend que Kieran est devenu amnésique et qu'il ignore qui elle est... Dans ces conditions, comment lui révéler que, quelques jours seulement après sa disparition, elle a appris qu'elle attendait un enfant de lui ? Et, surtout, que le petit Michael, leur fils de quatre ans, est aujourd'hui en danger ?

Ce secret à cacher - Rachel Lee

Marti a trop donné. Jamais plus elle ne veut tomber amoureuse : elle se l'est juré le jour où son mari s'est tué sur la route, la laissant seule... et enceinte. Mais alors qu'une violente tornade s'abat sur la région, Ryder Kelstrom entre dans sa vie. Ce sont des inconnus l'un pour l'autre ; elle lui a juste offert l'hospitalité. Pourtant, il se montre si prévenant envers elle et son bébé à naître ... Peut-elle oser croire enfin à l'impossible, au bonheur ? Sans doute. Mais Ryder la déconcerte – comme si... il cachait un secret.

Black Rose n°256

Un séduisant protecteur - Cassie Miles

Natalie est furieuse ; pas question qu'elle serve de guide touristique à un cow-boy tout droit débarqué du Texas ! Certes, Quint Crawford est charismatique et, surtout, il pèse très lourd dans les affaires pétrolières que Natalie codirige avec son père. Mais une simple assistante aurait pu se charger de lui faire visiter Chicago. A n'en pas douter, si son père insiste tant pour qu'elle reste vingt-quatre-heures sur vingt-quatre au côté de Quint, c'est qu'il voit en lui un homme capable de la protéger des menaces qu'elle reçoit ces dernières semaines. Mais elle n'est pas du genre à se laisser intimider et n'a certainement pas besoin d'un garde du corps, même s'il est très agréable à regarder...

Une dangereuse révélation - Kimberly Van Meter

Cassandra Nolan... ? En apprenant qu'il doit arrêter la femme dont il était éperdument amoureux autrefois, Thomas est bouleversé. Comment est-il possible que Cassie soit accusée d'escroqueries et de vols, alors qu'elle est l'héritière d'une des familles les plus fortunées de Virginie ? Bien sûr, en tant qu'agent du FBI, il doit mettre de côté ses doutes et boucler la mission qu'on lui a confiée. Mais lorsqu'il revoit Cassie, belle, attirante et magnétique... malgré lui, il ne peut-il s'empêcher de l'écouter. Or, elle lui jure qu'elle a été manipulée, et qu'elle est même en danger...

Black Rose n°257

Une inquiétante disparition - Janice Kay Johnson

Dix minutes. Dix ridicules petites minutes durant lesquelles elle s'est assoupie sur la plage, et voilà que sa nièce de dix ans a disparu. Beth est effondrée : c'est certain, Sicily a été kidnappée. Jamais elle ne se serait éloignée sans la prévenir ! Hélas, Mike Ryan, l'inspecteur chargé de l'affaire, semble loin de la croire. Il sous-entend même qu'elle aurait pu faire disparaître volontairement sa nièce... Bien que révoltée, Beth n'a pas le choix : elle doit convaincre Mike ; car, sans qu'elle comprenne bien pourquoi, elle éprouve le besoin irrépressible de l'avoir à ses côtés pour retrouver Sicily...

Face à l'oubli - Jean Thomas

Une scène de chaos et de désolation. Voilà ce qui attend Eve quand elle parvient à s'extirper de la carcasse de l'avion qui la ramenait vers Chicago. Tous, autour d'elle, sont morts. Tous, sauf Sam McDonough, l'agent spécial chargé de l'escorter, et de la protéger des dangereux criminels qui ont résolu de l'éliminer. Alors que Sam reprend conscience, Eve sent un immense soulagement l'envahir. Elle n'est pas seule ! Avec l'aide de Sam, elle a encore une chance de s'en sortir, même traquée ! Du moins l'espère-t-elle. Avant de découvrir, consternée, que Sam a perdu la mémoire.

Black Rose n°258

Partenaires malgré eux - Marie Ferrarella

Matt Abilene sera son nouveau coéquipier ? Kendra enrage. Les hommes comme lui, elle les connaît : des play-boys qui ne pensent qu'à prendre du bon temps... Autant dire que son partenaire n'a pas intérêt à tester son charme sur elle, sinon il sera reçu comme il se doit ! Quelques jours plus tard, tandis que Kendra n'a toujours pas décoléré contre Matt et qu'ils enquêtent sur l'assassinat d'une jeune femme, les choses tournent mal sur le terrain : un criminel menace Kendra de son arme. Et sous ses yeux atterrés, Matt va au-delà de son rôle : il s'interpose pour lui sauver la vie et prend la balle à sa place...

Un fils à retrouver - C.J. Carmichael

Je viens d'apprendre que j'ai un fils de vingt ans. Je veux le retrouver.

Lorsque Patrick O'Neil entre dans le cabinet de détectives privés où elle travaille comme réceptionniste et lui glisse ces mots à l'oreille, Nadine est aussitôt sur le qui-vive. Ses patrons sont absents. Pourquoi ne se chargerait-elle pas elle-même de cette affaire plutôt que d'attendre leur retour ? Désireuse d'aider cet homme à retrouver son enfant, autant que décidée à se distinguer, elle se lance à corps perdu dans les recherches... sans se douter que le danger les guette, Patrick et elle...

A paraître le 1er mai

Best-Sellers n°559 • suspense

Un tueur dans la nuit - Heather Graham

Un corps atrocement mutilé, déposé dans une ruelle mal éclairée de New York en une pose volontairement suggestive…

En s'avançant vers la victime – la quatrième en quelques jours à peine –, l'inspecteur Jude Crosby comprend aussitôt que le tueur qu'il traque vient une fois de plus d'accomplir son œuvre macabre. Qui est ce déséquilibré, qui semble s'ingénier à imiter les crimes commis par Jack l'Eventreur au 19e siècle ? Et comment l'identifier, alors que le seul témoin à l'avoir aperçu n'a distingué qu'une ombre dans la nuit, vêtue d'une redingote et d'un chapeau haut de forme ? Se pourrait-il, comme le titrent les médias, déchaînés par l'affaire, qu'il s'agisse du fantôme du célèbre assassin, ressuscité d'entre les morts pour venir hanter le quartier de Wall Street, désert la nuit ? Une hypothèse qui exaspère Jude, lui qui sait bien qu'il a affaire à un homme en chair et en os qu'il doit arrêter au plus vite. Quitte pour cela à accepter de collaborer avec la troublante Whitney Tremont, l'agent du FBI qui lui a été envoyé pour l'aider à résoudre l'affaire. Même si Jude ne croit pas un seul instant au don de double vue qu'elle prétend posséder…

Best-Sellers n°560 • suspense

L'ombre du soupçon - Laura Caldwell

Après des mois difficiles durant lesquels elle a été confrontée à la perte d'un être cher ainsi qu'à une déception amoureuse, Izzy McNeil, décidée à ne pas se laisser aller, accepte sans hésiter de devenir présentatrice d'une nouvelle chaîne de télévision. Mais si la chance semble lui sourire à nouveau, il lui reste encore à retrouver sa confiance en elle et à remettre de l'ordre dans sa vie sentimentale. Pourtant, tout cela passe d'un seul coup au second plan quand elle retrouve Jane, sa meilleure amie, sauvagement assassinée. Anéantie, Izzy doit en outre affronter les attaques d'un odieux inspecteur de police qui la soupçonne du meurtre de son amie. Comment se défendre face à ces accusations quand des coïncidences incroyables la désignent comme la coupable idéale – tandis que de sombres secrets que Jane aurait sans doute voulu emporter dans la tombe commencent à remonter à la surface ? Désormais, Izzy le sait, elle est la seule à pouvoir dissiper l'ombre du soupçon.

Best-Sellers n°561 • thriller

L'hiver assassin - Lisa Jackson

Ne meurs pas. Bats-toi. Ne te laisse pas affaiblir par le froid et la morsure du vent. Oublie la corde et l'écorce gelée. Bats toi. C'est la quatrième femme morte de froid que l'on retrouve attachée à un arbre dans le Montana, un étrange symbole gravé au-dessus de la tête. Horrifiées par cette série macabre, Selena Alvarez et Regan Pescoli, inspecteurs de police, se lancent dans une enquête qui a tout d'un cauchemar, au cœur d'un hiver glacial et de jour en jour plus meurtrier à Grizzly Falls. Au même moment, Jillian Rivers, partie à la recherche de son mari dans le Montana, se retrouve prisonnière d'une violente tempête de neige. Un homme surgit alors pour la secourir avant de la conduire dans une cabane isolée par le blizzard. Malgré son soulagement, Jillian éprouve instinctivement pour cet être taciturne un sentiment de méfiance. Et si ses intentions n'étaient pas aussi bienveillantes qu'il y paraissait ? Et s'il se tramait quelque chose de terrible ? Pour Selena, Regan et Jillian, un hiver assassin se profile peu à peu dans ces forêts inhospitalières…

Best-Sellers n°562 • thriller
Et tu périras par le feu - Karen Rose

Hantée par une enfance dominée par un père brutal – que son entourage considérait comme un homme sans histoire et un flic exemplaire –, murée dans le silence sur ce passé qui l'a brisée affectivement, l'inspecteur Mia Mitchell, de la brigade des Homicides, cache sous des dehors rudes et sarcastiques une femme secrète, vulnérable, pour qui seule compte sa vocation de policier. De retour dans sa brigade après avoir été blessée par balle, elle doit accepter de coopérer avec un nouvel équipier, le lieutenant Reed Solliday, sur une enquête qui s'annonce particulièrement difficile : en l'espace de quelques jours, plusieurs victimes sont mortes assassinées dans des conditions atroces. Le meurtrier ne s'est pas contenté de les violer et de les torturer : il les a fait périr par le feu... Alors que l'enquête commence, ni Mia ni Reed, ne mesurent à quel point le danger va se rapprocher d'eux, au point de les contraindre à cohabiter pour se protéger eux-mêmes, et protéger ceux qu'ils aiment...

Best-Sellers n°563 • roman
La vallée des secrets - Emilie Richards

Si rien ne changeait, le temps aurait raison de son mariage : telle était la terrible vérité dont Kendra venait soudain de prendre conscience. Blessée dans son amour, elle part s'installer dans un chalet isolé au cœur de la Shenandoah Valley, en Virginie. Une demeure héritée par son mari, Isaac, d'une grand-mère qu'il n'a jamais connue, seule trace d'une famille qui l'a abandonné après sa naissance. Dans ce lieu enchanteur et sauvage, elle espère se ressourcer et faire le point sur son mariage. Mais c'est une autre quête qui la passionne bientôt : celle du passé enfoui et mystérieux des ancêtres d'Isaac. Une histoire intimement mêlée aux secrets de la vallée, précieusement protégés par les habitants qui en ont encore la mémoire. Mais qu'importe : Kendra, qui n'a rien oublié de son métier de journaliste, est prête à relever le défi. Car, elle en est persuadée, ce n'est qu'en sachant enfin d'où il vient qu'Isaac pourra construire avec elle un avenir serein...

Best-Sellers n°564 • roman
Un automne à Seattle - Susan Andersen

Quand elle apprend qu'elle hérite de l'hôtel particulier Wolcott, près de Seattle, Jane Kaplinski a l'impression de rêver. Car avec la demeure, elle hérite aussi de la magnifique collection d'art de l'ancienne propriétaire ! Autant dire une véritable aubaine pour elle, conservatrice-adjointe d'un musée de Seattle. Mais à son enthousiasme se mêlent des sentiments plus graves : de la peine, d'abord, parce qu'elle adorait l'ancienne propriétaire de Wolcott, une vieille dame excentrique et charmante qu'elle connaissait depuis l'enfance. Et de l'angoisse, ensuite, parce qu'elle redoute de ne pas être à la hauteur de la tâche. Heureusement, elle peut compter sur l'aide inconditionnelle
de ses deux meilleures amies, Ava et Poppy, qui ont hérité avec elle de Wolcott. Et sur celle, quoique moins chaleureuse, de Devlin Kavanagh, chargé de restaurer la vieille bâtisse. Un homme très séduisant, très viril et très sexy, mais qui l'irrite au plus haut point avec son petit sourire en coin, et son incroyable aplomb. Mais comme il est hors de question qu'elle réponde à ses avances à peine voilées, elle n'a plus qu'à se concentrer sur son travail. Sauf que bien sûr, rien ne va se passer comme prévu...

Best-Sellers n°565 • historique
La maîtresse du roi - Judith James
Cressly Manor, Angleterre, 1662
Belle, sensuelle et déterminée, Hope Matthews a tout fait pour devenir la favorite du roi d'Angleterre, quitte à y laisser sa vertu. Pour elle, une simple fille de courtisane, cette réussite est un exploit, un rêve inespéré auquel elle est profondément attachée. Malheureusement, son existence dorée vole en éclats lorsque le roi lui annonce l'arrivée à la cour de la future reine d'Angleterre. Du statut de maîtresse royale, admirée et enviée de tous, elle passe soudainement à celui d'indésirable. Furieuse, Hope l'est plus encore lorsqu'elle découvre que le roi a mis en place un plan pour l'éloigner de Londres : sans la consulter, il l'a mariée à l'ombrageux et séduisant capitaine Nichols, un homme arrogant qui ne fait rien pour dissimuler le mépris qu'il éprouve pour elle…

Best-Sellers n°566 • historique
Princesse impériale - Jeannie Lin
Chine, 824.
Fei Long n'a pas le choix : s'il veut sauver l'honneur de sa famille, il doit à tout prix trouver une remplaçante à sa sœur fugitive, censée épouser un seigneur khitan sur ordre de l'empereur. Hélas ! à seulement deux mois de la cérémonie, il désespère de rencontrer la candidate idéale. Jusqu'à ce que son chemin croise celui de Yan Ling, une ravissante servante au tempérament de feu. Bien sûr, elle n'a pas l'élégance et le raffinement d'une princesse impériale, mais avec un peu de volonté – et beaucoup de travail –, elle jouera son rôle à la perfection. Fei Long en est convaincu. Oui, Yan Ling est la solution à tous ses problèmes. A condition qu'il ne tombe pas sous son charme avant de la livrer à l'empereur…

Best-Sellers n°567 • érotique
L'emprise du désir - Charlotte Featherstone
Parce qu'il croit avoir perdu à jamais lady Anaïs, la femme qu'il désire plus que tout au monde, lord Lindsay s'est laissé emporter entre les bras d'une autre maîtresse, aussi voluptueuse mais autrement dangereuse : l'opium. Semblables à de langoureux baisers, ses volutes sensuelles caressent son visage et se posent sur ses lèvres, l'emportant vers des cimes inexplorées. Et quand survient l'extase, le rideau de fumée se déchire, et, le temps d'un rêve, il possède en imagination la belle Anaïs. Hélas, pour accéder encore et encore à cet instant magique, Lindsay a besoin de plus en plus d'opium, qui devient vite pour lui une sombre maîtresse, exigeante, insatiable. Alors, le jour où lady Anaïs resurgit dans sa vie, encore plus troublante, encore plus désirable, il comprend qu'il va devoir faire un choix. Car il ne pourra les posséder toutes les deux…

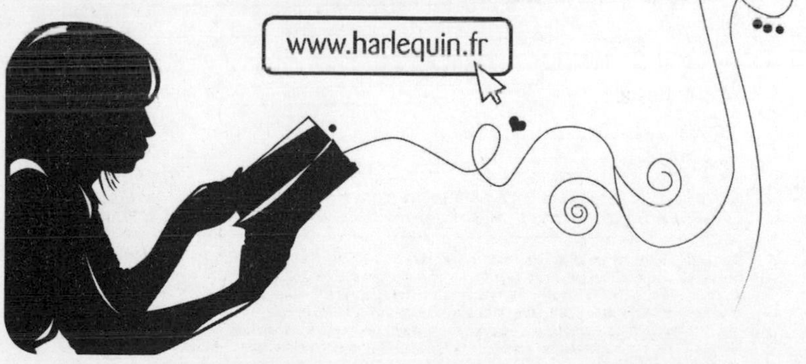
www.harlequin.fr

Composé et édité par les
éditions HARLEQUIN
Achevé d'imprimer en France (Malesherbes)
par Maury-Imprimeur
en avril 2013

Dépôt légal en mai 2013
N° d'imprimeur : 180537